Tu año perfecto

Si tienes un club de lectura o quieres organizar uno, en nuestra web encontrarás guías de lectura de algunos de nuestros libros.
www.maeva.es/guias-lectura

Este libro se ha elaborado con papel procedente de bosques gestionados de forma sostenible, reciclado y de fuentes controladas, avalado por el sello de PEFC, la asociación más importante del mundo para la sostenibilidad forestal.

MAEVA desea contribuir al esfuerzo colectivo y permanente de proteger y preservar el medio ambiente y nuestros bosques con el compromiso de producir nuestros libros con materiales responsables.

Charlotte Lucas

Tu año perfecto

Traducción:
Lidia Álvarez Grifoll

Título original: *Dein Perfektes Jahr*

Benito Castro, 6
28028 MADRID
emaeva@maeva.es
www.maeva.es

ISBN: 978-84-16690-87-9
Depósito legal: M-21.100-2017

Diseño e imagen de cubierta: Elsa Suárez sobre imagen de Shutterstock
Preimpresión: MT Color & Diseño, S.L.
Impresión y encuadernación: CPI BLACK PRINT
Impreso en España / Printed in Spain

A mi madre, Dagmar Helga Lorenz
(08.03.1945 – 20.10.2015)

Y a mi padre, Volker Lorenz

No se pueden añadir días a la vida, pero se puede añadir vida a los días.
Proverbio chino

«Un proverbio bastante insulso.»
Jonathan N. Grief

A *Hamburger Nachrichten*
Redacción/Atención al lector
Correo electrónico

Hamburgo, 31 de diciembre

Estimado equipo de redacción:

Antes de desearles feliz Nochevieja y próspero Año Nuevo, me gustaría señalarles brevemente un par de errores que he detectado en la edición de hoy.

En el artículo sobre la película *Glaciación* (página 18), protagonizada por Henning Fuhrmann, han escrito: «Henning Fuhrmann, el actor de treinta y tres años que ha actuado en diversas series de televisión, consiguiendo hacerse un nombre...».

Me gustaría indicarles que, según la Wikipedia, Henning Fuhrmann cumple años el 31 de diciembre, es decir, hoy. Por lo tanto, no tiene treinta y tres años, sino treinta y cuatro, un dato que obviamente se les ha escapado. Además, en el texto aparece un gerundio de posterioridad y, por lo tanto, incorrecto, que podría haberse evitado invirtiendo los elementos de la frase: «... que en los últimos años ha conseguido hacerse un nombre actuando en diversas series de televisión».

Asimismo, en la última página, el artículo sobre la nueva sede de la Filarmónica del Elba lleva por título «¡Van por todas!», cuando debería ser «¡Van a por todas!».

Atentamente,
Jonathan N. Grief

1

Jonathan

1 de enero, lunes, 07.12 horas

Jonathan N. Grief no estaba contento. Como todos los días, se calzó las zapatillas de deporte a las 06.30 de la mañana, se subió a su bicicleta de montaña y, a pesar de que el termómetro marcaba una temperatura bajo cero, se dirigió al lago Aussenalster para seguir su rutina de entrenamiento diaria.

Y, como todos los años, ese 1 de enero no solo se enfadó al ver los restos de petardos, bengalas y cohetes que, junto con la nieve grisácea derretida, formaban un chapapote espantoso y resbaladizo en las aceras, en los carriles bici y en los caminos para correr; o por el hecho de toparse con botellas de cerveza y champán, embarradas y rotas, que de noche habían servido de rampas de lanzamiento y que, por lo visto, nadie había considerado necesario tirar después al contenedor del vidrio; y tampoco se enfadó únicamente por el aire cargado y denso que los juerguistas de Hamburgo –a ojos de Jonathan Grief, también irresponsables– habían convertido con su pirotecnia en una pesadilla de partículas suspendidas y que ahora se extendía como una capa de polución sobre la ciudad hanseática y dificultaba la respiración.

(Evidentemente, los juerguistas de Nochevieja seguían en la cama, comatosos y con resaca; un minuto después de medianoche, habían lanzado al viento con un cohete sus buenos propósitos de beber menos y dejar de fumar, y habían estado de jarana hasta altas horas de la madrugada como si no les importara quemar un dineral que podría bastar para sanear en un santiamén las arcas de la ciudad.)

No, eso no era lo único que lo enervaba.

Lo que más lo sublevaba era que esa noche su exmujer, Tina, también le había dejado en la puerta de casa la típica figurita de chocolate con una postal en la que le deseaba, como siempre, «Feliz y próspero Año Nuevo».

¡Feliz y próspero Año Nuevo! Mientras cruzaba el puente de Krugkoppel, desde el que se bajaba al parque del Ulster por el sendero que pasaba por delante del café Red Dog, aceleró la marcha hasta alcanzar los 14 kilómetros por hora y sus pedaleos provocaron un ruido sordo en el camino.

¡Feliz y próspero Año Nuevo! El pulsómetro de Jonathan indicaba una velocidad de 16 kilómetros por hora y una frecuencia cardíaca de 156 pulsaciones por minuto. Esa mañana probablemente lograría recorrer en un tiempo récord el camino de 7,4 kilómetros que rodeaba el lago. Hasta entonces, su mejor marca era de 33,29 minutos y, si seguía corriendo así, la superaría.

Sin embargo, al llegar a la altura del Anglo-German Club bajó el ritmo. Aquello era un disparate. ¿Por qué los «detalles» espontáneos de Tina lo alteraban tanto que incluso le hacían poner en peligro su salud y arriesgarse a acabar con un esguince? Al fin y al cabo, llevaban cinco años separados, y una absurda figurita de chocolate no tendría que trastocarlo hasta ese punto.

Sí, Jonathan la había amado. Mucho. Y sí, ella lo había dejado por el que en aquella época era su mejor amigo, Thomas Burg, y le había pedido el divorcio después de siete felices años de matrimonio. Al menos, Jonathan siempre había creído que eran felices juntos. Por lo visto, su ex pensaba de otra manera porque, de lo contrario, no habría pasado nada con Thomas.

Tina le aseguró que él, Jonathan, no tenía la culpa de nada, pero cualquiera con dos dedos de frente sabe que en esos casos uno siempre tiene la culpa de algo.

Y Jonathan seguía preguntándose qué podía ser ese «algo». Después de todo, él le había ofrecido el paraíso en la Tierra. Le había comprado una casa preciosa en Harvestehude, uno de los mejores barrios de Hamburgo, con vistas al Innocentiapark, que ella reformó a su gusto, incluso creó su propio refugio, ¡con cuarto de baño y vestidor incluidos!, y también le había facilitado las cosas para que dejara su odioso trabajo de diseñadora gráfica en una agencia de publicidad y viviera a su aire.

Jonathan se anticipaba a casi todos sus deseos. Daba igual que fuera un vestido bonito, un bolso elegante, una joya o un coche nuevo, bastaba con que Tina comentara que una cosa le gustaba para que él se la comprara.

Una existencia libre de preocupaciones y obligaciones. En la editorial Griefson & Books, que Jonathan había heredado de su padre, Wolfgang Grief, contaban con un director general excelente y él solo aparecía por allí como «figura decorativa» y, en calidad de editor, tenía que estar disponible para cumplir tareas representativas. El matrimonio emprendía viajes carísimos a los destinos más exclusivos y siempre era bien recibido en los acontecimientos sociales de la ciudad, sin tener que preocuparse de que su vida privada fuera objeto de la prensa rosa.

Tina disfrutaba al máximo de su vida con él, no paraba de proponer destinos exóticos, vestir elegantes prendas de diseño y redecorar las habitaciones de la mansión cada cierto tiempo.

Jonathan se preguntaba de vez en cuando, sobre todo cada vez que le daba por hacer reformas, si su mujer no se aburría un poco.

Tina buscaba «algo más» que era incapaz de concretar, al menos delante de su marido. Se apuntó a cursos de idiomas, a correr en grupo por recomendación de Jonathan, a clases de guitarra, a chi kung, a tenis y a otras actividades, pero no duraba mucho tiempo en ninguna. Llegó un momento en que él estuvo a punto de tratar más a fondo el tema de los hijos (y no solo para hablarlo, sino también para llevarlo a la práctica), a pesar de que Tina aseguraba que los dos estaban muy bien solos.

Luego, finalmente, ella fue a ver a una terapeuta.

Jonathan no supo nunca de qué hablaba Tina en sus sesiones semanales. A ella no le pareció necesario contárselo. Pero, fuera lo que fuese, era evidente que había encontrado su indefinido «algo más» precisamente en Thomas, un hombre al que Jonathan conocía del colegio y que se encargaba del marketing en Griefson & Books.

Se encargó, mejor dicho. Porque, después de la separación, Thomas prefirió dejar su puesto en la editorial, enviar a Tina de vuelta a su trabajo en la agencia de publicidad y malvivir con ella en un piso de dos habitaciones en el barrio alternativo de Schanze.

Al pensar en ellos, Jonathan meneó la cabeza con incredulidad, mientras corría con la vista clavada en sus zapatillas Nike de color amarillo fosforito. ¡Una vida malograda en nombre del amor! ¿Y precisamente Tina le deseaba a él un feliz y próspero Año Nuevo? ¡Qué ironía!

Jonathan resopló y al hacerlo se formó una nubecita de vaho delante de su boca. Él tenía una vida próspera y, ¡qué caray!, también era feliz.

Volvió a acelerar el pedaleo, estuvo a punto de tropezar delante de la zona habilitada para perros y sorteó por los pelos el regalito de uno de los chuchos a los que sus amos dejaban correr por allí sueltos.

Se paró, jadeando, hurgó en el brazalete deportivo en el que, además del iPhone y las llaves de casa, llevaba bolsitas de plástico, sacó una y metió la mano dentro para recoger los excrementos con las puntas de los dedos y tirarlos en la papelera más cercana. No le pareció divertido, pero alguien tenía que hacerlo.

Esa era otra de las cosas que lo sulfuraban. Los grandes «amantes de los animales» que tenían un dogo o un braco de Weimar, la última moda canina, encerrados en sus pisos elegantes, y a los que ni se les ocurría recoger los excrementos cuando sacaban a los pobres animales para darles el paseo de rigor durante cinco minutos.

Jonathan empezó a escribir mentalmente otro correo electrónico a la redacción del *Hamburger Nachrichten,* ¡había que remediar sin falta esa situación! Los legisladores tenían que intervenir con mano dura y decretar multas más severas para los que no comprendían que la libertad de uno terminaba cuando causaba perjuicios en la vida de los demás. Y, desde su punto de vista, los excrementos de perro en la suela del zapato eran un perjuicio, y de los que apestaban.

Mientras empezaba a pedalear de nuevo, echó un vistazo a la aplicación de su *smartphone* y comprobó con fastidio que esa parada le había arruinado la estadística. Por un momento deseó echarle el guante al malhechor que dejaba allí los excrementos de su perro, ¡se iba a enterar!

Sin embargo, pronto volvió a pensar en Tina y en Thomas. Probablemente ellos se llamaban «Tiny y Tommy», o quizá «ratita y osito», ¡a saber!

Los imaginó sentados en una salita decorada de cualquier manera con muebles de Ikea, tomándose una botella de vino barato mientras su hija, Tabea (sí, sí; por lo visto, la vida en pareja no era el colmo de la perfección, pero después de contarle su relación con Thomas, Tina apenas tardó un minuto en tener un hijo), dormía plácidamente en su cama alta con tobogán, pintada a mano con barniz ecológico de alerce. Tiny, Tommy y Tabby, el trío tralará.

El trío en su pisito de Schanze, donde Tiny y Tommy se preocupan por Jonathan y por cómo le van las cosas. Hasta que Tiny dice que baja un momento al supermercado de marcas blancas, donde venden unas figuritas de chocolate monísimas, y que va a comprar una para dejársela a su ex en la puerta de casa con una tarjeta; al fin y al cabo, ella lo ha abandonado de un modo perverso y le ha roto el corazón.

–¡Qué buena idea! –exclama Tommy–. De paso, compra una botella de Château de Clochard, ¡está de oferta y así celebraremos la Nochevieja!

El pulsómetro marcaba 172 pulsaciones por minuto; Jonathan tenía que bajar el ritmo si no quería perjudicar su salud.

No entendía qué le ocurría esa mañana, pero reconoció a regañadientes que todavía era incapaz de mantener la calma cuando pensaba en Tina y su nueva vida.

Y eso a pesar de las veinte horas de terapia con un *coach* que le aseguró que le arrancaría la pena de cuajo en dos o tres sesiones. Otro chapucero con el que también podía enfadarse si quería. Aquel individuo incluso tuvo la desvergüenza de acusarlo de ser poco colaborador cuando Jonathan le señaló los fallos sistemáticos que había detectado en su método de *coaching*.

Mientras pasaba por delante del café Bodo's (¡qué manía con usar el genitivo inglés!), el bar del embarcadero, de pronto pensó en que Tina no le había exigido nada al separarse. Ni dinero, ni pensión, ni una parte de la casa, nada.

Sin embargo, podría haberle reclamado todo eso y, según sus abogados, mucho más. Pero se fue igual que había llegado ocho años antes: sin dinero y con un trabajo mal pagado de diseñadora. Incluso renunció al Mini y, a pesar de sus protestas, a todas las joyas que él le había regalado.

Según el *coach*, Tina había demostrado que era una mujer con clase y dignidad, puesto que, al fin y al cabo, era ella la que había pedido el divorcio. Sin embargo, dejando aparte el hecho de que él lo había contratado para pasar página cuanto antes y no para oír las opiniones de un incompetente sobre la manera de proceder de su ex, Jonathan seguía más o menos en sus trece: la renuncia de Tina a lo que le correspondía legalmente no tuvo nada de despedida digna, sino que fue una pequeña puñalada trapera para demostrarle que no lo necesitaba ni le hacía falta su dinero. Así de simple.

Al cabo de veinte minutos, sudando y resollando más de lo habitual, Jonathan llegó al circuito de gimnasia al aire libre que daba a la calle de Schwanenwik. Todas las mañanas acababa allí el entrenamiento, haciendo treinta minutos de ejercicio en los distintos aparatos, que a esas horas tan tempranas no usaba nadie más. Y todavía menos el día de Año Nuevo, una fecha en la que daba la impresión de que no había ninguna otra persona en el mundo.

Primero hizo cincuenta flexiones y, luego, cincuenta abdominales, seguidos por cincuenta flexiones en barra fija. Repitió la serie tres veces. Entonces se sintió en forma para encarar el día y, al concluir los preceptivos ejercicios de estiramiento, comprobó con satisfacción que valía la pena seguir la rutina diaria de entrenamiento que se había marcado.

A sus cuarenta y dos años estaba realmente en forma y, en lo referente al ejercicio físico, podría competir sin esfuerzo con cualquier veinteañero; además, medía 1,90 y pesaba ochenta kilos, con lo que estaba más delgado que la mayoría de hombres de su edad. Al contrario que Thomas, que cuando iban al colegio ya se quejaba de su tendencia a los michelines.

Y Jonathan, también al contrario que el «gran amor» de su ex, conservaba una buena mata de pelo negro y solo tenía unas cuantas canas en las sienes. Como decía Tina, eso provocaba un interesante contraste con sus ojos azules.

Por lo visto, ese contraste ya no le parecía tan interesante, puesto que el bueno de Thomas había empezado a quedarse calvo antes de los treinta y su incipiente calvicie solo podía calificarse de «entradas» si lo mirabas con cariño. Y en cuanto a los ojos, los tenía de un color indefinido entre marrón sucio y verde transparente.

Jonathan se permitió una breve sonrisa al recordar la de veces que había tenido que consolar a su ex mejor amigo porque una mujer le había dado calabazas.

Eso hacía que la situación actual fuera aún más injusta. ¡Y pensar que Thomas le dijo: «Bueno, Jonathan, no te lo tomes tan a pecho, siempre gana el mejor»! ¿El mejor? ¡Bah! Desde que se marchó de la editorial, Thomas trabajaba como «consultor de marketing» por su cuenta, lo que, para ser exactos, no era más que una forma suave de decir que «estaba en el paro» o que, al menos en su caso, no podía hablarse de éxito.

Pero, bueno, ya era suficiente: antes de obsesionarse otra vez con la idea de por qué Tina lo había abandonado precisamente por ese individuo, objetivamente «peor», puso los hombros rectos y se dirigió hacia la bicicleta, que había aparcado como siempre en la entrada del circuito de gimnasia.

Se detuvo en seco al ver la bolsa negra que colgaba del manillar. ¿Cómo había llegado hasta allí? ¿Se la había olvidado alguien? Pero ¿por qué precisamente en su bicicleta? ¡Qué raro! ¿O tal vez era otro «detalle» de Tina? ¿Ahora lo acechaba a primera hora de la mañana mientras se entrenaba?

Descolgó la bolsa del manillar tirando de las asas con los dedos. Era bastante ligera y, al observarla más de cerca, vio que era una bolsa de la compra de nailon con cremallera, un poco mejor que las que se vendían en la caja de cualquier supermercado.

Jonathan pensó si debía abrirla; al fin y al cabo, no era suya. Pero solo lo pensó un momento; después de todo, alguien la había colgado en su bicicleta; así pues, abrió la cremallera de un tirón y echó un vistazo en el interior.

Apareció ante sus ojos una agenda gruesa, encuadernada en piel de color azul oscuro. Jonathan la extrajo con curiosidad y le dio un par de vueltas. Era nueva, de la marca Filofax, con tapas de cuero noble repujado, costuras blancas, cierre de lengüeta y clip.

Un objeto que, en la era de los iPhone, Blackberry y compañía, utilizaba muy poca gente, al menos entre los menores de cincuenta años.

Jonathan estaba confuso. ¿Por qué habían colgado en su bicicleta una bolsa con una agenda de otra época?

2

Hannah

Dos meses antes
29 de octubre, domingo, 08.21 horas

Hannah Marx se despertó y supo que estaba enamorada.

Pero ¿de quién? No tenía ni idea.

Sin embargo, sabía que no se trataba (y eso la descolocaba aún más) de su novio, Simon Klamm, del que hacía tiempo que esperaba una propuesta de matrimonio. Secretamente, claro; hasta entonces no se lo había dicho nunca ni tampoco se lo había insinuado. Pero después de más de cuatro años saliendo juntos, pensaba que ya iba siendo hora.

Apartó la colcha, se incorporó y se frotó los ojos, confundida. ¡Qué cosas más extrañas había soñado esa noche! Todavía notaba un agradable hormigueo que le recorría el cuerpo, y una mirada rápida al espejo que estaba junto a la cama le reveló que tenía las mejillas sonrosadas por la excitación. Su melena pelirroja y rizada estaba desgreñada como si hubiera pasado toda la noche revolcándose en las almohadas; incluso le brillaban los labios, rojos y voluptuosos, como después de una larga sesión de besos y arrumacos.

No cabía ninguna duda, Hannah se había enamorado mientras dormía. No, no había tenido un sueño erótico con un desconocido, no era eso. Tampoco con alguien conocido, con un antiguo compañero de trabajo, un vecino o alguien de su círculo de amistades.

Bien mirado, era incapaz de recordar al hombre que aparecía en su sueño. Solo recordaba la sensación. Una sensación inequívoca de estar enamorada. De calidez y confianza, un cosquilleo en el estómago, risas y sonrisitas, una alegría y una euforia desmesuradas, locura. Y felicidad, sí, eso también.

Suspirando, sacó las piernas fuera de la cama y se quedó un momento sentada en el borde. Meneó la cabeza con la esperanza de poner en orden sus pensamientos y ahuyentar aquel sueño nebuloso. Por muy agradable que fuera la sensación, esa mañana necesitaba tener la cabeza clara, puesto que le esperaba un día importante.

Ella y Lisa, su mejor amiga y compañera de trabajo, habían pasado casi medio año reformando y decorando un local desvencijado en la calle Eppendorfer Weg; también habían preparado un plan de negocio y habían presentado la documentación necesaria para crear una empresa; habían abierto una página web y, con ayuda de un *crowdfunding,* habían reunido un capital considerable (los padres de Hannah y de Lisa también habían contribuido); habían pensado en el marketing y en la publicidad; habían impreso folletos, habían pegado en la vieja furgoneta Volkswagen de Lisa el logo que ellas mismas habían creado, y un largo etcétera.

Ese día, a las dos de la tarde, por fin llegaría el momento: ¡iban a inaugurar La Pandilla, un centro de actividades lúdicas para niños, con una gran fiesta infantil!

Aunque solo fuera vagamente, la idea le había rondado por la cabeza durante una eternidad. En realidad, soñaba con ello desde hacía unos diez años, desde el día en que empezó a trabajar en una guardería con Lisa, después de graduarse las dos en educación infantil.

Siempre le habían molestado, ¡y también a Lisa!, el sueldo miserable y los nefastos horarios de trabajo. Sin embargo, le parecían mucho peores las condiciones en que se encontraba la guardería: nunca había suficiente dinero para comprar juguetes decentes ni materiales para hacer manualidades como es debido, tampoco para excursiones ni otras actividades extra, como gimnasia o música; el cajón de arena del patio solía estar vacío y el columpio destartalado que había al lado era un auténtico peligro.

Seguramente, los padres de sus pupilos se habrían mostrado dispuestos a aportar financiación, pero, por algún motivo que para Hannah y Lisa seguía siendo un misterio, la dirección se oponía a recurrir a esas prácticas.

Cambiaron tres veces de guardería, pero en ninguna se sintieron satisfechas; en todas partes parecían darse las mismas anomalías. Y así fue como, sin prisa pero sin pausa, el deseo de Hannah de poner en marcha un proyecto propio fue en aumento. Quería montar algo al margen de directores y gerentes, un espacio donde los niños disfrutaran de verdad. Algo por lo que los padres estarían dispuestos a pagar porque sabrían que dejaban a sus pequeños en buenas manos.

Así pues, después de darle vueltas y más vueltas a la idea, un día, seis meses atrás, le contó su plan a Lisa y la convenció de que debían intentarlo, de que tenían que dejar su trabajo y poner en marcha el proyecto de La Pandilla. De lo contrario, nunca averiguarían si podría haber sido un éxito y, además, como todo el mundo sabía, al final de la vida nadie se arrepentía de las cosas que había hecho, sino de las que no.

Simon calificó el proyecto de «disparate total» cuando Hannah se lo contó. Dijo que el mundo no lo necesitaba y que era una locura dejar un puesto de trabajo fijo, y añadió que iba a emprender una «acción kamikaze» solo porque tenía «la cabeza llena de pájaros». Además, desde su punto de vista, «implicar» a una amiga era el «colmo de la irresponsabilidad».

Hannah había estado casi a punto de darle la razón alguna que otra vez. Quizá después de un día muy estresante, cuando tenía que bregar con el plan de negocio al salir del trabajo. O cuando de repente la embargaba el temor de que, en caso de fracasar, no solo pondría en juego su futuro, sino también el de Lisa.

Sin embargo, con el tiempo consiguió convencerse a sí misma, y también a su novio, que tendía a verlo todo de color negro, de que, si bien era cierto que los medios de comunicación del país atravesaban una crisis y él era uno de los afectados, la idea de montar una ludoteca era genial. A Simon acababan de despedirlo de su trabajo como periodista en el *Hamburger Nachrichten,* aunque su jefe lo había formulado de manera más elegante al utilizar el verbo «cesar».

Además, antes de dejar su empleo, Lisa y ella se habían tomado la molestia de repartir un cuestionario a más de doscientas parejas, y así habían averiguado lo que los papás y las mamás querían para sus retoños y cuánto estaban dispuestos a pagar por las actividades ofertadas, que les permitirían entretanto dedicarse a su profesión o a mejorar su hándicap en el campo de golf.

Los resultados de la encuesta (y el exitazo del *crowdfunding*) impresionaron incluso a Simon. Tuvo que reconocer ante Hannah que, aunque solo les fuera la mitad de bien de lo que esperaban, fácilmente superaría el miserable sueldo que cobraba trabajando de educadora infantil.

En el fondo, el proyecto era simple: Lisa y ella ofrecerían actividades de tarde y, sobre todo, de fin de semana a las familias que tenían que colocar a sus hijos fuera del horario escolar. Con un precio imbatible de seis euros por criatura, les saldría más barato que contratar a un canguro, y ellas ofrecerían mucho más que un rato viendo televisión de pago o simplemente «custodiando» a los pequeños, cosas que ya se consideraban un éxito si nadie acababa muerto.

La Pandilla funcionaría de otra manera, habría mucha diversión y un montón actividades. Una vez al mes incluso organizarían una «fiesta de pijamas», de sábado a domingo, para ofrecer a los padres la posibilidad de salir de noche y luego dormir a pierna suelta. Si la demanda era buena, esas actividades podrían realizarse con más frecuencia.

Así al menos se lo imaginaban Hannah y Lisa. Con un grupo de dieciséis niños de entre tres y seis años como máximo, es decir, ocho por monitora, una ratio verdaderamente de lujo teniendo en cuenta que en sus anteriores trabajos debían ocuparse entre las dos de veinte mocosos o incluso más, podían organizar actividades fantásticas: salidas al parque de aventuras y al bosque de Niendorf para ver a los ciervos; visitas a los bomberos, a la Policía o a una biblioteca; excursiones al Elba, con travesía incluida en uno de los transbordadores, que eran gratis para los menores; y también al parque de Eppendorf, cerca del Hospital Universitario de Hamburgo, a la piscina municipal en verano y un largo etcétera.

Por otro lado, en el local de Eppendorf tenían espacio de sobra para organizar actividades si hacía mal tiempo, algo inevitable en Hamburgo. Al lado de la zona de recepción, que contaba con un guardarropa, una pequeña cocina y lavabos con un cambiador para bebés, se encontraba el verdadero corazón de La Pandilla: una gran sala de juegos que medía casi cuarenta metros cuadrados. Las semanas anteriores, Lisa y Hannah habían pasado muchas horas allí y habían transformado el espacio en un verdadero paraíso infantil.

Había espalderas y colchonetas gruesas, un mostrador y una cocinita, un castillo con tobogán (una ganga comprada en eBay), un rincón de descanso con mantas, cojines, reproductor de CD y libros ilustrados, una tienda de campaña de princesas, una caja de disfraces, cochecitos de juguete, utensilios para hacer manualidades y juegos de construcción, maquillaje infantil y muchas cosas más.

En el pequeño patio trasero había un cajón de arena con tapa y un columpio nuevo y reluciente (también una ganga de eBay); además, los padres de Hannah les habían dado una hamaca, y los padres de Lisa, unos cuantos muebles de jardín en miniatura y un montón de chismes para jugar en la arena.

No obstante, lo mejor de todo era que Hannah había ido a clases de guitarra los últimos dos meses y estaba muy orgullosa de poder montar actividades musicales con los peques. Por su parte, Lisa se había concentrado en el tema «mini-disco» y, como hacen los animadores en los complejos turísticos, se había aprendido unas cuantas coreografías sencillas de canciones populares como *En la granja de mi tío* o *Veo veo*.

Resumiendo, habían pensado en todo lo que podía anhelar un corazón infantil y creían firmemente en el éxito de La Pandilla; más aún, estaban convencidas.

Los horarios de trabajo poco habituales, fines de semana y tardes, no serían ningún problema. Lisa estaba sola desde hacía más de tres años, aunque era muy atractiva, y no solo en opinión de Hannah. No era muy alta, medía 1,65 m, pero estaba dotada de unas curvas muy femeninas y lucía una melena negra, corta y revuelta, que invitaba a acariciarla. Tenía unos ojos cálidos de color ambarino y, por si eso fuera poco, unos labios carnosos por los que habría matado más de un cirujano plástico.

Sin embargo, hacía una eternidad que en la vida de Lisa no aparecía el hombre adecuado, cosa que a ella, según afirmaba, no le molestaba «lo más mínimo». Hannah no acababa de creérselo, pero la independencia absoluta de Lisa era ideal para La Pandilla.

En cuanto a Hannah, hasta hacía muy poco también partía de la base de que podía trabajar tranquilamente por las tardes y los fines de semana, puesto que Simon solía pasar muchas horas en la redacción del periódico. Por lo tanto, el horario habría encajado muy bien, incluso habría sido un plus en su relación. Por desgracia, en aquel momento la situación era distinta, pero ella tenía la esperanza de que las cosas cambiaran pronto. Mientras, Simon aseguraba que no veía ningún problema en que se dedicara de lleno a su proyecto. Hannah no sabía si alegrarse o enfadarse ante esa falta de reproches, pero al final decidió alegrarse porque, en su opinión, esa era la mejor postura que se podía adoptar en todas las situaciones de la vida.

–¡Tú podrías colaborar! –le dijo Hannah un día–. Ahora tienes tiempo. Y si nos va tan bien como Lisa y yo imaginamos, antes o después necesitaremos gente.

–¿Y cómo voy a colaborar? –preguntó Simon–. ¿Quieres que perfeccione mis habilidades en maquillaje infantil? ¿O que me ponga un disfraz de payaso mañana mismo?

–¡Eso no! –contestó Hannah, riendo–. Serías una especie de Pennywise y los niños se echarían a llorar y a gritar, y saldrían corriendo. –Ella misma se estremeció al pensar en el payaso de la novela de terror de Stephen King.

–¿Por qué lo dices? –preguntó Simon, ofendido–. ¡A mí me encantan los niños!

–Sí, sobre todo cuando duermen. O cuando están en el horizonte más lejano y solo se les puede ver con prismáticos.

–¡Buf! –exclamó Simon, la abrazó y la atrajo hacia él–. Cuando tengamos nuestros propios hijos, ¡te darás cuenta de que soy un padre fantástico!

–¿Tú crees? –le preguntó Hannah, y soltó una risita nerviosa porque, al abrazarla, le hacía cosquillas.

En realidad, el corazón le había dado un vuelco al oír esas palabras: «nuestros propios hijos». ¿Lo había dicho en serio? Hasta entonces, ni siquiera habían hablado de casarse o de vivir juntos; Simon solo le había entregado ceremonialmente las llaves de su apartamento en el barrio de Hohenfelde.

–Sí –contestó lapidariamente Simon, y le dio un beso en la punta de la nariz–, estoy convencido.

–Me gustará verlo.

–Volviendo a La Pandilla –dijo Simon, cambiando por desgracia rápidamente de tema–, será un placer apoyaros, y no solo con palabras. Me encargaré con mucho gusto de enviar las notas de prensa por vosotras. Pero prefiero buscar trabajo de periodista.

–O podrías escribir por fin tu best seller.

–¡Ahora no tengo la cabeza para eso!

–¿Por qué no? –lo interrogó Hannah–. Yo creo que es el momento ideal.

–¿Ideal?

–Sí, bueno, ahora no tienes nada que hacer, pero seguirás cobrando tu sueldo durante seis meses. Con eso y la indemnización, el dinero te alcanza para todo un año. ¡A mí me parece que eres muy afortunado!

–¿Afortunado? –Simon la miró, desconcertado.

–¿Un año entero para poder quedarse en casa y escribir una gran novela? ¡Eso sería el sueño de cualquiera!

–A veces me sacas de quicio con tu eterno «no hay mal que por bien no venga» –contestó Simon, casi un poco molesto–.

No sabes lo que significa quedarse en la calle cuando tienes una profesión castigada por la crisis.

Hannah no dijo nada más, aunque le pareció un poco injusto que Simon se olvidara por completo de que, en los últimos años, ella había estado en la bancarrota por culpa de la situación en la guardería. Y que, no hacía mucho, él mismo solía afirmar que el trabajo de Hannah requería mucha más responsabilidad que el suyo y que era muy injusto que estuviera tan mal pagado.

Incluso renunció a comentarle que, si la situación era realmente tan dramática en los medios de comunicación, quizá había llegado el momento de cambiar de profesión. Y renunció porque una cosa era cierta: ella no tenía ni idea de lo que significaba perder no solo un trabajo que se creía seguro, sino también la perspectiva de encontrar otro. Ella «solo» era educadora infantil y ni siquiera había estudiado una carrera... Pero, en cambio, derrochaba un optimismo inquebrantable.

Ese optimismo se hacía patente, entre otras cosas, en la firme creencia de que, cuando una puerta se cierra, otra se abre, y esa puerta suele ser incluso mejor. Pero eso tampoco lo dijo porque supuso que Simon le contestaría de mal humor: «¡Ahórrame tus refranes!».

No, Simon tenía que salir por sí mismo de la depresión y era mejor que ella se mantuviera al margen. Hasta que eso ocurriera, tendría que apañárselas solo. Aunque quizá disfrazado de payaso...

Encontrar trabajo en un periódico, una revista o en la prensa *online* resultaba realmente muy complicado. Simon llevaba semanas enviando solicitudes incluso a publicaciones de mala muerte, pero solo recibía negativas. Eso no le levantaba el ánimo precisamente y, a la vez, creaba tensiones entre él y Hannah.

Mientras ella montaba su negocio llena de energía y entusiasmo, el mal humor de Simon empeoraba a medida que pasaba el tiempo y seguía encerrado en casa sin trabajo. En su fuero interno, Hannah deseaba que volvieran los tiempos en que empezaron a salir juntos, cuando no paraba de sorprenderla con sus bromas, su encanto y su manera de ser tan cariñosa.

Hannah lo conoció el día que Simon fue a buscar a su ahijado a la guardería. Enseguida hubo chispa entre ellos y, durante las semanas siguientes, Simon pasó a recoger al niño muy a menudo.

¿Por casualidad o adrede? Seguramente lo último, porque al cabo de unos dos meses le preguntó qué le parecería quedar con él fuera del trabajo.

–Si tengo que esperar a tener mis propios hijos para verte más a menudo, pasará mucho tiempo –le dijo–. Y puede que entonces el momento perfecto haya pasado.

Hannah sonrió ensimismada al recordar lo original que fue Simon al pedirle que saliera con él.

El recuerdo de su primera cita acudió a su mente: Simon la invitó a un picnic a orillas del Elba. ¡Fue increíble! Fue un día maravilloso, el sol de mayo brillaba a más no poder y, desde la mañana hasta bien entrada la noche, estuvieron en la playa del río, sentados en una esterilla impermeable de cámping, mientras contemplaban los barcos y disfrutaban de las exquisiteces que él había llevado en dos bolsas inmensas: vino blanco y champán fríos, zumos y agua, fruta y queso, chapata, ensalada, hamburguesitas caseras (¡ca-se-ras!), jamón ibérico, gambas, un buen aperitivo... Simon puso sobre la mesa un *catering* completo para impresionarla.

Además, también llevó vasos, platos, cubiertos de verdad y servilletas de tela. Al anochecer, encendió dos antorchas que sacó de las bolsas. Hannah se sintió como si estuviera en una cena de gala. Bueno, como en una cena de gala en la arena de la playa.

Luego, el primer beso... Tímido y cariñoso, excitado y tembloroso; a Simon le latía con fuerza el corazón y Hannah lo notó.

Cuando no se besaban, él le contaba cosas. Hablaba sin parar: de su emocionante trabajo en el periódico, de sus planes de dar la vuelta al mundo algún día y de la gran novela que escribiría en cuanto tuviera tiempo. Se reía y contaba chistes y daba rienda suelta a su fantasía, y hechizó a Hannah. ¡Mostraba tanta energía, tanta pasión, tanto entusiasmo!

Sin embargo, poco después, su madre, Hilde, murió de cáncer, igual que el padre unos años antes, y justo cuando Simon empezaba a recuperarse de la conmoción, la prensa entró en crisis.

Cada vez que un compañero recogía sus cosas en la redacción del periódico, Simon se sentía más inseguro, más desanimado y más pesimista, hasta que el peor de sus temores, el despido, se hizo realidad. A veces, Hannah creía que él mismo había llamado a la desgracia con sus lamentos.

Desde entonces, estaba resentido con la vida, con el destino y consigo mismo, y ella lo comprendía, pero, por otro lado, aunque no le gustara reconocerlo, a veces la sacaba de quicio. Sobre todo porque ella estaba convencida de que Simon iba por mal camino con la postura que había adoptado. A él probablemente le parecería una estupidez, pero ella estaba segura de que la energía funcionaba según la actitud de cada persona: a los optimistas les pasaban cosas buenas y a los pesimistas, cosas malas; y a los que siempre partían de la negatividad, el universo les servía en bandeja los resultados correspondientes.

En opinión de Hannah, Simon no tenía motivos evidentes para quejarse. Al fin y al cabo, era joven y tenía salud, un techo bajo el que dormir, suficiente comida y una novia cariñosa que lo apoyaba. ¡Mucha gente en el mundo lo pasaba bastante peor! Esperaba que, cuando su novio tuviera un nuevo empleo a la vista, recuperara su antiguo ser.

Sonó el teléfono y Hannah apartó sus pensamientos de Simon. Saltó de la cama y salió corriendo hacia el pasillo de su apartamento de una sola habitación en el barrio de Lokstedt. El aparato estaba encima de la cómoda que había al lado de la puerta de entrada.

–¡Buenos días! –canturreó Lisa en cuanto Hannah descolgó el auricular.

–¡Buenos días! –contestó Hannah, reprimiendo un bostezo.
–Lo siento, ¿te he despertado?
–¡Qué va! Hace horas que estoy despierta –mintió Hannah.
–Perfecto, empezaba a preocuparme...
–Tranquila, todo va bien –la interrumpió su amiga.
–¿Y qué? ¿Preparada?
–¡Pues claro! ¡Estoy impaciente!
–Entonces, ¿nos vemos a las diez en el local?
–Mejor a las nueve y media. Casi estoy a punto.
–De acuerdo, yo también me daré prisa. ¿Tengo que comprar alguna cosa por el camino?
–Si llegas antes que yo, podrías ir a la tienda de Werncke a buscar los bollos que encargamos.
–De acuerdo –dijo Lisa–. ¿Algo más?
Hannah pensó un momento.
–No, eso es todo. Las bebidas, la bombona de helio para los globos y los platos y los vasos de usar y tirar los tiene Simon en el coche.
–¿A qué hora llegará?
–Me dijo que hacia las once.
–De acuerdo. ¡Hasta luego!
Hannah colgó y al instante volvió a notar el fabuloso cosquilleo que había percibido en el sueño. Sonrió aliviada porque por fin sabía lo que era. Esa noche se había enamorado de verdad, de eso no cabía duda.
Y lo había hecho de la idea de que a partir de entonces ya no sería una empleada mal pagada, sino Hannah Marx, la orgullosa copropietaria de la ludoteca La Pandilla.

3

Jonathan

1 de enero, lunes, 08.18 horas

Jonathan miró a su alrededor con disimulo, casi con mala conciencia. Naturalmente, era una tontería, pero le pareció notar en el cogote la extraña sensación de que alguien lo observaba.

Sin embargo, allí no había nadie. No se veía a una sola persona a orillas del Alster, nada más que un par de coches circulando lentamente por la calle de arriba.

Al volver a mirar la agenda, percibió un movimiento por el rabillo del ojo. ¡Allí había alguien! Reconoció una silueta borrosa junto a la orilla, medio escondida detrás del bar Alsterperle. Sin pararse a pensarlo, Jonathan echó a correr, sujetando con fuerza la Filofax y la bolsa.

No se había engañado, a orillas de la superficie lisa y brillante del lago había una persona de espaldas.

–¡Hola! –exclamó Jonathan, jadeando levemente.

No ocurrió nada, la silueta siguió contemplando ensimismada el lago.

–¡Eh! –exclamó Jonathan, esta vez más alto, pero tampoco obtuvo respuesta.

Aminoró el paso, ya estaba lo bastante cerca para distinguir que se trataba de un hombre alto y delgado.

Jonathan se extrañó un poco al ver que iba vestido con vaqueros, zapatillas de deporte y una camiseta a rayas rojas y blancas. No era el atuendo más adecuado para pasear por el lago el día de Año Nuevo, con temperaturas bajo cero.

–¿Hola? –dijo otra vez, y le tocó ligeramente el hombro.

El desconocido se sobresaltó y se dio la vuelta. Era joven, Jonathan calculó que tendría unos treinta o treinta y cinco años, y lo miraba con los ojos muy abiertos y cara de susto. Las gafas redondas de montura metálica hacían que sus ojos marrones parecieran aún más grandes.

–¿Habla conmigo?

–Sí –contestó Jonathan, resollando.

–¿Qué quiere?

–¿No será esto suyo? –preguntó, y le acercó la agenda y la bolsa.

Jonathan se sintió idiota inmediatamente. ¿Qué pensaría aquel hombre? ¿Un tipo que hacía *footing* se le acercaba corriendo y resoplando para enseñarle unos objetos? Seguro que la situación le parecía surrealista.

Como era de esperar, el hombre negó con la cabeza, primero levemente y luego con energía.

–No –dijo–, no es mío.

–Mmm, lástima –replicó Jonathan, que se sintió obligado a darle una explicación–. Lo he encontrado en mi bicicleta. O sea, la bolsa estaba colgada en el manillar y la agenda estaba dentro. –Señaló la Filofax a modo de prueba–. Y como no he visto a nadie más, he pensado que debía preguntarle si... –no encontró las palabras adecuadas.

–¿Si he dejado la bolsa en el manillar de su bicicleta? –el joven concluyó la frase y sonrió.

–Mmm, sí, exacto.

El desconocido volvió a negar con la cabeza, esta vez visiblemente divertido.

–Lo siento, yo no he dejado nada en su bicicleta –dijo, con una sonrisa más amplia.

Jonathan pensó de pronto en Harry Potter. Las gafas redondas y el pelo castaño y un poco revuelto, combinados con los rasgos juveniles de aquel hombre, hacían inevitable la comparación.

Le vino a la mente por un instante la imagen de su padre, Wolfgang Grief, que hasta el momento en que la demencia senil lo obligó a ingresar en una residencia de ancianos hablaba a menudo de la gran metedura de pata de su vida: a finales de los años noventa, se negó a publicar en alemán la historia del pequeño aprendiz de mago, a pesar de que todos los informes de lectura se pronunciaran a favor del título. Wolfgang Grief dijo que *Harry Potter* era un «síntoma de la decadencia cultural de Occidente» y una «mancha en la historia de la literatura».

Incluso ahora, cuando su hijo iba a visitarlo una vez cada quince días a la lujosa residencia de ancianos situada a orillas del Elba, a veces, en uno de sus pocos momentos de lucidez, hablaba del tema. A Jonathan le extrañaba que su padre, en su actual estado, no tuviera nada mejor que hacer que alterarse por una saga juvenil inofensiva. Esperaba que a él nunca le ocurriera lo mismo. Al menos en lo referente a la demencia senil y a lamentarse de las oportunidades perdidas.

En esos momentos de doloroso recuerdo, Jonathan tranquilizaba a su padre afirmando que la sección de literatura juvenil de Griefson funcionaba de fábula incluso sin *Harry Potter*. Era mentira: hacía tres años, Jonathan había desintegrado por completo el departamento de libros infantiles y juveniles por consejo de Markus Bode, el director ejecutivo de la editorial. Según él, esa sección diluía la marca de la editorial, difuminaba la línea exclusiva de la casa. Bode le había explicado que era mejor apostar por el negocio central, la buena literatura y los ensayos de calidad que tanto apreciaban los libreros y los compradores potenciales.

El director remarcaba siempre que había valido la pena concentrarse en «las cosas importantes» y Jonathan no podía estar más de acuerdo. El dinero sonaba y había beneficios. Y la editorial era una de las preferidas de los suplementos culturales.

–¿Se encuentra bien?

La voz del joven devolvió a Jonathan a la realidad. A una realidad gélida, porque estaba quieto al aire libre y a orillas del Alster.

–Sí, sí –se apresuró a afirmar–. Yo, mmm, bueno, es solo que me parece raro que hayan dejado esta bolsa en mi bicicleta.

El hombre siguió sonriendo y se encogió de hombros.

–A lo mejor es un regalo de Año Nuevo.

–Sí –contestó Jonathan sin mucha convicción–. A lo mejor. Bueno, pues... –Se mostró indeciso un momento antes de hacerle un gesto amable de despedida al desconocido–. Pues nada. Y feliz Año Nuevo.

–Igualmente.

Antes de acabar de pronunciar la palabra, el hombre ya se había vuelto hacia el Alster y contemplaba en silencio, como antes, la superficie lisa y brillante del lago.

Jonathan se puso en marcha lentamente para volver hacia su bicicleta.

–Lástima.

La palabra sonó tan bajito que Jonathan dudó de si la había oído realmente. Se paró y se dio la vuelta. El hombre de la orilla lo miraba.

–¿Cómo dice? –preguntó Jonathan.

–Es una lástima, ¿verdad? –dijo el doble de Harry Potter.

–¿A qué se refiere? –Jonathan dio unos pasos para acercarse al desconocido.

El hombre señaló el lago con la cabeza.

–Que se hayan ido los cisnes.

–¿Los cisnes?

–Pasan el invierno en el estanque de Mühlen y no volverán a traerlos hasta la primavera –dijo, y suspiró–. Una pena.

–Mmm –fue lo único que Jonathan acertó a contestar. Pero, como el hombre lo miraba expectante, se sintió obligado a añadir–: Una verdadera lástima.

–Me gusta observar a los cisnes, ¿sabe?

–Ajá –contestó Jonathan, asintiendo con la cabeza aunque no entendiera nada–. Son unos animales preciosos.

–Son tótems –dijo Harry Potter en voz tan baja que Jonathan apenas lo entendió–. Simbolizan la luz, la pureza y la perfección, representan la trascendencia.

–Ajá –repitió Jonathan–, fascinante.

Estuvo a punto de preguntarle de dónde había sacado la información, pero entonces comprendió por qué aquel hombre iba tan poco abrigado con el frío que hacía aquella mañana de Año Nuevo.

Drogas.

Seguramente se había corrido una juerga en Fin de Año y seguía en su propio mundo. Jonathan dudó un momento si no debería cumplir con su obligación cívica de llamar a una ambulancia o a la Policía para que se lo llevaran de allí antes de que se congelara o hiciera alguna tontería. Pero descartó la idea; el hombre parecía tener la cabeza clara. Aunque dijera cosas extrañas y estuviera un poco pálido, no parecía colocado.

–Puede ir al estanque de Mühlen –le propuso Jonathan–. Bueno, si quiere ver a los cisnes. No está muy lejos de aquí.

El hombre asintió con la cabeza. Y volvió a sonreír.

–Sí, es una buena idea.

Luego dio media vuelta y se alejó en silencio, sin revelarle si pensaba acercarse al estanque.

Jonathan se quedó un momento quieto, observando a aquel bicho raro. No sabía qué se había tomado Harry Potter, pero al parecer provocaba efectos asombrosos.

Volvió pensativo hacia su bicicleta. Cisnes, tótems, trascendencia. ¡Qué disparate!

Al llegar, cayó en la cuenta de que aún tenía en la mano la bolsa y la agenda. ¿Qué iba a hacer con ellas?

Miró de nuevo a su alrededor, pero, aparte del joven, que en esos momentos subía a cierta distancia por el terraplén que daba a la calle, no se veía a nadie.

Jonathan se dirigió a uno de los bancos que había en el circuito de gimnasia y se sentó. Luego acarició con ambas manos las suaves tapas de piel de la agenda. Dudó un momento. Finalmente, levantó la lengüeta y abrió el librito.

Tu año perfecto

Esas eran las palabras, escritas a mano con pluma estilográfica, que había en la primera página del cuaderno con anillas. Y nada más. Ni nombre ni dirección, a diferencia de lo que solía ser habitual en una agenda.

Siguió hojeándola y llegó al 1 de enero del flamante año que, todavía inmaculado, tenía por delante. La distribución del espacio era generosa, había una página entera por día y todas estaban escritas de arriba abajo. Con la misma letra bonita que el título:

1 de enero

No se pueden añadir días a la vida, pero se puede añadir vida a los días.

Proverbio chino

Jonathan se estremeció. ¡Menuda frasecita! ¡Casi peor que *carpe diem!* O que la tan citada y manida frase de Charlie Chaplin: «Un día sin risas es un día perdido». Poesía barata para imprimir en tazas de regalo. Sin embargo, le picó la curiosidad y siguió leyendo la entrada del día:

Dormir hasta las doce. Desayuno en la cama con H. Después, paseo por el Alster y una copa de vino caliente en el Alsterperle.

Tarde: maratón de DVD. Opciones:

Posdata: Te quiero Ahora o nunca

El diario de Noa

El silencio de los corderos

Alternativa: todos los capítulos de la serie Norte y Sur.

Cena: tagliatelle *con tomates cherry y parmesano rallado, acompañados de un buen rioja.*

Noche: arrumacos, contemplar las estrellas, pensar y susurrar deseos.

Jonathan se echó a reír. ¡Menuda selección de películas! ¿Qué deseos podían susurrarse después de ver *El silencio de los corderos?* Y lo de cenar o hacerse arrumacos después de ver todos los episodios de *Norte y Sur* era más que dudoso porque, por lo que él sabía, la serie duraba una eternidad.

Tina lo había obligado a ver con ella, semana tras semana y durante años, la sentimentaloide historia de amor de Orry y Madeline. Y, si no recordaba mal, para él fue una tortura comparable a la de ver diez películas como la *Matanza de Texas* en una sola sesión.

Continuó hojeando la agenda con curiosidad. Era consciente de que no debía hacerlo porque equivalía a hurgar en un diario ajeno, pero ojos que no ven... Mientras leía por encima las páginas, notó que lo embargaba una innegable admiración. Alguien se había tomado la molestia de escribir notas para cada día del año. Hasta el 31 de diciembre, todas las páginas estaban llenas. A pesar de las citas infantiles que encabezaban las entradas («Solo se ve bien con el corazón; lo esencial es invisible a los ojos», Antoine de Saint-Exupéry), se ganó su respeto.

A veces, los planes del día eran complejos, como los anotados el 25 de agosto:

> *Alquilar una caravana para ir al mar del Norte, a St. Peter-Ording; buscar moluscos, asarlos y dormir al raso. ¡No hay que olvidarse de la música!*

O eran pequeños proyectos, como el del 16 de marzo:

> *¡Mi cumpleaños!*
> *Por la tarde, al café Lütt, en la Hauptstrasse:*
> *comeremos tarta hasta reventar.*

En el 21 de junio ponía lo siguiente:

> *¡Empieza el verano! A las 04.40 horas, contemplar la salida del sol en la playa del Elba.*

Mientras pasaba páginas y leía sin parar, Jonathan se vio invadido por una extraña tristeza.

Por un lado, era evidente que la agenda no estaba dirigida a él. Ni siquiera conocía a nadie que tuviera una «H» como inicial de su nombre, exceptuando a Hertha Fahrenkrog, la vecina que vivía en la casa de la izquierda. Pero, aunque su cumpleaños también fuera el 16 de marzo, aquella buena mujer tendría más de noventa años y vivía única y exclusivamente para *Daphne,* su caniche. Era imposible que hubiera escrito todos los días una agenda para él, página a página y con letra Sütterlin. No era el caso, pero la verdad es que esa vieja caligrafía encajaba con una anciana.

Precisamente la letra era el segundo motivo de la rara sensación de melancolía; sí, Jonathan se sentía extrañamente emocionado.

Necesitó un rato para saber de qué se trataba: la letra inclinada le recordaba a su madre, Sofia, que se separó de su padre cuando él tenía diez años.

Así escribía su madre, con esa letra de trazos alargados. Hacía una eternidad que no pensaba en ella, pero, mientras ojeaba las entradas, recordó con dolorosa claridad las cartas y las notas que le dejaba por toda la casa.

En la mesa del desayuno, al lado de un plato con huevos revueltos y jamón: «Buenos días, cariño, ¡que pases un buen día!». Luego, cuando desenvolvía el bocadillo a la hora del patio, en el papel encerado veía siempre lo mismo: «¡Buen provecho!» y un corazón dibujado con rotulador rojo. En la libreta, al lado de un suspenso en un examen de matemáticas: «No te pongas triste, ¡la próxima vez te irá mejor!». Y todas las noches le ponía debajo de la almohada una nota con sus buenos deseos: «¡Felices sueños!».

Pero no eran más que eso, notas que no le habían impedido abandonar no solo a su marido, sino también a su único hijo. Y regresar a su tierra, cerca de Florencia, de donde se había ido a regañadientes después de conocer al padre de Jonathan a finales de los años sesenta, cuando Wolfgang Grief pasó una temporada estudiando en Italia.

Hacía más de treinta años que la madre había huido para refugiarse en su hermosa y cálida tierra, mientras su hijo se quedaba en el frío norte con su frío padre.

Jonathan guardaba muy bien el secreto de que la inicial «N» que precedía a su apellido significaba «Nicolò». Casi le pareció oír a su madre susurrar: «Nicolino, mi tesoro». Y decirle muy flojito al oído: «*Ti amo molto. Molto, molto, molto!*».

Sí, bueno, *molto* más o *molto* menos, el caso era que se había ido. Y después de tres años de intercambiar algunas cartas, llamadas y visitas, cuando Jonathan estaba en plena adolescencia, le envió a su madre una postal para comunicarle que, por él, podía quedarse para siempre en el país donde florecen los limoneros.

Y descubrió con asombro que su madre le hacía caso: nunca más supo de ella, nada de nada, hasta la fecha.

A pesar de todo, ahora miraba fijamente aquella letra que, de un modo inquietante, se la había recordado.

Una gota de lluvia cayó sobre la página y difuminó un poco la tinta. Sorprendido, Jonathan pasó por encima el pulgar derecho. Se sorprendió todavía más al comprobar que no llovía. ¡Qué ridículo!

Cerró la agenda a toda prisa, volvió a meterla en la bolsa y cerró la cremallera. Lo mejor sería dejarla encima del banco, de ese modo el propietario la encontraría si la estaba buscando. Probablemente, la había dejado en algún punto del camino y un atento viandante la había colgado en su bicicleta pensando que era suya o que así sería más fácil que el dueño la viera.

A Jonathan le temblaban las manos cuando empezó a girar las ruedecitas del candado de la bici. No era de extrañar, estaba rendido y aún no había comido nada. Iba siendo hora de volver a casa y desayunar copiosamente. Se montó de un salto en la bicicleta y empezó a pedalear. Tras recorrer unos pocos metros, el pulsómetro marcaba 175 pulsaciones por minuto.

Al cabo de tres minutos, se puso en pie sobre los pedales y frenó en seco, con tanta brusquedad que estuvo a punto de salir despedido del sillín. No, no estaba bien dejar la bolsa en el banco... ¡Era una invitación para que se la llevara cualquiera!

Así pues, dio media vuelta. Se llevaría la bolsa con la Filofax a casa y luego intentaría encontrar a su legítimo propietario. Sí, eso haría. Le pareció que era la única opción correcta.

4

Hannah

Dos meses antes
29 de octubre, domingo, 12.47 horas

–¡Si no te pones ahora mismo al teléfono, pienso llamar a la Policía! ¡O me dará un infarto! ¡O las dos cosas! –Hannah gritó tan alto en el auricular que Simon tuvo que oírla, aunque no contestara al teléfono.

–¡Dile que vamos a enviarle a la mafia rusa! –vociferó Lisa desde el fondo del local–. ¡Y después a la albanesa!

–¿Lo has oído? –bramó Hannah–. Era Lisa, ¡y no bromea!

Esperó un momento en silencio, pero a través del auricular solo se oía el típico ruido de interferencias del contestador automático. Nadie descolgaba el teléfono fijo en casa de Simon y los intentos de contactar con él por teléfono móvil habían resultado infructuosos. Nada, *nothing, niente,* el novio de Hannah estaba ilocalizable.

Los primeros invitados a la inauguración de La Pandilla se presentarían en la puerta al cabo de una hora. Todo estaba a punto: el titiritero había llegado puntual y ahora hacía estiramientos de piernas en la calle, las dos chicas que habían contratado para maquillar a los niños colocaban sus utensilios en la mesa del rincón, el pequeño castillo hinchable estaba montado en el aparcamiento de la entrada, los grandes éxitos de Rolf Zuckowski y de otros intérpretes de canciones infantiles sonaban por los altavoces, la mesa del bufé se doblaba por el peso de los bollos, y también de los pasteles y chucherías que habían llevado los amigos y los padres de Hannah y Lisa. Pero los quinientos globos con el logo de la empresa seguían desinflados en una bolsa y el apartado de bebidas tenía un aspecto desolador, únicamente con agua del grifo de la pequeña cocina y media botella caliente de coca-cola *light* de Lisa. Aunque, sin platos ni vasos de plástico, tanto daba.

Cuando Hannah se quejó de que Simon no quisiera pasar con ella la noche anterior al «gran día» y, como tan a menudo en los últimos tiempos, prefiriera quedarse solo en su casa, su novio le dijo que no se preocupara, que llegaría a las once y se pondría a hinchar globos como si no hubiera un mañana. Y añadió que tenía la impresión de que había pillado un ligero resfriado y que se iría pronto a la cama, con una bolsa de agua caliente, para estar totalmente disponible al día siguiente.

¡Disponible! Ya se veía. Daba la impresión de que se lo hubiera tragado la tierra. Eso no era bueno, pero que no hubiera llevado la bombona de helio para hinchar los globos ni los platos de usar y tirar ni las bebidas para la inauguración... ¡Eso era un desastre!

Hannah no lo entendía. Por regla general, Simon era tremendamente cumplidor. Y se había puesto muy contenta cuando él se ofreció a comprar las cosas en Metro porque, gracias a su carné de prensa, tendrían acceso a ese supermercado mayorista. «Ahí es todo mucho más barato –le dijo–. Además, así no tendréis que cargar con trastos arriba y abajo, yo me encargo. Y asumo el gasto, ese será mi regalo de inauguración para vosotras.»

–¿Y qué hacemos ahora? –preguntó Lisa, tirándose literalmente de los pelos con las dos manos, con lo que su melena corta y negra, que solía llevar un poco revuelta, se transformó en un peinado «a lo recién levantada».

Hannah se encogió de hombros y contestó:

–Ni idea.

–¿Crees que Simon se tomará a mal lo de la mafia rusa y albanesa? Se me ha escapado.

Hannah puso los ojos en blanco.

–No me digas que te preocupa que se haya enfadado porque le has soltado una fresca.

–No, claro que no –se apresuró a replicar Lisa, aunque Hannah sabía que sí se preocupaba. Su amiga era así.

–Bien –dijo Hannah, a pesar de todo–. En vez de preocuparnos por el estado de ánimo de Simon, deberíamos solucionar el problema de las bebidas.

–Puedo ir a la tienda de Werncke, a ver si tienen zumos y agua –propuso Lisa–. A lo mejor también tienen vasos y platos de plástico.

–¿Sabes lo que cuestan ahí los zumos? Solo venden de la marca Capri-Sun, ¡nos harán pagar dos euros por botella!

–¿Tienes una idea mejor?

Hannah se quedó pensativa un momento.

–Sí –contestó luego, y se dirigió a toda prisa a la cocina para coger el abrigo del perchero–. Me voy a casa de Simon a descubrir dónde se ha metido –dijo mientras se apresuraba hacia la puerta de la calle.

–¿Y qué hago yo entretanto? –le gritó Lisa–. ¡No puedes dejarme sola!

–Empieza a hinchar globos. Si te das prisa, ¡conseguirás hinchar unos cincuenta!

Un cuarto de hora más tarde, Hannah aparcaba su viejo Twingo delante de la casa de Simon, en la Papenhuder Strasse, después de pegar un frenazo que hizo chirriar las ruedas. Abrió rápidamente la puerta del coche y se dispuso a salir, pero la bufanda se le enredó en el volante y estuvo a punto de estrangularla.

–Tranquila, Hannah –murmuró mientras intentaba soltar la prenda del mando de los intermitentes.

Tardó diez segundos en conseguirlo, bajó del coche, esta vez esforzándose por hacerlo con calma, cerró la puerta y se dirigió al edificio de ladrillo rojo en el que vivía Simon.

Acercó el dedo al timbre en el que ponía «Klamm» y pulsó. Volvió a llamar. Llamó por tercera vez, ahora con más fuerza y por más tiempo. No pasó nada. Tampoco la cuarta vez que pulsó el timbre, ni la quinta ni la sexta. ¿No estaba en casa?

Entonces, ¿dónde se había metido? La noche anterior, Simon había asegurado que no se encontraba bien y que se iba a la cama con una bolsa de agua caliente.

O tal vez... Al pensarlo, sintió un escalofrío: ¿y si Simon no tenía un resfriado, sino otra cosa?

¿Y si realmente estaba en la cama, con algo caliente debajo de la colcha de plumas, pero no se trataba de una bolsa de goma llena de agua?

Hannah meneó la cabeza; no, esa posibilidad quedaba excluida. Simon no era de esos. Le faltaba espontaneidad para echar una canita al aire. Con ella tardó semanas en atreverse a pedirle una cita; no, definitivamente, no era de los de aquí te pillo y aquí te mato.

«¿Y si no es una canita al aire y es una aventura duradera?», le dijo a Hannah una malvada vocecita interior. ¡Bah, eso era un disparate! Excepto por la pérdida de su empleo, las cosas iban bien entre ellos. Además, él nunca haría algo semejante mientras ella intentaba emprender una nueva carrera profesional. Simon era un hombre cabal y decente, algo así no encajaba con él.

Si Sybille, la madre de Hannah, la viera en esos momentos, exclamaría: «¡Ves fantasmas donde no los hay!». De ella había heredado su actitud positiva en la vida, en tanto que Bernhard, su padre, era igual que Simon. Su madre decía que tendía «a ver ladrones detrás de cada esquina», y se reía cada vez que su marido se preocupaba por las conspiraciones que creía soportar en su vecindario, en el modesto barrio de Rahlstedt.

Una vez, Bernhard Marx creyó que los Müller tenían algo en su contra, solo porque el vecino no lo saludó con cordialidad, como solía hacer siempre que se encontraban en el supermercado. Unos días después, descubrió que el señor Müller se había dejado las gafas en casa y, simplemente, no lo había reconocido.

En otra ocasión, al ver que no le llegaba un paquete urgente, conjeturó que el cartero lo retenía por pura maldad. Poco después, la madre de Hannah habló por teléfono con el remitente y se enteró de que todavía no lo había enviado. Acto seguido, llamó a su hija y, fingiendo una gran indignación, afirmó que su padre era «un hombre imposible» y llevaba toda la vida «volviéndola loca».

En vez de seguir pensando en lo diferentes que eran sus padres, Hannah llamó al timbre por séptima vez. Luego decidió que ya había sido bastante prudente y tenía derecho a usar su llave y entrar a ver qué pasaba con su novio.

Mientras subía las escaleras, un mal presentimiento se mezcló con su rabia. Simon no contestaba al teléfono fijo ni al móvil y tampoco reaccionaba al timbre de su casa; eso significaba que o bien no estaba o bien se había vuelto sordo durante la noche... O se había muerto.

5

Jonathan

1 de enero, lunes, 09.20 horas

Después de zamparse un batido de proteínas con sabor a vainilla y dos piezas de pan proteico con embutido de pavo bajo en grasa, Jonathan fue a su despacho, también sala de lectura. Se sentó en la cómoda butaca de cuero, situada justo delante de una gran galería con vistas al Innocentiapark, y disfrutó del paisaje invernal.

Sin embargo, ese día las vistas estaban empañadas no solo por la suciedad acumulada en Nochevieja, sino también por la circunstancia de que los contenedores de papel y de plástico de todos los vecinos estaban llenos a rebosar. Eso se debía a que ese tipo de contenedores solo se vaciaban una vez cada quince días; en su barrio, los lunes. El último día de recogida había sido antes de Nochebuena y, por lo visto, los trabajadores del servicio municipal de limpieza seguían cantando villancicos junto al árbol de Navidad. Sí, de acuerdo, todo el mundo tenía derecho a disfrutar de los días festivos y tomarse un descanso, pero ¡aquello era demasiado!

Jonathan N. Grief se levantó de la butaca meneando la cabeza, se dirigió al escritorio, se sentó y encendió el portátil. Al cabo de unos minutos, abría la página de inicio del servicio municipal de limpieza, clicaba en el botón de contacto y empezaba a escribir.

Estimados señores/as:

Hoy, día de Año Nuevo, querría señalarles que el estado de los contenedores de papel y de plástico de esta hermosa ciudad es inaceptable. Los contenedores están llenos a rebosar, ¡y eso no es una tarjeta de visita especialmente atractiva para la ciudad de Hamburgo!

Soy consciente de que la acumulación de festivos provoca cierto retraso en el servicio de recogida, pero les agradecería que, en este caso, encontraran una solución urgente que sea justa tanto para los ciudadanos que pagan sus impuestos como para ustedes y sus trabajadores.

Atentamente,
Jonathan N. Grief
Residente en la Innocentiastrasse, con contenedores llenos delante de su puerta

Releyó por encima el texto, lo envió y movió la cabeza afirmativamente. Sí, muy bien. Problema detectado, problema resuelto.

Después de ponerse de nuevo cómodo en su butaca, cogió la Filofax. Actuar con contundencia y determinación ante ciertas cosas le sentaba bien. Esa clase de productividad le causaba una agradable sensación de rectitud.

Esta vez, en lugar de perderse fijándose en la caligrafía y en las distintas entradas, se concentró en buscar información que le permitiera determinar la identidad del propietario de la agenda.

Fue en vano, con excepción hecha de la entrada del cumpleaños, el 16 de marzo. En alguna que otra página aparecían citas concretas, por ejemplo, el 2 de enero: «A las 19.00 horas, en la Dorotheenstrasse, 20. Llama al 2° timbre por abajo». Pero con eso no se podía hacer nada, por desgracia. A no ser que estuviera dispuesto a presentarse al día siguiente a las siete de la tarde en la Dorotheenstrasse, con la esperanza de ver a alguien rondando por allí y pidiendo a gritos su agenda. ¿Por qué no habrían puesto un nombre en vez de «2.º timbre por abajo»? ¡Ese dato no se podía buscar en Google! ¿Por qué tanto secreto? Todo era muy raro y no le facilitaba en absoluto la búsqueda. Por un momento se planteó ir a la dirección anotada. Pero lo descartó enseguida: presentarse en casa de alguien sin avisar un día festivo no era de buena educación.

Luego se le ocurrió la idea de echar un vistazo al final de la agenda, puesto que allí solía estar la lista de contactos. Quizá habría unos cuantos nombres y números de teléfono, y podría probar suerte al día siguiente. De ese modo, al menos tendría la posibilidad de contactar con alguien que conociera al propietario y que quizá supiera que la había perdido. O no.

Otro resultado negativo. Después de la página correspondiente al 31 de diciembre, solo había unas cuantas hojas en blanco con el encabezado de «Notas» y, finalmente, la tapa de cuero. Sin embargo, Jonathan notó un leve crujido. En la parte posterior de la agenda había una bolsita, y por una esquina asomaba un trocito de papel blanco. Jonathan tiró de él y al instante tuvo en sus manos un sobre con la anotación: «Reservar para más adelante». La cosa se ponía emocionante.

El sobre no estaba cerrado, lo abrió y dio un respingo. ¡Menos mal que no había dejado la bolsa en el banco! Se puso a contar rápidamente: en el sobre había quinientos euros en billetes de cincuenta, de veinte y de diez.

Jonathan repasó mentalmente la situación: alguien había escrito en todas las páginas de una agenda, desde el primer día hasta el último, y luego la había perdido o tirado en el Alster o la había colgado a propósito en el manillar de su bici. Además, dentro había un sobre con quinientos euros. Y nada más. Ningún número de teléfono, ninguna dirección, ni una sola pista sobre el dueño.

¿Qué podía hacer él, Jonathan N. Grief, con aquella agenda? Era obvio que no podía quedársela, seguro que alguien la buscaba desesperadamente.

Entonces se le ocurrió: ¡la Oficina de Objetos Perdidos! Llevaría la bolsa y la Filofax, ¡esa era la solución más sencilla! Al fin y al cabo, para eso servían esas dependencias. Una persona perdía algo, otra lo encontraba y lo entregaba en la oficina y el propietario podía recuperarlo, ¡así de fácil!

Se dispuso a levantarse con la intención de acercarse al portátil para buscar la dirección y el horario de la oficina correspondiente, pero se detuvo.

¿Era realmente una buena idea? Después de todo, la agenda tenía un valor muy personal. ¡Y mucho dinero! Quinientos euros no eran moco de pavo. ¿Eran de fiar las personas que trabajaban en una oficina de objetos perdidos? ¿Archivarían y guardarían debidamente la agenda hasta que se presentara su dueño?

¿O se embolsarían el dinero y tirarían la agenda en un estante cualquiera, en el que se llenaría de polvo hasta caer en el olvido junto con otros objetos perdidos? ¿Cuánto ganaban los empleados que trabajaban allí? Seguro que no era una fortuna, con lo que un dineral inesperado despertaría más de una tentación.

No, llevarla a la Oficina de Objetos Perdidos no era una buena idea. Al fin y al cabo, él había encontrado la bolsa en su bicicleta y eso casi lo convertía en el responsable de que la agenda volviera a las manos de su propietario.

Finalmente, Jonathan se levantó y se acercó al ordenador. Se le acababa de ocurrir una idea brillante.

A *Hamburger Nachrichten*
Redacción/Atención al lector
Correo electrónico

Hamburgo, 1 de enero

Estimado equipo de redacción:

Esta vez me dirijo a ustedes para pedirles un favor personal: esta mañana he ido a correr al Alster y he encontrado una bolsa con una agenda en el circuito de gimnasia que da a la calle Schwanenwik. Prefiero no dar más detalles para minimizar el riesgo de que responda un oportunista.

Si el legítimo propietario se pone en contacto con ustedes, les ruego que le pidan una descripción exacta de la agenda y de la bolsa, y me lo comuniquen. Yo se las haré llegar a través de su periódico.

Les agradecería que tuvieran la amabilidad de publicar el aviso en la próxima edición.

Atentamente,
Jonathan N. Grief

P. D. Aprovecho para desearles otra vez un feliz Año Nuevo.

6

Hannah

Dos meses antes
29 de octubre, domingo, 13.24 horas

Simon no estaba muerto. Aunque tampoco parecía muy vivo cuando, dos minutos después de entrar en el edificio, Hannah se plantó delante de su cama en el dormitorio. El joven estaba sepultado debajo de varias colchas, por las que solo asomaba una cara pálida con síntomas de resfriado. A su alrededor se acumulaban pilas de pañuelos de papel usados y en la mesita de noche había un montón de cajas de jarabe para la tos y de pastillas para el dolor de garganta y, en medio, un termómetro.

–¿Qué pasa aquí? –le espetó Hannah.

Su novio parpadeó y dijo «¿Hannah?» con una voz débil y cargada de asombro, como si se le acabara de aparecer el Espíritu Santo. Se incorporó, respirando roncamente, y se apoyó en la almohada con los codos.

–¿Qué haces tú aquí? –preguntó con voz temblorosa.

Si Hannah se había asustado al ver el miserable estado en que se encontraba Simon, ahora la preocupación se transformaba durante un instante en enfado. Aliviada y molesta a la vez al constatar que su novio no había fallecido, lo destapó sin miramientos. El enfermo grave, bajo los edredones, iba vestido con una sudadera y un pantalón térmico de esquí.

–¡Eh! –se quejó Simon, que cruzó los brazos para protegerse el pecho.

–¡No me lo puedo creer! –A Hannah también le temblaba la voz, pero de rabia–. ¿En serio quieres saber por qué he venido? ¿Te has olvidado de que hoy inauguramos La Pandilla?

Entonces, Simon se puso todavía más pálido.

–¿La Pandilla? ¡Oh, no! –exclamó, dejándose caer sobre la almohada.

–¡Oh, sí!

–¡Lo siento! –Simon se incorporó de nuevo y se pasó una mano por el pelo revuelto y pegajoso–. Solo quería echar una cabezadita, pero al final me he dormido. Yo... Yo... –La miró compungido e intentó forzar una sonrisa, pero fracasó–. De verdad, yo... ¡Lo siento!

–¡Yo también! –replicó Hannah.

Seguía enfadada, pero ya no estaba furiosa: Simon tenía un aspecto de verdad lamentable. La camiseta y los pantalones se le pegaban al cuerpo, estaba empapado en sudor.

La preocupación ganó de nuevo la partida, Hannah volvió a taparlo y se sentó a su lado en la cama.

–Inauguramos dentro de media hora y llevo esperándote desde las once.

Sus palabras debían ser un reproche, pero incluso a ella le sonaron simplemente a tristeza y decepción. ¿Cómo iba a regañar a alguien que parecía tan enfermo?

–¿Dentro de media hora?

Simon hizo ademán de levantarse y Hannah se lo impidió apretándole los hombros con suavidad, pero también con firmeza.

–Quédate en la cama. Ya veo que estás fatal.

–Lo siento, de verdad –dijo Simon, que se recostó de nuevo, gimiendo y suspirando, con temblores en los párpados–. También tengo fiebre.

–¿Cuánta? –preguntó Hannah, señalando el termómetro que estaba sobre la mesita.

–Esta mañana, 38,2 grados.

–Bueno –Hannah no pudo evitar que se le escapara una sonrisa–. Creo que sobrevivirás, no hace falta que pidamos un helicóptero de rescate.

–Pero estoy sudando todo el rato –contestó Simon, y sus palabras sonaron a justificación, aunque débil.

–Yo también sudaría si me tapara con tres edredones.

–Tengo la garganta inflamada, ¡mira! –dijo él, y se puso las manos debajo de la barbilla.

Hannah se inclinó y le tocó el cuello. Realmente parecía hinchado.

–Es verdad –dijo, frunciendo el ceño–. ¿Te duele?

Simon negó con la cabeza.

–No mucho. Pero me he tomado unas diez pastillas para el dolor de garganta.

–¿Tan mal estabas?

El joven volvió a negar con la cabeza.

–No, pero es mejor prevenir que curar.

–Ajá.

Hannah se preguntó si tragarse medio paquete de medicamentos a pesar de no tener molestias era típico de Simon o de todos los hombres. En cualquier caso, unos cuantos caramelos de salvia, que de eso era la caja, no podían causar daños excesivos. Aunque, por otro lado, tampoco podían servir de mucho.

–Estoy hecho polvo –Simon continuó entonando lamentaciones–. Me duele todo y estoy mareado. Antes me ha costado llegar al cuarto de baño, tenía las piernas débiles.

–Será mejor que sigas durmiendo –dijo Hannah, y se levantó. No tenía tiempo para seguir compadeciéndolo, la radio despertador marcaba con números brillantes más de la una y media–. Cojo un momento las llaves de tu coche y cargo las cosas en el mío.

–¡No, espera! –exclamó Simon, incorporándose de nuevo, aunque todavía más despacio que antes–. Dame diez minutos y voy contigo.

–Simon –Hannah lo observó con una mezcla de preocupación y acritud–. Por un lado, no tengo diez minutos y, por otro, en tu estado no me serás de mucha ayuda. Tú mismo has dicho que no te tienes en pie. Será mejor que te quedes aquí.

–¿Estás segura? –preguntó Simon, volviendo a recostarse a cámara lenta.

–Sí, totalmente. Y ahora tengo que irme.

–Llévate mi coche. ¡Así no tendrás que cambiar las cosas de sitio!

–¿Tu coche?

Hannah creyó haber oído mal. Para él, su viejo Ford Mustang era una vaca sagrada.

–Sí, claro –contestó él, como si dejarle conducir su reliquia privada fuera lo más normal del mundo.

Hasta entonces, eso solo había ocurrido una vez, hacía unos seis meses, el día que Simon cumplió treinta y cinco años y a última hora intentó acabar con las existencias de uno de los bares de Sankt Pauli, el Hans-Albers-Eck, en la calle Reeperbahn, con sus mejores amigos, Sören y Niels. No lo consiguieron.

No obstante, cuando Simon la llamó por teléfono para suplicarle que fuera a buscarlos porque no quería dejar el Mustang en aquel barrio, hablaba como si solo les hubiese faltado media cerveza para concluir con éxito su misión.

Eran las cuatro y media de la madrugada y la llamada sacó de quicio a Hannah, que había vuelto a casa en metro dos horas antes. A pesar de todo, pidió un taxi, fue al bar a toda prisa y acompañó a casa en el Mustang a su novio y a sus amigos, completamente borrachos, para que durmieran la mona.

Al día siguiente, cuando se presentó a mediodía en casa de Simon con una bolsa de panecillos y tres litros de zumo de naranja en tetrabriks, se alegró de que todos se quejaran de que les dolía la cabeza. Y avisó a Simon de que el año siguiente, cuando ella cumpliera los treinta, se desquitaría.

Con todo, no se enfadó con él; en los últimos años casi nunca lo había visto relajado, tampoco haciendo locuras. Eso había pasado a la historia tras la muerte de su madre y había ido a peor con el mal ambiente que reinaba en la redacción. Por lo general se mostraba prudente y, al contrario que cuando lo conoció, se aseguraba cinco veces antes de dar un paso, a lo que Hannah solía reaccionar poniendo los ojos en blanco. Al cabo de tres meses perdió el trabajo... Pero ¿quién podía saberlo?

–Tienes que estar muy mal –constató Hannah.

–Peor que mal –dijo Simon, forzando de nuevo una sonrisa. Esta vez, lo consiguió–. Bueno, vete antes de que recupere el juicio y sea consciente de lo que acabo de hacer.

–De acuerdo. Te llamo cuando acabemos –se apresuró a responder Hannah.

–Mejor te llamo yo. Puede que duerma hasta mañana, a ver si así me recupero.

Por un momento, volvió a embargarla cierto sentimiento de desconfianza. ¿Por qué no quería que lo llamara? ¿Tenía algo que esconder y no quería que lo molestara?

Esa ocurrencia era un disparate, bastaba con ver la palidez de su cara para saber que lo único que tramaba su novio era dormir mucho y recuperarse.

Hannah se inclinó rápidamente hacia él y le dio un beso de despedida. Un instante después, salía por la puerta y bajaba corriendo las escaleras. Solo faltaban veinte minutos. ¡El caballito de Simon tenía que dar cuenta de lo que escondía debajo del capó!

Señor Jonathan N. Grief
correo electrónico

Hamburgo, 2 de enero

Estimado señor Grief:

Le agradecemos sus buenos deseos para este año y esperamos que usted también disfrute de un feliz Año Nuevo.

Nos alegra tener lectores atentos, entre los que usted se cuenta desde hace tiempo que nos envían comentarios y también nos señalan los errores que hayamos podido cometer en el día a día, a menudo frenético, de nuestro trabajo en la redacción del periódico.

En cuanto al mal uso del gerundio que nos señalaba en su anterior correo, hemos trasladado su queja a los correctores.

Respecto a la bolsa y la agenda, lamentamos comunicarle que nuestro periódico carece de una sección pertinente para esos casos. Sin embargo, puede usted insertar un anuncio si lo desea. Adjunto le enviamos un documento con los datos de contacto del departamento de anuncios por palabras y la lista de precios.

Personalmente, le recomendaría que llevara la bolsa y el calendario a la Oficina de Objetos Perdidos. No le será difícil averiguar las señas correspondientes haciendo una búsqueda en internet.

Atentamente,
Gunda Probst
Atención al lector - *Hamburger Nachrichten*
«El periódico de Hamburgo para la gente de Hamburgo»

7

Jonathan

2 de enero, martes, 11.27 horas

Vaya, vaya. De modo que no contaban con una «sección pertinente para esos casos» en el periódico... Mientras se fijaba un momento en que faltaba una coma en el segundo párrafo, justo detrás de «tiempo», los dedos se le fueron hacia el teclado para contestar a la borde de Gunda Probst y preguntarle cómo había que interpretar el eslogan «El periódico de Hamburgo para la gente de Hamburgo» si el periódico no atendía peticiones como la que él les había expuesto.

Sin embargo, lo dejó correr y cerró la página de correo electrónico con enfado. ¡A la Oficina de Objetos Perdidos! ¿Acaso la tal Gunda Gundula lo tomaba por tonto? ¡Como si a él no se le hubiera ocurrido!

Cerró el portátil y observó pensativo la agenda, que estaba encima del escritorio. Y volvió a abrirla.

¡Esa letra! Nicolino.

Tuvo una idea. Inaudita. Casi novelesca.

Apartó rápidamente la agenda. ¡Era absurdo! ¿Por qué iba a dejarle su madre una bolsa con una agenda en la bicicleta? Después de tantos años de silencio. Eso no solo significaría que se encontraba en Hamburgo, sino también que vigilaba a su hijo y estaba al acecho.

No, era absurdo.

Jonathan N. Grief separó de golpe la silla del escritorio y se levantó. Tenía cosas más importantes que hacer; el director ejecutivo de la editorial, Markus Bode, lo esperaba a las doce en punto.

Esa misma mañana lo había llamado la secretaria de Bode para concertar una «reunión urgente». Jonathan se preguntaba qué podía ser tan urgente; al fin y al cabo, había pasado por la editorial cuatro semanas antes de Navidad. ¿Qué podía haber ocurrido en ese lapso de tiempo y durante las fiestas?

Con la puntualidad de siempre, Jonathan llegó a la mansión de mediados del siglo XIX que pertenecía a la familia desde hacía generaciones y que, situada a orillas del Elba, albergaba a los casi setenta empleados de Griefson & Books.

Allí había fundado la editorial Ernest Grief, el tatarabuelo, hacía unos ciento cincuenta años. Y, como siempre que subía al primer piso por la escalinata guarnecida con una alfombra azul, a Jonathan lo asaltó una sensación que se asentaba en algún punto intermedio entre el respecto, el orgullo y el malestar.

En la pared del tramo superior señoreaban los retratos al óleo de sus antepasados: su tatarabuelo Ernest Grief, el bisabuelo Heinrich, la abuela Emilie (en la sala de partos esperaban la llegada de un «Emil», pero después de la primera sorpresa se mostraron flexibles) y también Wolfgang, su padre. Entonces, la sensación solía alcanzar su punto culminante y no se desvanecía hasta que cruzaba la puerta de cristal que, a mano izquierda, conducía al despacho del editor.

–¡Feliz Año Nuevo, señor Grief! –lo saludó Renate Krug, su secretaria, que sacaba el polvo de un ficus cuando él entró.

Apartó del arbolito el trapo del polvo, se acercó a Jonathan y le tendió la mano derecha mientras se ajustaba las gafas con la mano izquierda y después, con un gesto rápido y discreto, se arreglaba el vestido marrón oscuro y el peinado.

Tenía el pelo canoso y, como de costumbre, lo llevaba recogido en un moño italiano. El hecho de que Renate Krug hubiera cumplido los sesenta no impedía que fuera una mujer bellísima.

–¡Igualmente, señora Krug! –contestó Jonathan, brindándole una sonrisa afable antes de hacerle una seña con la cabeza y entrar en su despacho–. Dígale al señor Bode que ya puede venir.

–Ahora mismo –contestó la secretaria, y Jonathan la oyó descolgar el teléfono de su escritorio.

Hasta donde él recordaba, y eso era mucho tiempo, Renate Krug siempre había trabajado con su padre. Cuando Wolfgang Grief se retiró, ella pasó a ser la secretaria de Jonathan, a quien a veces casi le dolía que tuviera tan poco trabajo con él. Ahora, su jornada era de veintiocho horas a la semana, la secretaria salía los viernes a mediodía y no trabajaba los lunes, pero apenas tenía trabajo real para ocupar quince de esas horas. Si llegaba.

Por otro lado, a Renate Krug no le faltaba mucho para jubilarse y quizá se sentía afortunada de poder dedicar sus últimos años activos a..., a..., a sacarle el polvo a los ficus. Y a disfrutar de las magníficas vistas del Elba.

Precisamente era lo que hacía Jonathan en esos momentos, mientras esperaba la visita del director ejecutivo. Miraba por la gran vidriera de su despacho y contemplaba el río, por el que en esos instantes navegaba corriente abajo un buque portacontenedores inmenso. Unas cuantas gaviotas lo acompañaban entre gritos hacia la desembocadura del Elba, y Jonathan se preguntó dónde acabaría su viaje. Por un momento, le dio la impresión de haber visto una pareja de cisnes en la orilla.

Observó con más atención y las aves resultaron ser dos bolsas de plástico blancas movidas por el viento. Se encogió de hombros, se apartó de la ventana, se acercó a la mesa de reuniones, justo al lado de su escritorio, y se sentó.

–Toc, toc.

Markus Bode estaba en la puerta, con una carpeta debajo del brazo, y daba golpecitos en el marco con los nudillos.

Jonathan se levantó y dio unos pasos hacia él.

–¡Feliz Año Nuevo! –dijo Bode mientras se saludaban con un fuerte apretón de manos.

–¡Igualmente!

Jonathan se fijó en que el director parecía un poco desmejorado. Bode, que estaba al final de los treinta, iba siempre hecho un pincel, casi arreglado en exceso, con trajes que le sentaban de maravilla y el pelo rubio peinado pulcramente con la raya a un lado. Sin embargo, ese día no se había afeitado, tenía unas profundas ojeras y llevaba una camisa un poco arrugada. Resumiendo, no tenía buen aspecto; daba la impresión de que algo le oprimía el corazón.

–Bueno –dijo Bode sin más rodeos en cuanto se sentaron–. Tenemos un problema.

–¿Cuál?

Bode abrió la carpeta, sacó un montón de papeles y los puso encima de la mesa.

–Durante las fiestas –explicó– he revisado los resultados provisionales del último trimestre y he examinado a fondo la planificación para los próximos meses.

–¿Y por qué lo ha hecho?

Bode lo miró con cara de no entender la pregunta.

–¿A qué se refiere?

–¿Por qué se ha dedicado a trabajar durante las fiestas? Tendría que haberlas aprovechado para descansar y pasar tiempo con la familia.

Jonathan sabía que el director tenía dos hijos y una mujer encantadora.

–Mmm –replicó Markus Bode, poniendo cara de entender aún menos–. Bueno, soy el director ejecutivo de Griefson & Books. Y tener horarios distintos que el resto forma parte del puesto.

–Claro –le concedió Jonathan–. Pero debería pensar en su salud. Un director ejecutivo también tiene que descansar de vez en cuando.

–Pero no cuando constata que la cifra de ventas del último trimestre ha resultado ser un treinta por ciento inferior a lo previsto. –Carraspeó, bajó la mirada y, en voz baja, añadió–: Además, si su mujer y sus hijos lo han abandonado, no necesita días libres.

–¡Oh!

Entonces fue Jonathan quien puso cara de perplejidad.

–Mmm, sí, bueno...

–Eso es malo.

Incluso a Jonathan le sonaron terriblemente torpes esas palabras. Pero no sabía qué decir. Markus Bode y él tenían una buena relación, aunque puramente profesional, y esa confesión tan personal lo había desbordado.

–Es lo que hay –replicó Bode, que se desmoronó todavía más.

–¿Quiere que...? –Jonathan se detuvo y pensó en qué iba a decir exactamente.

¿Qué se decía en esas situaciones? ¿Qué le habían dicho a él sus amigos cuando les contó que su matrimonio con Tina había acabado?

No lo recordaba. De hecho, no se lo contó a nadie, se las apañó solo con la nueva situación. No tenía amigos íntimos a los que hubiera deseado hacer partícipes de su fracaso personal. Exceptuando a Thomas. Pero, por motivos obvios, quedaba excluido como hombro sobre el que llorar.

Después, cuando la separación se hizo efectiva, algunos conocidos le preguntaron cómo estaba, pero se interesaron principalmente por el acuerdo económico al que había llegado con Tina. Y en ese aspecto no hubo ningún problema.

Markus Bode lo miraba expectante, suponiendo que su jefe completaría la pregunta.

–¿Quiere que...? –repitió Jonathan, mientras buscaba febrilmente las palabras adecuadas–. ¿Quiere que vayamos a tomar una cerveza?

–¿Una cerveza?

–Sí, una cerveza.

Aunque Jonathan no solía beber alcohol y, si lo hacía, prefería una buena copa de vino, la propuesta le pareció adecuada. Los hombres a los que sus mujeres abandonaban iban a beber cerveza, ¿no?

–¡Son las doce del mediodía!

–Cierto –le concedió Jonathan. Quizá no era muy buena idea.

–Creo que deberíamos hablar de las cuentas.

Daba la impresión de que Bode se había cuadrado por dentro; de pronto ya no parecía tan desaliñado.

–De acuerdo. –Jonathan respiró aliviado, prefería hablar de cifras que tener una conversación de hombres.

–Como he dicho, las previsiones han fallado en un treinta por ciento –dijo Bode, dando golpecitos con el índice de la mano derecha en los documentos que había sobre la mesa–. Es un desastre.

–¿Ha podido analizar las causas?

–En parte –contestó Markus Bode–. Como sabe, todo el sector se enfrenta a un descenso de la facturación. Además, las ventas de los libros de nuestro autor más importante, Hubertus Krull, se están reduciendo y, puesto que se encuentra gravemente enfermo, no podrá publicar un nuevo título en un futuro inmediato. Y no podemos seguir apostando por el fondo editorial; sin una novela nueva, será imposible reactivar las ventas de sus libros anteriores.

Jonathan asintió, pensativo. Su abuela Emilie fichó a Krull porque lo reconoció como la nueva esperanza de la literatura alemana de posguerra y lo convirtió en un superventas internacional.

–Además, calculamos mal con algunos títulos.

–Comprendo –dijo Jonathan–. ¿Con cuáles?

–Por ejemplo... –Bode cogió los papeles, los abrió en abanico y sacó una hoja–. Con este –dijo, y le pasó la hoja a su jefe.

Jonathan echó un vistazo.

–¿*La soledad de la Vía Láctea*? –preguntó, sorprendido–. Pero ¡si el año pasado fue candidato al Premio de Literatura en Alemán!

–Puede –replicó impasible el director ejecutivo–, pero pagamos demasiado por los derechos, y de los treinta mil ejemplares que imprimimos después de que lo nominaran al premio todavía nos quedan veintisiete mil en el almacén. Y las librerías empiezan a hacer devoluciones.

–Ajá. ¿Y a qué se debe?
–Diría que la gente no quiere leerlo.
–Pero ¡si es una novela magnífica!
Unos meses antes, Jonathan había leído el manuscrito porque Bode quiso conocer su opinión antes de adquirir los derechos. Y el libro lo convenció, *La soledad de la Vía Láctea* era una obra importante, una buena novela de alto nivel literario.
–Yo opino lo mismo, pero los lectores prefieren uno de esos mamotretos eróticos o una novela de Grisham –dijo Bode, y suspiró–. «Cuando pienso en Alemania en plena noche, no consigo conciliar el sueño.»
–Efectivamente. –Jonathan se abstuvo de señalarle que, como muchos otros, acababa de citar los versos de Heinrich Heine en un contexto erróneo. El poeta escribió esos versos en su exilio parisino y con ellos quiso expresar la nostalgia por su patria y la añoranza que sentía por su madre, no criticar la situación política en Alemania–. ¿Y qué propones?
–Eso quería preguntarte yo.
–¿A mí?
–Bueno, usted es el editor.
–Y usted el experto –contestó Jonathan sin pensarlo.
Bode carraspeó, con una mezcla de timidez y orgullo.
–Cierto, pero yo no puedo establecer en solitario la ruta que debe seguir Griefson & Books.
–Calma, calma –intervino Jonathan–. Si una golondrina no hace verano, un fracaso no supone una ruina. No hace falta que fijemos la ruta ahora mismo.
–Por desgracia, no podemos hablar de un solo fracaso. –Bode deslizó unas cuantas hojas sobre la mesa–. Afecta a todo el catálogo. Y desde hace tiempo, pero hasta ahora lo atribuía a las típicas oscilaciones del sector. Además, siempre podíamos recurrir a Hubertus Krull. Sin embargo, ahora es urgente que diseñemos una nueva estrategia.
–Mmm. –Jonathan se reclinó en el asiento–. Si usted lo dice... Pero me gustaría pensarlo un poco.

–Como es natural, no estoy diciendo que debamos cambiar todo el catálogo de un día para otro –contestó Bode, dándole la razón–. Pero consideré urgente ponerlo al tanto de la evolución actual. Para que no la perdamos de vista y podamos reaccionar a tiempo.

–Sí, sí –asintió Jonathan–, muy bien. Ahora ya estoy al tanto.

Siguieron sentados un rato en silencio, los dos absortos en sus pensamientos. Curiosamente, Jonathan se acordó del hombre del Alster que le había recordado a Harry Potter. ¿Qué leería? ¡Quizá tendría que habérselo preguntado!

–Bueno –dijo Markus Bode en medio del silencio–. Entonces, ya volveré... Le dejo aquí los documentos para que los revise –añadió, y se levantó.

–De acuerdo –contestó Jonathan, que también se puso en pie–. Gracias por informarme.

Se estrecharon las manos. Durante unos segundos más que de costumbre. Y Jonathan volvió a preguntarse si no sería oportuno añadir algo. Cualquier cosa.

–Espero que pronto se arreglen las cosas en su casa –dijo al final, y le dio una torpe palmadita en el hombro.

–Gracias –dijo Bode–. Y yo espero que mi mujer no vuelva a casa.

–¿Cómo dice?

–Bromeaba.

Jonathan meneó la cabeza mientras lo veía salir de la oficina. ¡Qué sentido del humor más extraño!

8

Hannah

Dos meses antes
30 de octubre, lunes, 10.47 horas

—Primero, la buena noticia: tu coche está aparcado delante del edificio, en perfecto estado y sin un solo arañazo.

–¡Oh, no! –exclamó Simon, abrazándola de repente–. ¡Lo siento muuuuuucho! –le susurró al oído, y la estrechó con tanta fuerza que casi le cortó la respiración–. En serio, ¡no sabes cuánto!

Hannah se liberó del abrazo.

–¿Por qué? ¿Querías que lo llevara al chatarrero? –preguntó, aguantándose la risa como pudo.

–¡No me refería a eso! –se apresuró a replicar su novio–. Pero, si esa es la buena noticia, la mala seguramente será que la inauguración ha sido un fiasco total. ¡Soy un idiota! –exclamó, dándose un manotazo en la frente

–No –dijo Hannah, sonriendo ampliamente–. ¡Ha sido todo un éxito!

–Pero si acabas de decir que empezarías por la buena noticia.

–Correcto. ¡Y luego venía la excelente! –Hannah sonrió feliz.

–Ya –replicó Simon, meneando la cabeza–. Anda, vamos a la cocina. Estaba haciéndome un té.

Envuelto en un albornoz y con las zapatillas de estar por casa, Simon la precedió arrastrando los pies por el pasillo; a pesar de su atuendo de «¡Socorro, estoy enfermo!», tenía mejor aspecto que el día anterior. Al menos se mantenía en pie y podía andar sin ayuda. Perfecto, porque Hannah tenía planes para él.

–Va, cuéntamelo –le pidió Simon, mientras ella se sentaba en una de sus sillas Charles Eames y él le servía una taza de té.

–¡Vinieron más de cien niños con sus acompañantes! –exclamó, entusiasmada–. Está todo prácticamente reservado hasta Navidad y tendremos que desechar el plan de ofrecer actividades solo por la tarde y ampliar la programación para cubrir también las mañanas. La demanda es increíble, ¡nos arrancaban literalmente los formularios de inscripción de las manos!

–¡Eso es fantástico! –Simon le dedicó una mirada de admiración–. ¡Reconozco que no me lo esperaba!

–Y yo esperaba que no te lo esperaras.

–¿Por qué?

–¡Adivínalo!

–¡Serás tonta! –replicó él, sonriendo.

–Además, ese «reconozco» ha sonado un poco negativo –añadió Hannah.

–¿Qué?

–Tú has dicho: «Reconozco que no me lo esperaba».

–Ahora no te entiendo.

–Olvídalo –dijo Hannah; hizo un gesto con la mano y le sonrió de nuevo–. Una de las cosas que más les gustaron fue la actividad con los globos.

Simon lanzó un suspiro de alivio.

–Entonces, ¿conseguisteis hincharlos a tiempo?

–¡Qué va! –contestó Hannah–. Llegué muy tarde y solo tuvimos tiempo de dejar los platos y los vasos en el bufé y de colocar las bebidas antes de que empezara a entrar gente.

–Pero...

–¡Fue genial! –prosiguió Hannah–. Hinchamos los globos con los niños. Fue el mejor momento, ¡todos querían usar la bombona de helio! Y cuando descubrieron que con el aire de los globos podían imitar la voz Mickey Mouse, no hubo forma de pararlos. –Se tiró de la nuez y, distorsionando la voz, añadió–: ¡Hola, soy la pequeña Hannah!

–Entonces, no fue tan mal que no lo hiciera yo, ¿no? –dijo Simon, y le dirigió una mirada insegura; esperaba que llegara la peor parte..

–Al contrario, ¡no podría haber ido mejor!

Ahora, Simon también sonrió.

–Y eso corrobora tu teoría favorita de que no hay mal que por bien no venga.

–Exacto, cariño–replicó Hannah, que se inclinó hacia él y le plantificó un sonoro beso en la nariz enrojecida–. Además, así evitamos que nos estorbaras y lo embarullaras todo. Con lo cual, digamos que fue una situación ventajosa para todos.

–¿Qué insinúas? –preguntó Simon, haciéndose el ofendido.

–Absolutamente nada. –Hannah le dio otro beso, esta vez en los labios, con los él que fingía estar de morros–. Es solo que estoy contentísima porque todo fue de maravilla. Lisa y yo tenemos que buscar una o dos personas que nos ayuden; las dos solas no podremos atender tantas solicitudes.

–Para el carro –objetó Simon–, una solicitud no es una reserva firme.

–¡Arg! –Hannah puso los ojos en blanco y le dio un golpe en el hombro–. Siempre lo mismo. Ahórrame tus malas vibraciones, ¡contaminas el aire!

–Lo único que pretendo decir es que no os dejéis llevar por la euforia.

–No te preocupes. Ya te tengo a ti para pisar el freno.

–Ja, ja. ¡Muchas gracias!

–Ahora en serio –dijo Hannah, que le cogió las manos y se las apretó–, no te preocupes. Ya sabes que preocuparse es como una mecedora: te da algo que hacer, pero no te lleva a ninguna parte.

–¡Esa frase se la has robado a alguien!

–Cierto –admitió Hannah–, pero no recuerdo a quién. Por lo tanto, ¡ahora es mía!

–No me preocupo –sostuvo Simon, y le acarició los dedos con el pulgar–. Pero no quiero que te lleves una decepción.

Y eso puede pasar cuando solo se tienen en cuenta las mejores posibilidades.

–Eso también es típico en ti. Te cuento que todo va de perlas y tú me hablas de decepciones.

–Sí, bueno –replicó Simon, y levantó las manos en señal de disculpa–. Seguramente es porque estoy fatal.

–Eso mismo creo yo –dijo Hannah, dándole la razón–. Y por eso opino que las cosas tienen que cambiar–añadió, y se puso de pie–. ¡Vamos!

–¿Vamos? ¿Adónde?

–A la ducha. Y, después, a La Pandilla.

–¿Ahora? –Simon la miraba estupefacto.

–Sí –contestó ella lapidariamente–. Se acabó el descanso. Y ya te he dicho que necesitamos ayuda urgentemente.

–Pero ¡todavía estoy resfriado!

–No importa –dijo Hannah con una sonrisa–. El noventa y nueve por ciento de los niños sufren hasta diez catarros al año, ¡no llamarás la atención! Y tenemos un montón de cajas de pañuelos de papel.

–¡Espero que sea una broma!

–En absoluto. Necesitas algo que te desconecte del «modo pena» –añadió, sonriendo–. También hay que divertirse. O sea que no te pongas así y ven conmigo. Te sentará bien, ¡ya verás!

–Mmm, ¿y qué quieres que haga?

–Primero, ayudarnos a Lisa y a mí a recoger. Y nos hace falta un payaso a las dos de la tarde.

9

Jonathan

2 de enero, martes, 15.10 horas

Jonathan pensaba hacerle a su padre la primera visita de ese nuevo año el jueves. Sin embargo, después de la entrevista con Markus Bode, decidió ir a la residencia ese mismo día.

Tenía claro que no podría hablar con él sobre la deriva que seguía la editorial en los últimos tiempos, puesto que el intelecto de Wolfgang Grief no estaba en condiciones de mantener ese tipo de conversaciones y, de haberlo estado, se habría alterado en exceso. No obstante, tras pasar media hora delante del retrato de su progenitor, hablándole mentalmente con la esperanza de que así se le ocurriera alguna idea, sintió una repentina nostalgia por el anciano.

Jonathan cruzó con su Saab gris oscuro la entrada a los jardines de la residencia Sonnenhof y condujo por el camino blanco de grava hacia el moderno edificio que se alzaba en una ladera por encima del Elba. Hacía un día espléndido, algo casi increíble en Hamburgo durante el mes de enero, y los rayos incidían en los cristales de los grandes ventanales y provocaban reflejos brillantes. Con aquel tiempo, la vista alcanzaba hasta el otro lado del río: a la izquierda, las instalaciones de la fábrica de Airbus y, a la derecha, terreno agrícola con grandes fincas de árboles frutales.

Jonathan se había preguntado en más de una ocasión si su padre apreciaba la belleza que lo rodeaba. Normalmente, se limitaba a pasar las horas sentado en el sillón de orejas de su habitación, escuchando obras de Beethoven, Wagner y Bach con los auriculares puestos y los ojos cerrados.

Y lo hacía rodeado de reliquias de tiempos pasados. Una empresa de transportes había trasladado el mobiliario de su mansión a la residencia. Los operarios instalaron los muebles de estilo Biedermeier, pieza a pieza, y colocaron junto a la ventana el antiguo escritorio, que Wolfgang Grief ya no utilizaba. Montaron las librerías altas y, siguiendo un orden preestablecido, dispusieron en ellas la extensa biblioteca, compuesta por cientos de libros que Wolfgang Grief ya no quería o no podía leer; y distribuyeron sobre la repisa de la falsa chimenea las fotos enmarcadas, que Wolfgang Grief ya no miraba.

Lo único que el padre utilizaba eran la cama y la butaca. Después de llamar a la puerta y entrar, Jonathan siempre tenía que ganarse su atención. Cada vez que lo veía allí sentado, absorto por completo en la música, dudaba de si debía molestarlo. Parecía muy tranquilo, muy relajado, casi apartado del mundo. Ni rastro del hombre al que más de un empleado de la editorial llamaba «déspota» o «patriarca loco» a sus espaldas.

No, el hombre que ahora estaba con los ojos cerrados en su butaca era un abuelo inofensivo que, de haber tenido nietos, quitaría el ruidoso envoltorio dorado de los caramelos para dárselos. Su mata de pelo canoso destacaba sobre el tapizado de color rojo oscuro. Aquel día iba vestido con un jersey de cuello alto, chaqueta de punto a cuadros y pantalón de pana, y llevaba pantuflas de fieltro de color gris oscuro.

Antes, Wolfgang Grief medía 1,90 metros, pero su cuerpo había encogido un poco y ahora, viéndolo allí sentado, nadie diría que por lo general sobrepasaba en altura a la mayoría de hombres de su edad. Se mantenía delgado como en su juventud, aunque, a sus setenta y tres años empezaba a tener un aspecto achacoso.

Jonathan notó que lo embargaba cierta tristeza. ¿Cómo estaría él a esa edad? ¿Sería también víctima de la demencia senil y acabaría en una residencia de ancianos? ¿Con las únicas visitas de su hijo, que de vez en cuando se dejaba caer por allí, y de Renate Krug, que seguía demostrando lealtad a su antiguo jefe?

No, en su caso, la realidad todavía sería más deprimente, puesto que él no recibiría las visitas de un hijo. Ni de una hija. Ni de Renate Krug. De repente comprendió mejor la existencia de *Daphne,* la perrita de Hertha Fahrenkrog, su anciana vecina.

–Hola, papá –dijo en voz baja y, antes de perderse todavía más en pensamientos tristes que no conducían a ninguna parte, le tocó el hombro con cautela.

Su padre abrió los ojos. Los tenía claros, igual que Jonathan, de un color azul acerado, y no permitían vislumbrar el estado de confusión que se ocultaba tras ellos.

Por un instante, Jonathan se sintió transportado a su infancia. ¡Cuánto temía de niño la mirada implacable de su padre, que parecía escrutarle hasta el último rincón del alma!

–¿Quién es usted? –preguntó sorprendido Wolfgang Grief mientras se quitaba los cascos.

Por los auriculares, que ahora sostenía en las manos salpicadas de manchas típicas de la vejez, se oían a bajo volumen las notas del aria de Bach. La imagen que Jonathan acababa de evocar del padre severo estalló como una pompa de jabón.

–Soy yo, Jonathan –contestó, acercó una silla y se sentó–. Tu hijo.

–¡Ya lo sé! –le gritó el padre de mal humor, como si él no hubiera preguntado nada.

–Está bien.

–¿Y a qué has venido?

–Quería verte.

–¿Es la hora de comer? –preguntó, frunciendo el ceño–. ¡Espero que no traiga el mismo puré que ayer! ¡Porque se lo va a comer usted! ¡Yo no pienso tocar esa bazofia!

–No, papá –contestó Jonathan, negando también con la cabeza–. No te he traído la comida. El mediodía ha pasado hace rato. Soy tu hijo y solo he venido a hacerte una visita.

–¿Es usted el médico nuevo? –preguntó Wolfgang Grief, ahora mirándolo con cara de desconfianza.

Jonathan volvió a negar con la cabeza.

–No. Soy Jonathan, tu hijo.

–¿Mi hijo?
–Sí.
–Yo no tengo hijos.
–Sí, papá, tienes un hijo.
Wolfgang Grief inclinó la cabeza a un lado y miró por la ventana, hacia el Elba. Se quedó un rato así, en silencio, ensimismado en sus pensamientos y mordisqueándose el labio inferior. Luego volvió a dirigirse a Jonathan.
–¿Es usted el médico nuevo?
–No –repitió Jonathan–, soy tu hijo.
–¿Mi hijo? –El hombre parecía confundido. Al cabo de unos instantes sonrió, casi como un tonto–. Claro, ¡eres mi hijo! –puso una mano encima de la Jonathan y le dio unas palmaditas.
–Exacto –corroboró Jonathan, aliviado, y también le dio unas palmaditas en la mano, aunque eso le provocara una sensación extraña–. Y he venido a verte. Hoy es dos de enero, hemos estrenado año. Solo quería saber si lo habías empezado bien.
El padre hizo un gesto de sorpresa que, al cabo de un segundo, se transformó en una mueca de terror.
–¿Qué? –gritó tan enfadado que Jonathan se sobresaltó–. ¿Un nuevo año? –preguntó, mientras hacía ademán de levantarse.
–Quédate en la butaca –le dijo Jonathan, sujetándolo por los hombros.
–¡Tengo que irme! –exclamó el anciano, revolviéndose contra su hijo con una fuerza asombrosa.
–¿Adónde quieres ir? –A Jonathan le costaba retenerlo.
–¿Adónde va a ser? ¡A la editorial! ¡Me están esperando! –exclamó, y volvió a intentar levantarse.
–No, papá –dijo Jonathan, que seguía sujetándolo por los hombros–. Todo va bien, no te preocupes.
–¡Pamplinas! –lo increpó Wolfgang Grief–. ¿Cómo quieres que todo vaya bien si yo no estoy donde debería estar?
–Acabo de pasar por la editorial –replicó Jonathan con la máxima calma posible–. Renate Krug y Markus Bode lo tienen todo controlado.

–Ah, Renate. –El enfado se esfumó con la misma rapidez con la que había surgido, y el viejo Grief esbozó de nuevo una sonrisa tranquila–. ¡Una bellísima persona!

Jonathan asintió.

–Así es.

–Recuérdame que le compre flores sin falta –dijo el padre, y le guiñó un ojo–. Siempre le regalo un ramo para Año Nuevo. Desde hace mucho tiempo. Le encantan los claveles blancos.

–Lo sé –replicó Jonathan, y se alarmó al caer en la cuenta de que él había heredado esa tradición de su padre y ese año se le había olvidado por completo. Tomó nota mentalmente de que tenía que ir a buscarlos lo antes posible–. Yo me ocupo.

–Bien.

–¿Lo ves?, todo va bien, no hay motivos para preocuparse.

Teniendo en cuenta lo que Markus Bode le había explicado unas horas antes, al pronunciar esas palabras se sintió hipócrita. Pero ¿qué podía hacer? Era imposible hablarlo con su padre. Aunque no lo hubiera tomado por su nuevo médico o por un enfermero que le llevaba la comida, Wolfgang Grief ya no podía ser de ayuda en la editorial.

Aun así, por la mente de Jonathan cruzó una idea maliciosa que casi le hizo sonreír para sus adentros: podría contarle a su padre los problemas de Griefson & Books, incluso pintándolos más negros, puesto que no tardaría ni tres segundos en olvidarse de lo que hablaran. La demencia senil era un inconveniente, pero de vez en cuando también era una bendición.

Pero no, claro que no lo haría. Jonathan era una persona con ética.

Estuvieron un rato así, sentados uno al lado del otro. Una imagen armoniosa de un padre y un hijo a principios de año, si no fuera porque Jonathan no paraba de estrujarse el cerebro pensando qué podía decir.

Apenas hacía diez minutos que había llegado y no podía despedirse de inmediato porque no solo sería de mala educación, sino también una crueldad. No era importante si su padre apreciaba su visita o le daba igual que hubiera ido a verlo y quizá prefiriera sumergirse de nuevo en su soledad y en su música.

Lo mismo sucedía con los pacientes en coma: era imposible saber si percibían la presencia de sus amigos y parientes junto a su cama. Bueno, la comparación cojeaba un poco, puesto que Wolfgang Grief estaba consciente, aunque hacía mucho que no vivía en este mundo. Y, hacía poco, Jonathan se había sorprendido a sí mismo en una ocasión hablando de su padre en pasado.

La doctora Marion Knesebeck, la facultativa que trataba a su padre a pesar de que este expresara a veces su disgusto porque su médico fuera una mujer, le recomendó a Jonathan que le contara cosas cuando fuera a visitarlo: «Cuéntele anécdotas interesantes o divertidas que le hayan ocurrido. Háblele de lo que suele hacer en su día a día, haga que su padre participe de su vida. Tal como está, eso es importante».

Sí, claro, era fácil decirlo, pero a Jonathan, por mucho que se esforzara, no se le ocurría nada que contarle. Simplemente, le pasaban pocas cosas, tenía una vida estable que transcurría plácidamente, sin altibajos. Y no se quejaba, al contrario. Le gustaba tal como era, pero la normalidad de su día a día no daba para poder contar historias divertidas.

Siguió buscando temas adecuados para mantener una charla familiar inocua. Lo que le había comunicado Markus Bode quedaba excluido. Y también que Tina le había dejado una tarjeta para felicitarle el Año Nuevo. A Wolfgang Grief nunca le había caído muy bien su nuera, y el sentimiento era mutuo. Por lo tanto, tampoco le servía.

–¡Tengo algo que contarte! –exclamó Jonathan finalmente. Aliviado porque se le había ocurrido algo de lo que podía hablar con su padre, se dio palmaditas en los muslos con las dos manos–. Ayer por la mañana me pasó una cosa extraña.

–¿Sí?

Wolfgang Grief lo miraba expectante, daba la impresión de que por un momento lo habían arrancado de su letargo. Como si alguien hubiera encendido una luz en un cuarto oscuro. Su mirada reflejaba verdadero interés.

Jonathan asintió, todavía entusiasmado por el hecho de poder presentar una historia realmente misteriosa y de que eso le brindara la oportunidad de charlar tranquilamente con el anciano.

–Ayer –prosiguió– fui a correr al Alster y, al acabar, fui a buscar la bicicleta para volver a casa y vi una bolsa colgada del manillar –hizo una pausa teatral, sin saber si su padre era el espectador más adecuado para apreciar esos detalles dramatúrgicos.

–¿Qué había dentro? –preguntó Wolfgang Grief, que se revolvió casi imperceptiblemente en la butaca, como un niño sentado en primera fila mientras espera que empiece un espectáculo de títeres.

–Una agenda. –Jonathan dejó caer la bomba.

–¿Una agenda?

El hombre parecía decepcionado; al parecer, esperaba oír otra cosa. Quizá un fajo de billetes o el vellocino de oro. O un paquete sospechoso que hacía tictac. Pero Jonathan no había acabado de contar su historia.

–Sí –prosiguió impasible–. Era una Filofax, ¡y estaba escrita de principio a fin! ¡Con anotaciones en cada página del año!

–Mmm –murmuró el padre. Por lo visto, no era tan fácil hacerlo saltar en la silla–. ¿Una Filofax vieja?

–No –lo corrigió Jonathan–, para nada. No era una agenda del año pasado, ¡era de este año!

–¿Y?

–Pero papá, ¡no me digas que no es extraño! –exclamó Jonathan–. Alguien planifica el año entero, lo anota todo en una agenda y ¿la deja en mi bicicleta?

–Habrá perdido la bolsa y alguien que pasaba por allí la habrá encontrado y habrá pensado que era del dueño de la bicicleta –supuso el antiguo editor.

–Es posible –admitió Jonathan–. Pero eso nos lleva a la emocionante pregunta de quién ha perdido la bolsa con la agenda.

Su padre se encogió de hombros y puso cara de aburrimiento.

–Eso no es asunto tuyo. Llévala a la Oficina de Objetos Perdidos, y listo. Seguro que tienes cosas mejores que hacer que pensar en semejante tontería.

Su mirada demostraba que en esos momentos tenía la mente clara. Y que desaprobaba aquello.

–En la agenda había un sobre con quinientos euros –insistió Jonathan–. Escondido en la tapa de atrás.

–A ti no te hacen falta.

–¡No lo decía por eso!

Jonathan luchó contra el sentimiento de decepción que empezaba a embargarlo, contra la sensación de impotencia que le provocaba que lo despacharan como si fuera un chaval sin dos dedos de frente. Se dijo que solo se trataba de intercambiar unas cuantas frases coherentes con su padre y, por lo tanto, no importaba sobre qué ni cómo.

Sin embargo, no funcionó y la decepción se mantuvo. Así pues, continuó esforzándose por convencer a su padre de que aquel suceso era inusual.

–Pero la bolsa con la agenda no estaba en cualquier sitio del camino, sino en mi bicicleta. Como si alguien la hubiera puesto allí adrede.

–Ya te lo he dicho, seguramente la puso alguien que pasaba por allí.

–O quizá no. –Jonathan no pensaba doblegarse tan fácilmente–. Por otro lado... –dudó un momento; no estaba seguro de si debía contarle lo que tanto le había cautivado, pero, al fin y al cabo, era un detalle importante y prosiguió–: Por otro lado, las notas están escritas a mano con una letra que casi parece la de mamá –subrayó mentalmente el «casi», aunque al pronunciarlo no se notó.

Wolfgang Grief no dijo nada. Lo miró arqueando las cejas y con una mueca de sorpresa, como si hubiera sufrido una conmoción. Acto seguido, ladeó la cabeza, volvió a mirar en silencio por la ventana y, como era costumbre, empezó a mordisquearse el labio inferior.

–¿Papá?

Sin respuesta.

–¿Me oyes? –preguntó, y le puso una mano sobre el hombro.

Nada.

No hablaban de su madre. Nunca, desde hacía décadas. Después de que lo abandonara, Wolfgang Grief dejó muy claro con su airado silencio que, para él, el tema estaba zanjado. Y después de la postal que le envió Jonathan y de la ausencia de noticias resultante, no volvieron a pronunciar ni una sola vez el nombre de la madre.

–Es muy extraño –prosiguió Jonathan, en tono suplicante–. Evidentemente, sé que es una casualidad y que hay más gente que escribe como mamá... Pero que precisamente la dejaran en mi bicicleta...

–Sofía.

Jonathan se estremeció al oír que su padre murmuraba el nombre prohibido. Seguía mirando por la ventana, con la cara impasible.

–Exacto –le confirmó Jonathan, titubeando–. Al principio, eso me desconcertó.

–Sofía –repitió el anciano, que cerró los ojos, suspiró profundamente y se mordisqueó el labio con más intensidad.

–Sí, y por eso me preguntaba si no debería intentar averiguar a quién pertenece la agenda –prosiguió Jonathan, un poco confuso.

Silencio.

–Lo de llevarla a la Oficina de Objetos Perdidos... No sé, no me parece que sea lo correcto. Al final, se perderá. O al propietario no se le ocurrirá preguntar allí –dijo, compartiendo sus pensamientos con su padre.

Sin respuesta.

–Al menos, si yo perdiera algo, me gustaría que quien lo encontrara se tomara la molestia de devolvérmelo.

Ni una palabra.

–Y por eso creo que intentaré localizar al dueño. –Jonathan se dio cuenta de que cada vez hablaba más deprisa; un monólogo desmañado que nadie escuchaba–. Ayer incluso escribí a la redacción del *Hamburger Nachrichten* para pedirles que publicaran un aviso... Pero los muy ignorantes se niegan en redondo y me han contestado que podía poner un anuncio de pago, ¿te lo imaginas? –exclamó, y forzó una carcajada–. Su lema es «El periódico de Hamburgo para la gente de Hamburgo» y resulta que, cuando un ciudadano les pide un favor, se lo quitan de encima. A lo mejor vuelvo a escribirles, pero esta vez me dirigiré personalmente al redactor jefe...

–Ha estado aquí –lo interrumpió su padre.

–Papá, ¡escúchame! –Jonathan no estaba dispuesto a consentir que su padre cambiara repentinamente de tema, como solía hacer desde que estaba enfermo. No, esta vez, no–. Claro que también podría poner yo un anuncio.

–¡Ha estado aquí! –gritó, con tanta energía que sobresaltó a su hijo.

–¿Quién?

–Sofia. –Wolfgang Grief se volvió hacia él y le sonrió, sus ojos azules brillaban–. Sofia ha estado aquí.

–¿Qué? –Jonathan tragó saliva, un escalofrío le recorrió la espalda. Creyó que no había oído bien–. ¿Mamá ha estado aquí?

El padre asintió.

–¿Te refieres a la residencia? ¿A Sonnenhof? ¿Hace poco?

–Sí –asintió de nuevo–. Viene a verme muy a menudo.

–Ah. –Jonathan quería decir algo más, pero se le había hecho un nudo en la garganta.

–Cuando viene, hablamos mucho –prosiguió el padre–. De los viejos tiempos.

–Lo siento, papá –replicó Jonathan, un poco más sereno–, pero eso es imposible.

–Me ha perdonado, ¿sabes? –continuó su padre, como si Jonathan no hubiera dicho nada.

–¿Qué te ha perdonado?

–Han pasado muchos años y los dos somos viejos, ahora ya no cuenta.

–¿De qué hablas? ¿Qué te ha perdonado mamá?

La cabeza le iba a mil. No solo porque su padre fantaseara, sino porque no tenía ni idea de lo que le estaba hablando. Su madre abandonó a su familia de un día para otro; por lo tanto, si alguien tenía algo que perdonar a alguien, ese alguien no era ella. Sin embargo, en vez de una respuesta, Jonathan recibió otra sonrisa extasiada.

–Papá –insistió–, ¿podrías hacerme el favor de explicarme de qué hablas? Mamá se fue hace años. No sabemos nada de ella desde hace una eternidad, lo que dices es absurdo.

La sonrisa de Wolfgang Grief se transformó en una expresión interrogativa.

–¿Es usted el médico nuevo? –preguntó.

Luego volvió la cabeza y se quedó mirando fijamente por la ventana.

10

Hannah

Dos meses antes
30 de octubre, lunes, 16.53 horas

Yo tengo un papagayo, ¡PAPAGAYO!
Que grita y grita y grita, ¡PAPAGAYO!

La música que salía a todo volumen por los altavoces del reproductor de CD se cortó en seco. Simon levantó las manos y se quedó inmóvil en esa pose, mientras nueve niños que no paraban de chillar y hacer el tonto lo imitaban.

Hannah observaba encantada la escena. Su novio no interpretaba mal el papel de payaso, aunque el traje de colores le iba bastante grande y el maquillaje de la cara se le había corrido en algunos puntos por culpa del sudor.

No era de extrañar, llevaba veinte minutos bailando como un poseso en la sala de juegos. La actividad parecía divertirle tanto como a los pequeñajos. Por lo tanto, Hannah había acertado al decir que se sentiría mucho mejor si hacía cosas que le levantaran el ánimo.

El juego era muy simple. Mientras sonaba la música, los niños tenían que bailar siguiendo a Simon y, cuando la música paraba, todos tenían que quedarse quietos y mantener la postura en la que estuvieran. Los que se movían o se caían quedaban eliminados. Sin embargo, eso no tenía nada de malo, porque entonces iban a la cocina a hacer palomitas con Lisa y a montar cadenas uniéndolas con hilo grueso y aguja.

Durante su formación, Hannah aprendió que ese aspecto era importante a la hora de trabajar con los más pequeños:

nunca podía haber perdedores; de lo contrario, las lágrimas y las pataletas eran inevitables. De ahí que los bailarines eliminados corrieran entusiasmados a la cocina con su amiga y que, de vez en cuando, alguno incluso se tirara al suelo directamente para luego abrirse paso hacia la «unidad de palomitas».

En el techo de la sala ya había unas cuantas serpentinas blancas colgadas. Medían un metro, y aún habrían sido más largas si la mitad de las palomitas no hubiera ido a parar a las barriguitas de los pequeños.

Contenta, Hannah pulsó de nuevo el *play,* la canción del papagayo volvió a atronar en la sala y Simon ejecutó unos movimientos estrambóticos que le recordaron a Sydne Rome, la reina del aeróbic, en sus buenos tiempos.

–Perdona que me entrometa –le dijo Lisa en voz baja, mientras grapaba una nueva cadena de palomitas en la pared, justo detrás de ella–, pero ¿no crees que va siendo hora de que se tome un descanso?

–Está en pleno subidón –contestó Hannah–, y los niños se lo están pasando de muerte.

–Esas son las palabras clave, «de muerte» –dijo Lisa, observando a Simon con preocupación–. A mí me parece que está a punto de desmayarse. Mira su cara, empapada en sudor. Y me apuesto lo que sea a que debajo del maquillaje está más rojo que un coche de bomberos. Perdona que te lo diga, pero esa es mi opinión.

–Así sudará el resto del resfriado –replicó Hannah.

–¿Es tu venganza por lo de ayer? –preguntó Lisa.

–¿«Venganza»? –dijo Hannah con una sonrisa inocente en los labios–. Simon nos dejó colgadas y ahora lo arregla. Es lo justo y todos salimos ganando. Además, la idea de bailar ha sido suya.

–Seguramente porque todavía tiene mala conciencia. A mí me pasaría lo mismo.

–Pues que se la quite de encima bailando –replicó Hannah sonriendo–. Que lo saque todo, también los sentimientos negativos que acumula.

Lisa le lanzó una mirada que Hannah no supo interpretar, se encogió de hombros y volvió a la cocina. Entretanto murmuró algo que Hannah no entendió, pero que sonó sospechosamente a «novia cruel».

Pulsó con energía el botón de *stop* del reproductor de CD. Simon y los pequeños se pararon, jadeando. Un niño que se llamaba Finn se dejó caer de culo y, entre resoplidos, fue a gatas a la cocina. Hannah observó a su novio y se vio obligada a admitir que Lisa tenía razón, parecía rendido de verdad. Terminaría el juego a la siguiente ronda.

Puso la música por última vez. La canción acabaría al cabo de unos minutos y Simon quedaría liberado. Además, ya faltaba poco para las cinco, la siguiente media hora la pasarían haciendo y colgando cadenas de palomitas y, luego, mientras los padres comenzaban a aparecer para llevarse a sus hijos, se pondrían a recoger y a limpiar.

Esa tarde podía contabilizarse como un éxito total. Sus pequeños clientes habían disfrutado como locos y habían participado en todos los juegos con mucha euforia y energía. No había habido peleas ni llantos ni gritos de «¡quiero ir con mi mamá!». Y, lo más importante, no había habido ningún accidente.

Gracias a Simon, en vez de dieciséis niños, habían podido aceptar a veinticuatro, de modo que no habían tenido que rechazar ninguna solicitud. A Hannah le parecía sumamente importante no desilusionar a ningún cliente en los inicios.

Y eso por no hablar de los ingresos, porque cuatro horas por niño a seis euros la hora hacían... Veinticuatro por veinticuatro... O sea... Y luego dividido por dos... Bueno, por tres... Menos los impuestos, claro... Eso hacía...

—¡Arg!

Hannah levantó la vista de los dedos, con los que calculaba el importe total. Vio las caras de espanto de los niños, todos miraban en la misma dirección. Ella hizo lo mismo. Y vio cómo Simon se caía de bruces mientras se apretaba el pecho con la mano derecha.

Durante un instante aterrador miró fijamente al payaso que yacía inmóvil en medio de la habitación, con la cara contra el suelo. Luego oyó un grito estremecedor. Un grito que salía de su garganta:

–¡Siiiiiimon!

11

Jonathan

2 de enero, martes, 16.04 horas

Despúes de media hora intentando en vano que su padre hablara, Jonathan se sentó al volante de su coche. Se sentía tan confuso y paralizado, tan desconcertado, que no se veía con ánimos para poner el motor en marcha.

Aunque tenía muy claro que Wolfgang Grief había perdido el rumbo y vivía en un universo paralelo a causa de la demencia, la afirmación de que recibía regularmente visitas de Sofia lo había afectado mucho. Al fin y al cabo, ¡era su madre!

Antes de salir de la residencia Sonnenhof, habló con la doctora Knesebeck y con dos enfermeras, esperando y temiendo a la vez que confirmaran la historia. Sin embargo, como era de esperar, las tres le aseguraron que no conocían a nadie que se llamara Sofia Grief. Tampoco Sofia Monticello, que era el apellido de soltera de su madre.

Además, si alguien lo hubiera visitado con regularidad, lo sabrían, Sonnenhof no era una «estación de tren» en la que la gente entraba y salía «a su antojo», sino «la residencia con mejor reputación de la zona». La doctora Knesebeck repitió dos veces esas palabras que, a oídos de Jonathan, sonaron a justificación por la considerable suma de dinero que le cobraban cada mes.

Aun así, le quedó una brizna de duda, una pizca de incertidumbre.

Por mucho que tuviera la «mejor reputación de la zona», aquella residencia no era Fort Knox. Jonathan había deambulado más de una vez por pasillos desiertos y, precisamente a mediodía, Sonnenhof parecía un edificio de oficinas abandonado. Y su padre había hablado de Sofía y de sus visitas con tanta seguridad y contundencia que a cualquier persona en su sano juicio le costaría imaginar que todo era producto de una mente enferma.

Y, naturalmente, también había que considerar la agenda. Jonathan había dejado la Filofax en casa, encima del escritorio, y su existencia le parecía aún más misteriosa después de haber hablado con su padre.

¿Podía ser? ¿Era posible de verdad?

No, Jonathan se prohibió pensarlo. Además, aunque fuera cierto que su madre hubiera decidido aparecer por arte de magia después de casi treinta años de silencio, había formas de contactar menos complicadas. Podría haberlo llamado por teléfono, por ejemplo. O escribirle una carta. O, simplemente, hacerle una visita.

«Bueno –le dijo una voz interior harto conocida–, si tu padre dice la verdad, al menos a él ha ido a verlo.»

Por muy absurdo que pareciera, Jonathan tenía que investigar el asunto o no respiraría tranquilo.

Movió con energía la mano hacia el ordenador de a bordo del coche, pulsó el botón que tenía el símbolo de un pequeño teléfono verde y le dio la orden de que lo pusiera en contacto con Renate Krug. Si había alguien que supiera con toda seguridad si su padre recibía visitas de su antigua esposa, esa era la que fue su secretaria durante años.

–Hola, señor Grief –contestó con voz solícita y amable Renate Krug, que reconoció el número de móvil de su jefe.

–Hola, señora Krug.

–¿Qué puedo hacer por usted?

–Dígame... –Jonathan carraspeó–. Acabo de ver a mi padre...

–¿Está bien? –preguntó, alarmada.

–¿Cómo? No, no... O sea, sí, está muy bien. Pero... me gustaría preguntarle una cosa un tanto peculiar.

–¿Un tanto peculiar? –repitió la mujer–. ¡Dispare!

–Bueno, le sonará raro, pero ¿no sabría usted por casualidad si mi madre ha ido a visitar últimamente a mi padre?

Renate Krug guardó silencio.

–¿Sigue ahí?

–Sí –contestó–. Pero me temo que no le he entendido. ¿Me pregunta por su madre?

–Exacto –le confirmó Jonathan–. Por Sofia Grief. O también podría ser Monticello.

–¿Y por qué lo pregunta?

–Mi padre me ha contado que ha ido a verlo.

Silencio de nuevo. Luego:

–Ay, Jonathan.

Renate Krug no lo llamaba nunca por su nombre de pila, al menos desde que cumplió los dieciocho; era una mujer de la vieja escuela. Sin embargo, ahora parecía hablarle a un pupilo menor de edad.

–Ya sabe usted que su padre no está bien.

–Pues claro que lo sé –se apresuró a replicar Jonathan, que de repente se sintió profundamente idiota por habérselo preguntado–. Solo quería asegurarme porque mi padre... Bueno, daba la impresión de que tenía la cabeza clara, no parecía confuso.

–Sí, eso es lo trágico de su enfermedad –dijo, y Jonathan oyó que tragaba saliva–. Los que la sufren creen que esas vivencias son de verdad, las consideran reales.

–Entonces, ¿usted no sabe si mi madre ha estado o está en Hamburgo?

–No, Jonathan, de eso estoy segura.

–Y... –ahora que ya había quedado como un idiota, las cosas no podían ir a peor–, ¿no ha sabido nada de ella ni la ha visto en todos estos años?

–No –contestó Renate Krug–, lo mismo que usted y su padre.

–¿Sabe dónde vive?

–Por lo que sé, cerca de Florencia. En Italia.

–Sí, eso lo tengo claro. Pero pensaba que a lo mejor usted tenía su dirección actual.

–Si no es la misma que tenía antes, lo siento, pero no. ¿Ha intentado localizarla en esas señas?

–No –admitió Jonathan–. Hasta ahora, no había motivos para hacerlo.

–¿Y ahora los hay?

–En realidad, no. Es solo que... Bueno, después de lo que me ha dicho mi padre, que va a verlo a menudo a Sonnenhof...

–No le dé más vueltas –lo interrumpió su secretaria–, le aseguro que es imposible. –Hizo una pausa, como si calibrara si de verdad podía excluir toda posibilidad–. ¿Cómo iba a saber Sofia dónde está su padre? Conmigo no se ha puesto en contacto para preguntármelo. ¿Y con usted?

–No –respondió Jonathan–. Claro que no –aseguró y, mentalmente, añadió: desde hace muchos años.

–Lo ve –dijo Renate Krug–. Por lo tanto, que su madre haya estado en la residencia no solo es improbable, sino que es imposible.

–Mmm, sí, bueno. ¡Gracias!

–De nada –dijo y, después de titubear un segundo, añadió–: ¿Puedo hacer algo más por usted?

–No –contestó Jonathan, a punto de despedirse, pero entonces se acordó de otra cosa–: ¡Es decir, sí!

–Usted dirá.

–Mi padre ha dicho que mi madre lo había perdonado. ¿Tiene idea de a qué se refería?

–Ni la más mínima –contestó su secretaria.

–¿No sabe si tuvieron una pelea o algo parecido? Alguna cosa que pasara entre ellos.

–No, Jonathan, no hubo nada. Ella no era feliz aquí, en el Norte, y quería regresar a su tierra, eso fue todo. –Hizo una pausa–. Y probablemente se imaginaba la vida de otra manera, no al lado de un hombre que vivía para trabajar. Al ser italiana, tenía otros valores. Creo que su padre se refería a eso cuando le ha dicho que ella lo había perdonado. Simplemente, porque se sentía abandonada.

–¿Se lo contó mi madre?

Renate Krug se echó a reír.

–No, no –dijo–, no éramos amigas. Ella era la mujer de mi jefe, eso es todo. Me lo dijo su padre y no vi ningún motivo para dudar de sus palabras.

«Ningún motivo para dudar de sus palabras.» Bueno, esa opinión ahora había cambiado.

–Bueno –dijo Jonathan–. Entonces, se lo habrá imaginado.

–Eso me temo.

–Aun así, es desconcertante –dijo Jonathan–. Nunca hablaba de ella, ni una sola vez en todos estos años. Y hoy, de repente, afirma que va a visitarlo a menudo. ¡Es muy raro!

–No se lo tome tan a pecho –replicó Renate Krug–. Las personas con demencia senil viven más en el pasado que en el presente, es lo habitual. Lo que vivieron hace muchos años les parece más cercano que lo que acaba de ocurrir.

–Lo sé –dijo Jonathan, y pensó un momento si debía hablarle a su secretaria de la misteriosa agenda, pero finalmente decidió no hacerlo. Aunque ella lo conocía desde niño, no tenían una relación tan íntima–. En cualquier caso, gracias por la información.

–De nada.

–Bueno, pues hasta la próxima. Ah, señora Krug...

–¿Sí?

–Pronto recibirá su ramo de flores de Año Nuevo. Lo siento, se me había olvidado.

Renate Krug se rio quedamente.

–No se lo tome a mal, señor Grief, pero los claveles siempre me han parecido horrorosos. Me alegra que este año no contaminen el aire de la oficina con su olor.

–¿En serio? ¿Por qué no se lo dijo nunca a mi padre?

De nuevo se oyó una risa.

–Aún tiene mucho que aprender sobre las mujeres.

–¿A qué se refiere?

–Ya lo entenderá algún día.

Se despidieron y colgaron. Jonathan se quedó inmóvil. Solo en su Saab, tamborileando inquieto con los dedos en el volante y con una sensación extraña en el estómago. ¿En qué otras cosas se habría engañado su padre? ¿Y qué tenía que aprender él sobre las mujeres?

12

Hannah

Dos meses antes
30 de octubre, lunes, 19.23 horas

—Sí, sí y sí, ¡tenías razón! Soy cruel. Bien mirado, soy lo peor. ¿Ya estás contenta?

Hannah estaba sentada en la sala de espera de urgencias de la Clínica Universitaria de Eppendorf, con la cara sepultada entre las manos y los codos apoyados en las rodillas, como una pobre pecadora en misa.

–¡No te lo tomes tan en serio! –replicó Lisa, que esperaba a su lado el informe del médico de guardia–. Siento habértelo dicho, no hablaba en serio. Claro que no eres cruel. Y no se trata de contentarme a mí. Se trata de Simon.

–Sí, claro –dijo Hannah, y suspiró–. ¡Ojalá no sea nada grave!

–No creo –contestó Lisa, que le pasó un brazo por los hombros y la estrechó para consolarla–. Probablemente, solo ha hecho un esfuerzo excesivo.

–¡Es horrible! –se lamentó Hannah–. Pero yo no podía saber que se desmayaría.

–No podías saberlo –replicó su amiga sonriendo con malicia–, pero era fácil adivinarlo viendo su aspecto. Este mediodía, cuando lo has llevado a rastras a La Pandilla, me he asustado un poco. A mí me pareció que debería estar en cama y no en medio de una ruidosa marabunta infantil.

–¡Podrías habérmelo dicho! –replicó Hannah, de morros.

–Perdona, pero ¡te lo he dicho! –exclamó Lisa, que seguía sonriendo con malicia–. ¿O no me has entendido cuando te he comentado: «Por favor, ¡si está hecho una pena!»?

Hannah se encogió de hombros.

–No te habré oído.

–Ya, ¿y por eso me has contestado que no se le notaría cuando lo hubieras maquillado?

–¡Está bien! –se retractó Hannah–. Pero tú ya conoces a Simon y su tendencia a exagerar.

–Sí –admitió su amiga–. La conozco. Y también conozco tu tendencia a verlo todo de color de rosa y a intentar que las cosas coincidan con tu visión del mundo –añadió, y le dio un ligero codazo–. Perdona que lo diga, pero eres así.

–Es mejor que dar siempre por sentado lo peor –se defendió Hannah.

–Depende.

–¿De qué?

–Bueno, si la cosa acaba con alguien en una ambulancia, creo que no es la mejor opción.

–¡Vale! –Hannah se levantó bruscamente y se quedó de pie, con los brazos cruzados a la altura del pecho–. Ya te he dicho que soy cruel.

–No vuelvas con lo mismo. Perdóname. Anda, dejemos de discutir y esperemos.

–De acuerdo.

Se quedaron un rato sentadas en silencio. Hannah observó discretamente a las personas que había en la sala de espera. La mayor parte parecían acompañantes, igual que Lisa y ella, pero también había unas cuantas con vendajes o muletas. En el rincón del fondo, a la derecha, había una madre con una niña pequeña en brazos que hundía la cara en su cuello y lloraba a lágrima viva. Eso llevó a Hannah a pensar que, aunque la situación fuera cualquier cosa menos buena, al menos no estaban allí por una criatura. No quería ni imaginar lo que habría pasado si el primer día hubieran tenido que ir al hospital con uno de los pequeños. No habría sido una buena tarjeta de visita para La Pandilla.

Sin embargo, el hecho de que hubieran tenido que llamar a una ambulancia, que entró la calle con su «¡nino, nino!» justo en el momento en que aparecían los primeros padres, casi le dio un toque cómico al incidente.

Los niños estaban excitadísimos y observaron con mucho interés y los ojos muy abiertos cómo los sanitarios auscultaban al divertido payaso y luego lo sacaban en una camilla y lo transportaban hasta la ambulancia. ¡Cine del bueno!

Hannah acompañó a su novio al hospital y Lisa fue media hora más tarde, después de tranquilizar a los clientes y despedirse de ellos. Cuando llegó, los sanitarios habían llevado a algún sitio a Simon, que no paraba de gemir, y desde entonces esperaban las novedades impacientes.

Hannah oyó que a su amiga se le escapaba la risa.

–¿Qué pasa? –le preguntó, mirándola.

Lisa hizo un gesto con la mano, quitándole importancia.

–Nada –contestó.

–¡Cuéntamelo!

–Me estaba acordando de la escena de la ambulancia.

–Yo también –contestó Hannah, riendo con disimulo.

–Por ser el primer día, no ha estado mal el espectáculo extra.

–¡Ni que lo digas!

–Nos hemos hecho famosas de golpe en todo el barrio. No todos los días se llevan de allí a un payaso medio inconsciente y rodeado por una multitud exaltada.

–¿Crees que perjudicará nuestra imagen?

–Solo si se muere el payaso.

–¡Lisa!

–Perdona –se apresuró a contestar su amiga–. Era un chiste de mal gusto –dijo, y le puso una mano en el hombro para tranquilizarla–. Todo irá bien. Les he dicho a los padres que tu novio estaba probando una nueva dieta y seguramente se ha desmayado por eso.

–¿Una dieta? Pero ¡si Simon está delgado!

–Con las prisas, no se me ha ocurrido otra cosa. ¿Qué querías, que les dijera que su novia lo explotaba aun sabiendo que tenía fiebre y escalofríos?

–¡Ja, ja!

–Exacto. De todos modos, no te preocupes, mañana volvemos a tener lleno a partir de las dos.

–Ojalá entonces Simon ya esté mejor.

–¿No querrás volver a reclutarlo?

–Pues claro –replicó, tan seria como pudo–. Mientras se tenga en pie, tendrá que colaborar.

–Pues espero por su bien que no se recupere, ¡o lo matarás!

Se echaron a reír tan fuerte que los demás las miraron con cara de asombro. A Hannah no le importó, sentaba bien disfrutar de un momento de alivio.

–¿Señora Marx?

Un hombre de unos treinta y pocos años, vestido con bata blanca, acababa de acercárseles sin que se dieran cuenta y las miraba a través de unas gafas sin montura.

Al intentar ahogar la risa, a Hannah se le escapó un ruidito.

–Eh, ¿sí? –dijo enseguida con voz ronca.

–Soy el doctor Robert Fuchs. ¿Es usted la mujer del señor Klamm? –preguntó mientras abría la delgada carpeta que hasta entonces llevaba bajo el brazo y le echaba un vistazo.

Hannah asintió, y eso le costó una mirada de asombro por parte de Lisa. Cuando le pidieron los datos para registrar al enfermo, se hizo pasar por su mujer. Tenía miedo de que, si estaba muy grave, no la dejaran verlo. Cualquiera que hubiera visto algún capítulo de *Urgencias* o *Anatomía de Grey* sabía que las pobres novias siempre se quedaban fuera, en el pasillo, mientras sometían a sus parejas a una delicada operación de cerebro. Sin tener derecho a recibir información, condenadas a la incertidumbre más descorazonadora. Bueno, el temor de que le pasara lo mismo en una clínica de Hamburgo quizá era un poco exagerado y dramático, pero valía más asegurar el tanto.

–Ya puede verlo. Sígame.

Hannah se levantó de un brinco.

–¡Claro!

Lisa también se levantó y, antes de que el médico pudiera decir algo, Hannah intervino:

–Es la hermana del señor Klamm.

–Me parece bien –le susurró Lisa al oído, mientras seguían al doctor Fuchs.

–¿Ser la hermana de Simon? –preguntó Hannah, también cuchicheando.

–No, que hayas decidido conservar tu apellido de soltera. Lo siento, pero ¡Hannah Klamm suena fatal!

Hannah reprimió la risa y, disimuladamente, le dio un codazo. Lo último que quería era que el médico oyera la carcajada histérica de una esposa preocupada.

Siguieron al médico por unos pasillos blancos interminables, pasando por delante de pacientes y gente que esperaba. El hospital parecía saturado. En algunas zonas, incluso vieron camas con enfermos durmiendo o con cara de tristeza.

A Hannah la embargó una sensación de angustia; no contaba con que la tarde acabara de esa manera. A nadie le gustaba estar en un hospital, pero de repente recordó la época, unos cuatro años antes, en la que acompañaba a Simon cada día a la clínica.

En aquel entonces, la madre de Simon, después de meses luchando sin éxito contra un cáncer, se estaba muriendo. Una operación, quimio, radio... Nada sirvió, tenía un tumor maligno en los pulmones y sufrió una muerte terrible: la agonía duró semanas y en más de una ocasión murmuró que no podía más y quería que la liberaran de su sufrimiento.

Cuando los médicos le dijeron que no podían hacer nada más por ella, hacía seis meses que Simon y Hannah se conocían, y muy poco del picnic a orillas del Elba. A pesar de que la relación era muy reciente, Hannah acompañó a su novio al hospital tantas veces como pudo y también intentó apoyarlo en esos momentos tan duros. Sobre todo porque, con su madre, perdía al único progenitor que le quedaba: el padre había muerto diez años antes a causa de la misma enfermedad.

Suele decirse que los adolescentes sufren mucho cuando pierden a su madre. Simon era un adulto de treinta y un años cuando falleció la suya, pero lloró como un niño en el entierro y, meses después de la muerte, todavía tenía ataques de llanto, y Hannah se sentía impotente porque no sabía qué hacer para consolarlo.

No quería susurrarle tópicos como «el tiempo cura las heridas» o «todos morimos algún día», pero tampoco se le ocurrían comentarios sabios. Por lo tanto, la mayor parte de las veces se limitaba a abrazarlo, a acariciarle el pelo y a esperar hasta que se le secaran las lágrimas. A veces pensaba que todo habría sido más fácil si Simon hubiera tenido hermanos con los que compartir la pena, pero tanto él como ella eran hijos únicos.

Ahora, mientras seguía con Lisa al doctor Fuchs y recordaba aquella época, se propuso firmemente no volver a juzgar a Simon con tanta dureza en el futuro. Porque lo cierto era que había tenido que superar unas cuantas malas rachas y no era justo que ella las pasara por alto con un escueto: «¡Todo se arreglará!».

Para ella era muy fácil hablar; al fin y al cabo, sus padres aún vivían y gozaban de una salud excelente. Por otro lado, daba la impresión de que sus abuelos por parte de madre, Marianne y Rolf, a sus ochenta y cinco y ochenta y siete años respectivamente, pensaban permanecer unas cuantas décadas más en este hermoso planeta. Y su abuela por parte de padre, Elisabeth, había cumplido los noventa y era un dechado de energía y vitalidad.

–Ya hemos llegado.

El médico, que se había parado delante de una puerta blanca, interrumpió los pensamientos de Hannah con esas palabras. Luego tiró del pomo y entró, seguido por Hannah y Lisa, que le pisaban los talones.

13

Jonathan

2 de enero, martes, 18.56 horas

No era complicado. En absoluto. Llamaría a la dirección señalada, se presentaría con educación y explicaría a qué había ido. En dos minutos zanjaría el tema. La persona, hombre o mujer, que tenía una cita a las 19 horas en la Dorotheenstrasse, 20, se alegraría de recuperar su agenda, y Jonathan se convencería de que, evidentemente, la Filofax no era de su madre. Así de fácil. No costaría mucho.

Con todo, mientras paseaba por delante del edificio blanco de finales del siglo XIX para ver quién llamaba al segundo timbre a las siete en punto, notó que le sudaban las manos. Y eso estaba fuera de lugar, puesto que no había motivos para estar nervioso.

Al menos, eso era lo que murmuraba todo el rato para sus adentros, mientras iba arriba y abajo, y la bolsa con la agenda se balanceaba a la altura de su rodilla derecha. Pero no había manera de que los poros de su piel y los latidos de su corazón se convencieran. No se sentía así desde que se presentó al examen oral que tuvo que pasar para acabar la carrera de Filosofía y Literatura. De hecho, ni siquiera entonces se puso tan nervioso, puesto que iba muy bien preparado y no le costó mucho aprobar todos los exámenes con notas excelentes.

La manecilla larga de su reloj de muñeca saltó hasta las siete menos un minuto. Jonathan N. Grief subió las tres escaleras del portal del número 20 y buscó el timbre correcto. Ahí estaba, el segundo por abajo: «Schulz».

Lo pulsó sin darse tiempo a cambiar de opinión y, al cabo de tres segundos, se oyó un zumbido en la puerta. Nada de «¿Quién es?» o «Sí, dígame». Era obvio que realmente esperaban a alguien a esa hora. Eso o la persona que vivía allí confiaba plenamente en Dios, porque podría haber tocado al timbre cualquiera. En esa época del año, por ejemplo, solían llamar los empleados de la recogida de basuras para pedir un aguinaldo. En principio, Jonathan no tenía nada que objetar; si habían hecho un buen trabajo durante el año, ¿por qué no?

Jonathan recordó automáticamente el correo electrónico que había enviado al servicio municipal de limpieza. Aún no había recibido respuesta, y se preguntó si tendría algún efecto. De momento, no habían vaciado los contenedores de delante de su casa. Pero no quería ser impaciente. Y, sobre todo, ¡no quería distraerse pensando en papel para reciclar!

Subió con paso lento y mesurado al segundo piso, donde esperaba encontrar al señor o la señora Schulz. Se tomó su tiempo. No quería llegar sin aliento y sudado, aunque ya lo estaba.

La escalera era amplia, luminosa y agradable; en las paredes aún lucían las baldosas originales de la época modernista, con dibujos de colores alegres y rematadas en la parte superior con una moldura. Un edificio cuidado, había que reconocerlo. A su madre le habría gustado; por lo que él recordaba, tenía el buen gusto que caracterizaba a los italianos.

Por si fuera poco, el edificio se encontraba en el céntrico barrio de Winterhude, con muchas cafeterías y tiendas. En la casa familiar, situada en las afueras, a orillas del Elba, Sofia se aburría y siempre se había sentido alejada de todo, aislada. Solía hablar con entusiasmo de las calles llenas de vida de Florencia o, mejor dicho, de la plaza mayor de Fiesole, su pueblo natal.

Jonathan recordaba vagamente que, al oír esas quejas, su padre siempre se remitía a los graves problemas de aparcamiento en la ciudad. De hecho, él mismo acababa de pasar un cuarto de hora dando vueltas con el Saab antes de encontrar un aparcamiento legal y lo suficientemente grande para su coche. Y aun así tuvo que maniobrar bastante para estacionar en paralelo, puesto que, por lo visto, al conductor del Golf aparcado delante le había parecido bien aparcar a más de medio metro de distancia de un árbol.

Después de dar muchas vueltas de volante, Jonathan consiguió finalmente entrar en el agujero que había detrás del Golf. Luego, sacó la libreta que siempre llevaba encima, le escribió una nota al maleducado y se la dejó en el limpiaparabrisas trasero:

> Estimado conductor:
>
> Ha aparcado de manera muy desconsiderada, ¡su coche ocupa dos plazas! Me ha costado lo mío aparcar detrás. Si lo hubiera estacionado un poco más adelante, les habría facilitado la vida a sus conciudadanos.
>
> Atentamente,
>
> Jonathan N. Grief

Por si eso no fuera suficiente motivo de enfado, al sacar el ticket de aparcamiento, Jonathan se enfrentó a un precio abusivo. ¡Cuatro euros por una hora! ¡Él no quería comprar la plaza, solo usarla un rato! Otro tema para el periódico, quizá mandaría otro correo electrónico a la redacción del *Hamburger Nachrichten* para llamarles la atención sobre los métodos modernos de los bandoleros de la ciudad.

> Estimado equipo de redacción:
>
> Como ciudadano y conductor de nuestra hermosa ciudad hanseática, me dirijo a ustedes para pedirles que traten en su periódico el tema de las tarifas de aparcamiento, propias de facinerosos...

Bueno, no quería enfadarse aún más. Tenía que concentrarse en la agenda. Al fin y al cabo, estaba allí para eso.

Al llegar al rellano de la segunda planta, vio a una mujer que lo esperaba sonriendo en la puerta de su piso. Jonathan pensó automáticamente en la cantante Cher; aquella mujer era igual de guapa, pero, por fortuna, no estaba tan operada. Calculó que rondaba los cincuenta y pico, aunque también podría ser diez años más joven. O mayor. Costaba decirlo.

Tenía una melena larga, negra y brillante, que le caía sobre los hombros, y unas facciones marcadas, con cierto aire indio. Llevaba un traje pantalón ceñido de color antracita, que combinaba de maravilla con sus ojos gris oscuro. Resumiendo, era una auténtica belleza. Un escritor quizá lo habría expresado calificándola de «elegancia atemporal».

Jonathan carraspeó mientras daba un paso hacia ella y le tendía la mano.

–Buenas tardes, señora Schulz. Me llamo...

–¡Pssst! –lo interrumpió la mujer, que se llevó el índice a los labios y mantuvo la sonrisa, aunque adoptó tintes de conspiración–. Nada de nombres –añadió bajando la voz.

Tenía una voz ronca y grave. Si Jonathan hubiera necesitado doblarla en una película, habría elegido justamente a alguien con esa voz. Aunque no habría escogido el apellido «Schulz», que no acababa de encajar con ella.

–Pase –dijo la mujer, que abrió la puerta de par en par y se apartó a un lado.

–Mmm, sí –murmuró Jonathan titubeando, mientras se limpiaba los zapatos en el felpudo y aceptaba la invitación–. Bueno, señora Schulz...

–Sarasvati –lo interrumpió de nuevo.

–¿Saras... qué?

–Me llamo Sarasvati.

–¿Ah, sí? ¿Sarasvati Schulz?

La mujer soltó una carcajada alegre y diáfana.

–Más o menos. Sarasvati es mi nombre espiritual. Mi nombre totémico.

–Ah, ya, espiritual.

Jonathan combatió el impulso de despedirse en el acto y poner pies en polvorosa. Aquella mujer era muy guapa, pero a él le parecía demasiado peculiar.

De pronto recordó al hombre del Alster, que también había dicho algo sobre tótems. ¿Habían echado algo en el agua potable de Hamburgo? ¿Qué estaba pasando?

Naturalmente, no se marchó. Sentía demasiada curiosidad. Y también tenía la sensación de estar viviendo una aventura.

–Sarasvati es la diosa hindú de la sabiduría y el conocimiento –le explicó la señora Schulz mientras lo conducía a la sala de estar.

La sala estaba decorada con buen gusto, con una mezcla de muebles modernos y una selección de piezas antiguas de madera oscura. A Jonathan le llamó la atención sobre todo un reloj de pie con unos magníficos grabados. Había tres ventanas grandes, de las que colgaban unas cortinas de color blanco natural, y la alfombra gruesa con motivos africanos y la lámpara de techo marroquí creaban un ambiente exótico, cálido y confortable.

La señora Schulz o Sarasvati le señaló una de las sillas que había alrededor de una mesa de teca, en la que se alzaba un candelabro de seis brazos. Al lado había una jarra de cristal con agua y dos vasos vacíos y, en el centro, una baraja de cartas.

–Siéntese, por favor.

–Aquí hay un malentendido –dijo Jonathan, sin aceptar el asiento que le ofrecían–. Yo no tenía que venir a su casa.

–¿Ah, no? –Sarasvati arqueó una ceja, depilada a la perfección.

–Bueno, sí, pero solo para entregar una cosa.

–¿Ah, sí? –comentó la mujer, que tendió una mano hacia él–. Pues démela.

De forma inconsciente, Jonathan sujetó la bolsa con fuerza entre las manos y la estrechó contra su pecho.

–No, imposible, ¡no es para usted!

–¿No es para mí? –Sarasvati arqueó también la otra ceja–. Entonces no entiendo por qué ha venido. Me parece que está un poco confundido, joven.

–Deje que se lo explique.

Jonathan se enfadó para sus adentros al oír que lo llamaba «joven»; como todo el mundo sabía, en esa palabra resonaba un eco despectivo. No obstante, lo pasó por alto y le habló a la señora Sarasvati del circuito del Alster y del hallazgo que lo había llevado a su casa.

–Entiendo –comentó ella, en cuanto él acabó de hablar, y lo miró con cara de estar divirtiéndose–. Y puede dejarme la agenda tranquilamente. Yo se la daré a mi cliente en cuanto aparezca.

–¿Su cliente?

Jonathan paseó la mirada por la sala, intentando que no se notara la idea que acababa de pasarle por la cabeza.

Fue en vano. Sarasvati se echó a reír de nuevo.

–¡No es lo que cree! –exclamó la mujer y, señalando la mesa, añadió–: Echo las cartas.

–¿Cartas?

Ella asintió.

–¿Es adivina?

–Prefiero el término «consejera».

–Ajá.

La siguiente idea que le pasó por la mente, solo un poco más halagüeña que la anterior, tenía que ver con conceptos como «charlatanería» y «farsa».

–No le convence el tema del tarot, ¿verdad?

Vaya, la señora parecía estar dotada de ciertas facultades adivinatorias.

–Bueno –replicó Jonathan, evasivo–, nunca lo he probado.

–Pues debería, es fascinante.

–Mmm, sí... –contestó, y decidió ignorar la propuesta–. Volvamos a lo mío: me gustaría asegurarme de que la agenda va a parar a las manos adecuadas.

–¿Y cree que las mías no lo son?

–¿Por qué lo dice?

La tarotista se encogió de hombros.

–No quiere dármela, aunque le he asegurado que la entregaré.

–No se lo tome a mal –contestó Jonathan–, pero no la conozco de nada.

Jonathan pensó en los quinientos euros del sobre y tuvo que admitir que los adivinos no gozaban precisamente de la mejor reputación. Aunque quizá no era más un prejuicio, no pudo evitar pensarlo.

–No se lo tome a mal, pero yo tampoco le conozco a usted –replicó Sarasvati–. Y está en mi sala de estar.

–¡Usted me ha invitado a entrar!

–Porque pensaba que era un cliente.

–¿Lo ve? –dijo Jonathan en tono triunfal y sin reprimir una sonrisa burlona–, ¡por eso siempre hay que asegurarse!

Ella meneó la cabeza.

–¡Es usted un caso!

–¿Por qué lo dice?

–Olvídelo –respondió la mujer, haciendo un gesto con la mano para que lo dejara correr; luego señaló una de las sillas–. Hagamos lo siguiente: nos sentamos y esperamos hasta que aparezca el misterioso propietario de la agenda.

–¿No la molesto?

–No, en absoluto. Tengo reservadas las próximas tres horas; podemos pasar el rato juntos hasta que llegue el cliente.

–¿Tres horas? –preguntó Jonathan con asombro, mientras se sentaba a la mesa y dejaba la bolsa con la agenda al lado de la silla–. ¿Tanto dura una sesión?

–La primera vez, sí –contestó Sarasvati, que se sentó enfrente de él–. Hay veces que incluso cinco.

–¡¿Cinco?! –exclamó Jonathan, perplejo–. ¿Y de qué hablan durante cinco horas?

–De la vida –respondió ella lacónicamente–. Y, créame, algunos clientes vuelven muchas veces porque su existencia es muy compleja. No les basta con una única sesión.

–¿Y cuánto les cobra? –se le escapó a Jonathan. Sentía demasiada curiosidad.

–¿Cuánto gana usted por su trabajo? –replicó ella–. Por cierto, ¿a qué se dedica?

–Perdone –Jonathan notó que se sonrojaba–, esas cosas no se preguntan –dijo, y luego volvió a hacer un comentario impertinente–: De todos modos, siendo adivina, ya debería saber en qué trabajo.

–Consejera –le corrigió Sarasvati.

–Como quiera. No era mi intención ofenderla, solo tenía interés por saber cuánto se gana en su... profesión –estuvo a punto de decir «negocio», pero consiguió evitar el término.

–Depende –contestó ella en tono amable.

–¿De qué?

–De la persona que busca consejo.

–¿Lo decide fijándose en su simpatía?

–También –le confirmó Sarasvati–. Y teniendo en cuenta lo que puede permitirse pagar.

–¿En plan asistenta social?

–Podría decirse así –afirmó la mujer–. También depende de lo complicado que sea el problema –dijo; le guiñó un ojo con picardía y añadió–: A usted seguro que no le saldría barato.

–¡Usted no sabe nada de mí! –protestó Jonathan, airado.

–Sé lo suficiente –replicó ella, sonriendo–. Solo hay que verlo.

–¿Ah, sí? –Jonathan cruzó los brazos delante del pecho, aunque, sorprendentemente, no se había ofendido de verdad. Más bien se sentía... fascinado. Aunque todo aquello fuera un disparate, Sarasvati tenía algo que lo atraía–. Pues cuénteme lo que ve. Y cómo lo hace.

–No hay nada que contar –contestó ella–. Simplemente, lo sé. Es un don que se tiene o no se tiene.

–Entonces, ¿para qué necesita las cartas? –preguntó, señalando la baraja que había en el centro de la mesa.

–Es mi herramienta de trabajo, igual que el martillo para un albañil o el pincel para un pintor.

–¿Martillo y pincel?

–Me ayudan en mi trabajo. Con ellas puedo reconocer cómo evolucionan las cosas.

Jonathan se inclinó hacia ella por encima de la mesa.

–Lo siento, pero me cuesta creerlo.

–Es usted libre de no creerlo.

–Pero son cartas normales, ¿no? –No pensaba aflojar, el tema le interesaba mucho.

–Son cartas del tarot, sí.

–Y usted las baraja, las pone sobre la mesa y, ¡zas!, sabe lo que pasará en el futuro.

De nuevo se oyó una risa diáfana.

–Es una manera de decirlo, sí. Pero yo no barajo las cartas, las barajan los clientes. Y no veo el futuro, solo posibilidades.

–Ajá.

¡Lo sabía! ¡Posibilidades! Sí, claro, todo era posible. Incluso que él saliera de casa a la mañana siguiente y lo atropellara un camión. Podía ocurrir cualquier cosa.

–Permítame que se lo explique con detalle –prosiguió Sarasvati, que cogió la baraja y la extendió delante de Jonathan–. El tarot se basa en la ley de la correspondencia. –Les dio la vuelta a las cartas, una a una, encima de la mesa–. Nuestros sentimientos, nuestros pensamientos, todo lo que esperamos, intuimos o tememos, se puede expresar con una imagen.

–De acuerdo –dijo Jonathan–. Hasta ahí llego.

–Bien.

–Lo que no entiendo es cómo saben las cartas lo que yo espero, siento o temo.

–No son las cartas las que lo saben, ¡es usted! Su subconsciente reacciona a los símbolos de las imágenes, igual que en la interpretación de los sueños.

Jonathan meneó la cabeza con escepticismo, la explicación no le convencía.

–Supongamos que es así. Pero si yo barajo las cartas y escojo unas cuantas, el resultado es fruto de la casualidad, no tiene nada que ver con lo que sé ni con mi subconsciente.

–Nada es casual en la vida –lo instruyó Sarasvati–. Todo está relacionado con todo, lo interior siempre se corresponde con lo exterior.

Jonathan se reclinó en el asiento.

–Me temo que no la sigo.
–¿Quiere que se lo enseñe?
–¿A qué se refiere?
–A tirarle las cartas.
–¿Qué? –Jonathan levantó las manos, poniéndose a la defensiva–. No, no, ¡a mí no me van esas cosas! Yo he venido a entregar la agenda, eso es todo.
–Si usted lo dice.
–Exacto. –Echó un vistazo al reloj de pie, que marcaba las siete y cuarto–. No puede tardar mucho.
–¿Quiere un vaso de agua? –Sarasvati asió la jarra–. Está revitalizada con piedras curativas.
Jonathan se fijó en que en el fondo de la jarra de cristal había realmente unas cuantas piedras de color lila.
–No, gracias –declinó la invitación. ¡A saber lo que flotaría en aquel mejunje! En el mejor de los casos, bacterias.
–Pues nada. –Sarasvati se sirvió un vaso, bebió a grandes tragos, lo dejó encima de la mesa y respiró hondo–. ¡Ah, qué bien sienta!
–Mmm.
Jonathan no sabía qué decir. De repente, la situación relajada de antes se había vuelto un poco opresiva; esperaba que el cliente no tardara mucho más. En realidad, retrasarse tanto era una falta de educación. En su opinión, cuando se pactaba una cita, incluso el cuarto de hora de cortesía era desproporcionado. Más todavía si afectaba al trabajo, que al fin y al cabo era el caso de la señora Schulz.
Sin embargo, a la vidente no parecía molestarle; estaba muy relajada en su silla, bebiendo agua curativa y mirándolo abierta y afablemente. Ninguno de los dos decía nada; el tictac del gran reloj de pie colmaba la sala.
Cuando faltaba poco para las siete y media, Jonathan decidió probar el agua y le acercó el vaso a Sarasvati:
–¿Puedo beber un poco?
Ella se la sirvió sonriendo, él se acercó el vaso a los labios y se sorprendió al descubrir que sabía muy bien y era muy

refrescante. No sabría decir si estaba «revitalizada», pero no era peor que la de Evian, su marca preferida.

Las ocho menos cuarto. Jonathan jugueteaba con el vaso vacío.

–Creo que su cliente no va a venir.

–No importa –contestó Sarasvati.

–Pero ¡le ha reservado tres horas!

¿Cómo podía estar tan tranquila y relajada? Él se ponía hecho una furia cuando le hacían perder el tiempo.

–Ya están pagadas.

–¿Cobra por adelantado?

–Por Paypal.

–¿Y eso qué es?

–Un sistema de pago a través de internet.

–Oh.

–Es muy práctico. El cliente puede transferir dinero desde su cuenta de correo electrónico al mío.

–¿Dinero por correo electrónico? ¿Con los billetes en un documento adjunto?

–No. –Sarasvati se echó a reír–. La dirección de correo está vinculada a una cuenta bancaria, eso es todo.

–Entonces sabe cómo se llama el cliente –afirmó Jonathan.

–En este caso, no –replicó la mujer, decepcionándolo–. La dirección de correo desde la que pagaron no permitía averiguar ningún nombre. Además, la sesión era un regalo y la reservaron a través de mi página web. Allí salen las horas libres y la gente puede apuntarse.

–¿Tiene página web?

–Pues claro. Hay que ir con los tiempos.

–Sí, claro. –Jonathan sonrió–. Parece que es usted una adivina muy moderna –añadió, en tono de reconocimiento.

–Consejera.

–Eso quería decir.

Los dos volvieron a sumirse en el silencio. Entretanto, las manecillas del reloj avanzaban con una lentitud exasperante.

–Bueno –dijo Sarasvati cuando la campana de las horas tocó ocho veces–. Parece que tenía usted razón al suponer que no vendría nadie. Por lo tanto, no puedo ayudarle. Y puesto que no quiere dejarme la agenda...

–¿No hay otra manera de averiguar quién hizo la reserva? –la interrumpió Jonathan, que oyó el tono desesperado de su voz y se avergonzó por haber estado a punto de perder la calma. Sobre todo porque no se explicaba la vehemencia de su respuesta.

La señora Schulz entornó los ojos y lo observó.

–¿Por qué le importa tanto? –preguntó de pronto–. No conoce al propietario.

–Cierto, pero... –Pero ¿qué? ¿Que la agenda podía ser de su madre? ¿Que le parecía que se trataba de una cuestión importante? ¿Que en su vida pasaban pocas cosas y esa era la primera vez desde hace tiempo que...?–. Bah, yo tampoco lo sé –dijo al final, dándose por vencido–. Será mejor que lleve la agenda a la Oficina de Objetos Perdidos y me olvide del tema.

–¿Lo cree de verdad? –Sarasvati lo miró tan intensamente con sus ojos almendrados que Jonathan se acaloró.

–Bueno, si el propietario no aparece y usted no sabe quién es... –se interrumpió porque se le acababa de ocurrir una idea–. ¡Usted podría enviarle un mensaje a la dirección de correo desde la que pagó! Así podría comunicarle que he encontrado su Filofax y que puede pasar a buscarla cuando quiera. Y yo le daré a usted mi número de teléfono.

–Sí, podría –le concedió la señora Schulz–. Pero ¿por qué iba a hacerlo?

–Mmm –la pregunta lo dejó sin habla un momento–. ¿Porque es una buena persona?

–Cierto, lo soy –dijo, radiante–. Y porque soy una buena persona le pido de nuevo que me permita echarle las cartas. Después de todo, la sesión está pagada.

–No, no –volvió a negarse Jonathan–. En serio, esas cosas no van conmigo.

Sarasvati no aflojó.

–Acepte por un momento la idea de que en esta vida nada ocurre por casualidad y luego pregúntese por qué está sentado justo delante de mí... ¿No le intriga saber lo que podría averiguar?

–Mmm... –Jonathan titubeó un instante–. ¿No? –La negativa tenía que ser concluyente, pero sonó a interrogación.

–No le creo.

–¡Y yo no entiendo por qué insiste en querer ver mi futuro!

–Sus posibilidades –le corrigió Sarasvati.

–Lo que sea. No me interesa. –Para darles más peso a sus palabras, dio un manotazo en la mesa y, acto seguido, hizo ademán de levantarse.

Ella se reclinó en el asiento y lo miró, meneando la cabeza.

–Dígame –le preguntó–, ¿de qué tiene tanto miedo?

–¿Miedo? –Jonathan se echó a reír y se dejó caer de nuevo en la silla–. ¡Yo no tengo miedo!

14

Hannah

Dos meses antes
30 de octubre, lunes, 19.53 horas

—¡Hola! –Simon estaba un poco incorporado en la cama, junto a la ventana. Levantó una mano y les sonrió débilmente cuando entraron en la habitación.

Seguía estando muy pálido, y del brazo izquierdo le salían unos tubos que conducían a dos bolsas de plástico transparente que se balanceaban en un soporte junto al él. Al verlo allí, a Hannah le fallaron las rodillas, se le encogió el corazón y se le hizo un nudo en el estómago.

–¡Cariño! –exclamó; arrastró una silla, se sentó y le agarró la mano–. ¿Qué cosas se te ocurre hacer?

La sonrisa de Simon se volvió maliciosa.

–La pregunta sería más bien: «¿Qué cosas me obligas a hacer?».

–Lo siento mucho –dijo Hannah, repitiendo lo que le había dicho antes a Lisa–. Si hubiera creído que...

–No pasa nada –la interrumpió Simon–. He sobrevivido. –Miró al médico y añadió–: El doctor Fuchs dice que probablemente he sufrido una especie de desvanecimiento. O sea que no es para tanto.

–Sí –confirmó el médico–. No obstante, no hay que tomárselo a la ligera –añadió, dirigiéndoles una mirada severa de médico–. Ha hecho un esfuerzo excesivo y eso puede ser peligroso cuando se tiene una infección que aún no se ha curado. –Hizo una pausa para que sus palabras produjeran efecto en los presentes.

A Hannah le afectaron, y tuvo la sensación de que empequeñecía en la silla. Lisa, que seguía en la puerta, también puso cara de culpabilidad, por mucho que ella no hubiera contribuido a crear esa situación.

El único que ponía buena cara era Simon. ¿Se engañaba Hannah o su novio tenía escrito en la cara algo parecido a «¡Ya te lo decía yo!»?

–Precisamente, la gente joven y vital suele subestimar lo que puede provocarles un simple catarro –continuó instruyéndolos el doctor Fuchs–. En el peor de los casos, los virus del resfriado atacan otros órganos y pueden desencadenar, por ejemplo, una inflamación del miocardio que, en determinadas circunstancias, podría ser mortal.

Los tres dieron un respingo.

–¡Tampoco hace falta que lo pinte tan negro! –exclamó Hannah en tono de reproche en cuanto se recuperó del susto.

–Nada más lejos de mi intención –replicó el médico, con cierto aire de suficiencia–. No lo pinto negro, solo hablo de lo que, como facultativo, veo todos los días.

Simon tragó saliva.

–¿Todos los días?

–Bueno, no tan a menudo –se retractó el doctor Fuchs, y carraspeó–. Pero sí lo suficiente como para prescribirle descanso y reposo absoluto los próximos días. –Abrió la carpeta que llevaba en la mano y observó el contenido con el ceño fruncido, como si estudiara la cotización de unas acciones que hubieran caído en picado–. Veamos, señor Klamm, le hemos estabilizado el sistema cardiovascular. Cuando el gota a gota se acabe, una enfermera le quitará el gotero para que pueda dormir y descansar tranquilo. Y mañana por la mañana le daremos el alta. –Continuó hojeando los documentos–. Tiene la presión sanguínea muy baja, pero no me parece fuera de lo normal. De todos modos, el hemograma presenta algunas anomalías y su médico de cabecera tendrá que volver a controlarlo.

–¿Anomalías? –preguntó Simon.

El médico cerró la carpeta y lo miró directamente.

–Los marcadores de inflamación son muy elevados, por eso le estamos administrando antibióticos, además de suero –dijo, señalando una de las bolsas que colgaban del gotero–. Tendrá que seguir tomándolos por vía oral durante seis días. Le darán los comprimidos cuando firme el alta.

Simon asintió, con cara de obediente.

–Por otro lado, los análisis muestran una ligera anemia; en mi opinión, una anemia por infección.

–¿Una anemia por infección? –preguntó Lisa.

–Consecuencia del resfriado, que yo más bien catalogaría de gripe. Por suerte, hemos podido descartar la existencia de una inflamación pulmonar.

–Ajá –dijo Hannah, que se sentía mucho peor que antes. Se trataba de una gripe, ¡y ella lo había obligado a disfrazarse de payaso!

Pero, bueno, no había inflamación pulmonar. Y eso era positivo, ¿no?

–Probablemente se curará sola; a su edad, no debería suponer un problema –explicó el doctor Fuchs–. De todos modos, le aconsejo que dentro de un par de semanas, cuando se encuentre mejor, se presente a su médico de cabecera para que le haga otro análisis de sangre y controle los resultados.

Mientras el médico continuaba diciendo lo que Simon tenía que hacer, a Hannah empezó a molestarle su forma de expresarse, engreída y ampulosa. ¿Presentarse a su médico de cabecera? ¡Menuda cursilada! «Buenos días, vengo a presentarme. Soy Simon Klamm.» Caray con el médico, ¡tan joven y tan antipático!

–... pero lo más importante es que los próximos días haga reposo absoluto –dijo el semidiós de bata blanca para concluir su monólogo.

–Entonces prefiero quedarme en el hospital –afirmó Simon.

–¿Cómo dice? –preguntó el médico, desconcertado.

–Si necesito descanso, preferiría no volver a casa –contestó el novio de Hannah, mientras le pellizcaba la mano disimuladamente–. Allí no podré recuperarme, mi explotadora personal me obligará a trabajar como un esclavo. Aquí, en la clínica, con ustedes, me siento más seguro, más protegido.

–¿Protegido?

El doctor Fuchs puso cara de perplejidad, en tanto que Lisa se tronchaba de risa y a Simon le costaba horrores reprimir una sonrisa de satisfacción.

–¡Parad de una vez! –gruñó Hannah–. Ya he captado el mensaje, no hace falta que me pinchéis más.

–Ven aquí, cariño –le dijo Simon, que le apretó la mano, esta vez en un gesto conciliador–. Un poco de broma nunca va mal. Es lo que tú siempre dices.

–Depende de a costa de quién. –Hannah todavía se sentía ofendida.

–A todos nos toca algún día –intervino Lisa.

–Bueno –el médico volvió a tomar la palabra–, les dejo solos. Mañana por la mañana vendrá a visitarlo el doctor Hausmann y, si todo está en orden como supongo, podrá irse a casa. –Titubeó un momento como si planteara añadir «si usted quiere». No lo hizo, se despidió con un pequeño gesto de cabeza y se marchó.

–¡Buf! –suspiró Lisa, en cuanto se cerró la puerta–. ¡Menuda actuación!

–Ni que lo digas –la secundó Hannah–. Me ha hecho sentir como si fuera el día del juicio final y tuviera que confesar todos mis pecados.

–Entonces ¡aún no habríamos acabado! –exclamó Simon, tronchándose de risa. Hannah le dedicó una mirada asesina y él levantó la mano que tenía libre para hacer un gesto defensivo–. A mí me parece que es un médico muy bueno. ¡Por fin alguien que me toma en serio!

–¡Como si yo no te tomara en serio! –replicó Hannah, indignada.

–¡Eres imposible! Anda, ven aquí y deja que te bese.

Simon la atrajo hacia él y empezó a cubrirle la cara a besos. Hannah lo dejó hacer, sonriendo.

–Será mejor que me vaya –intervino Lisa–. Alguien tiene que hacer la limpieza en La Pandilla.

–¡Espera! –farfulló Hannah mientras besaba a Simon–. ¡Voy contigo!

–No hace falta. –Lisa hizo un gesto con la mano–. No hay mucho trabajo, quédate con el enfermo.

–¿Estás segura?

–¡Pues claro! –Lisa ya estaba en la puerta, sonriendo de oreja a oreja.

–¿Nos vemos mañana? –preguntó Hannah.

–Si Simon es capaz de renunciar a ti, ¡por supuesto!

–Lo repito –intervino él–: ¡necesito reposo!

–¡Buf! –exclamó Hannah.

Lisa se despidió y los dos se quedaron solos.

–¡Ay, cariño, menudo susto! –dijo Hannah, y hundió la cabeza en el pecho de Simon.

–No ha sido para tanto. –Le pasó un brazo por los hombros–. Además, me gusta que me cuides –afirmó, acariciándole el pelo.

–¿Sabes? –dijo Hannah, mientras disfrutaba con los ojos cerrados de las caricias de Simon–. Me he asustado mucho cuando te has desmayado.

–¿De verdad?

–Sí. –Hannah levantó la cabeza y lo miró a los ojos–. Tenía miedo por ti.

–¡Tonterías! –replicó él con timidez–. Mala hierba nunca muere.

–Eso está bien –dijo Hannah, y la voz le tembló ligeramente–. Tienes que saber que te quiero. Y pensar que puedo perderte...

–¡Pssst! –Él le puso el dedo índice en los labios. Luego sonrió, se inclinó hacia ella y la besó con delicadeza y cariño–. Yo también te quiero. –Volvió a besarla–. Y no te preocupes, no te librarás de mí tan fácilmente.

–¡Eso espero!

–¡Y así será!

–¿Sí?

–Sí, seguro. –Simon carraspeó–. Y ahora que lo pienso, hace tiempo que quería preguntarte una cosa.

–¿Qué cosa?

A Hannah se le paró el corazón y, al cabo de un instante, empezó a latirle con fuerza. ¿Le haría la pregunta suprema que esperaba en secreto desde hacía tanto tiempo? ¿Allí? ¿En el hospital? Bueno, al final, tanto daba dónde se lo pidiera, ¡lo importante era que iba a hacerlo! ¿Tal vez el susto de la tarde le había hecho comprender que había llegado el momento? ¿Que la vida es corta y finita, y no hay que esperar para las cosas importantes hasta que sea demasiado tarde?

–Bueno, el caso es que... –Simon se interrumpió–. Ah, no sé cómo decirlo.

–Dilo y ya está –lo animó Hannah.

Simon respiró hondo y empezó de nuevo:

–Quería preguntarte...

–¡Hola, señor Klamm!

La puerta de la habitación se abrió de golpe y chocó ruidosamente contra la pared. Entró una enfermera robusta con una cola de caballo que se movía a un lado y a otro al ritmo de sus pasos enérgicos.

–Voy a quitarle el gotero, ya se ha terminado.

Le quitó las cánulas del brazo con mano experta y le puso un esparadrapo en el punto donde le habían clavado la aguja. Luego se despidió amablemente con un gesto de la cabeza y se llevó rodando el gotero. Hannah la observó hasta que se cerró la puerta después de que saliera. ¡Habría matado a la señora Cola de Caballo, ese espíritu maligno que se les había aparecido solo unos instantes pero había causado mucho efecto! ¿Por qué tenía que entrar en ese momento! ¿Por qué ahora?

–Continúa –le dijo a Simon en cuanto volvieron a estar solos.

–No, mejor no –contestó él, decepcionándola. Y bostezó con ganas–. Estoy agotado y necesito una cura de sueño ya.

–¿Estás seguro? –Hannah se esforzó por no mostrar su decepción, aunque notaba que estaban a punto de saltársele las lágrimas–. Puedo esperar mientras duermes un rato.

–Te lo agradezco –dijo, y le sonrió mientras se deslizaba para acomodarse en la almohada–. Pero, si me duermo, seguro que no me despierto hasta mañana.

–No importa –insistió ella–. Me quedo.

–No seas tonta, tú también necesitas dormir.

–Dormiré aquí.

–¿Dónde? –preguntó, parpadeando–. ¿En esa silla tan cómoda?

–Si hace falta, me tumbaré en el suelo. –Ella misma se dio cuenta de la tontería que acababa de decir. Al fin y al cabo, no se trataba de velar a un moribundo.

–Déjalo –replicó Simon, como era de esperar, y bostezó con ganas–. Prefiero estar un rato solo.

–Entonces, ¿no quieres...? –titubeó un momento, pero no podía dejar de darle vueltas al tema. ¿Qué quería preguntarle su novio? ¿Qué? ¡Tenía que saberlo! ¡Simon había estado tan cerca, tan cerca!–. ¿No quieres hacerme la pregunta?

–Otro día, ¿de acuerdo? –Los párpados se le caían y Hannah vio que tenía que darse por vencida.

–De acuerdo, cariño. –Lo besó suavemente en los labios–. Vendré a buscarte mañana por la mañana, ¿sí?

En vez de una respuesta, oyó un leve ronquido.

15

Jonathan

2 de enero, martes, 20.17 horas

—Esto tiene muy buena pinta. ¡Le espera una vida larga y feliz!

Jonathan N. Grief miraba con escepticismo las trece cartas que había escogido con la mano izquierda y que Sarasvati había colocado después sobre la mesa siguiendo un misterioso sistema. Ella lo llamó «cruz celta», pero a él también le habría parecido bien cualquier otro nombre que le sonara a chino.

Con el dedo índice de la mano derecha, Jonathan tocó la carta que quedaba encima. Mostraba claramente un esqueleto con armadura a lomos de un caballo blanco.

–No es por llevarle la contraria –dijo–, pero yo aquí veo la muerte... ¡Si hasta lo pone debajo! –Al tocar la carta, un escalofrío le recorrió la espalda.

–Cierto –contestó la mujer, y el escalofrío de Jonathan se hizo más intenso–. Pero no hay que interpretarla literalmente. La muerte significa desprenderse de algo. Un cambio profundo. Transformación.

–Pues ya me quedo más tranquilo –dijo Jonathan, y tragó saliva–. Morir es un cambio, pero de los que me gustaría que tardaran en llegar.

–Como le he dicho, sus cartas señalan una vida larga y plena.

–¡Qué bien!

–Pero...

–¡Ya empezamos con los peros!

La señora Schulz le dirigió una mirada severa para que se callara.

–Pero –reanudó la frase y se inclinó hacia las cartas– usted tiene que estar dispuesto a aceptar los cambios.

–¿De qué cambios se trata?

–¡Pssst! –Sarasvati movió de forma automática la mano, como si quisiera espantar a una mosca, antes de pasear lentamente los dedos de una colorida ilustración a otra–. Veo que se preocupa.

–¿Y quién no se preocupa, tal como está el mundo?

Sarasvati levantó la vista hacia él y chasqueó la lengua.

–Si me interrumpe a cada frase, le garantizo que no nos bastará con el tiempo que nos queda.

–Ya me callo.

La mujer volvió a concentrarse en el tarot.

–Sí, aquí se ve con claridad, a usted lo embarga un miedo muy fuerte que lo paraliza.

Jonathan renunció a repetir que él no tenía miedo. Al menos, de momento, pero eso podía cambiar en el transcurso de la hora y media siguiente.

–Tiene que salir de esa parálisis y enfrentarse a las cosas. –Tocó una carta con la punta de los dedos, en la que ponía «El loco» y que representaba a un adolescente al borde de un precipicio–. Las cartas le aconsejan que se despreocupe –dijo Sarasvati–. Despréndase de la rigidez y de las penas, deje de aferrarse a su dolor, suelte lastre.

–¡Yo no tengo penas! –objetó Jonathan, con más vehemencia de lo que quería–. Además, si me permite el comentario, ese muchacho parece a punto de saltar al vacío.

Sarasvati soltó un resoplido de hartazgo y se reclinó en el asiento.

–Lo siento, pero así no vamos a ninguna parte. Será mejor que lo dejemos. Con usted, no tiene sentido. –Hizo ademán de recoger con las manos las cartas expuestas sobre la mesa.

–¡No, no! –exclamó sobresaltado Jonathan; se inclinó rápidamente hacia delante y puso las manos sobre las de ella.

Cuando se percató de que lo miraba con picardía, carraspeó avergonzado y la soltó–. Lo siento –farfulló–. Tendré la boca cerrada, ¡lo prometo!

–Bien. –Sarasvati inclinó la cabeza a un lado y a otro, como si considerara si debía atender su ruego. Luego volvió a pasear los dedos por las cartas–. Aquí está el «jinete» –dijo, señalando una imagen que representaba a un hombre que, igual que la muerte, iba con armadura y a lomos de un caballo. En la mano tenía una vara o más bien una rama porque, observándola con más detalle, se veían unos brotes verdes–. Esta carta le exige actuar, le dice que tiene que suceder algo. Las varas simbolizan el elemento fuego, representan la energía vital y el movimiento. –Hizo un gesto afirmativo con la cabeza–. Sí, ha llegado el momento de tomar un nuevo rumbo.

A Jonathan le habría gustado preguntar a qué nuevo rumbo se refería, pero no se atrevió a abrir la boca.

–No recorrerá el camino en solitario, tendrá ayuda –dijo, y señaló la imagen de una mujer sentada en un trono, con corona y un vestido amarillo, y también una rama larga en la mano–. Alguien le dará el primer empujoncito, le mostrará el camino correcto.

–¿Una mujer? –preguntó Jonathan, que no pudo evitar pensar en su madre.

–Es posible. En cualquier caso, un acompañante fuerte. –Sarasvati señaló otra carta–. Aquí está la «reina de copas». El cáliz oculta un secreto relacionado con los sentimientos y el alma.

–¿Secreto? ¿Qué clase de secreto?

–Eso tendrá que averiguarlo usted. En cualquier caso, es una carta muy emocional, que lo invita a escuchar más a su corazón y menos a la razón.

–Buf. –Los comentarios vagos de Sarasvati empezaban a ponerlo nervioso. Podían significar de todo... o nada.

–Escuche a su intuición –le aconsejó ella–. Si abre bien los ojos, reconocerá las señales y podrá interpretarlas.

–Ajá.

Sarasvati debió de darse cuenta de que Jonathan se sentía insatisfecho porque añadió:

–Es muy sencillo, la mayoría de las personas pasan por la vida sin ver más allá de sus narices y no se dan cuenta de que el destino les ofrece una señal detrás de otra. Abra su mente y su corazón, muéstrese dispuesto a tomar nuevos caminos y recibirá respuesta a todas las preguntas que bullen en su interior.

–Ajá –repitió Jonathan, a quien esas palabras le sonaron todavía más vagas–. ¿No podría ser un poco más concreta? De momento, no me sirve de mucho lo que está contando.

Temió que Sarasvati volviera a regañarlo, pero la tarotista se limitó a asentir sonriendo.

–Pues claro –dijo, y pasó los dedos por tres cartas que estaban juntas–. Este año iniciará una relación muy estrecha y fructífera.

¡Por fin se ponía interesante!

–¿Una relación muy estrecha? –preguntó–. ¿Qué clase de relación? ¿Profesional?

Hacía tiempo que acariciaba la idea de ascender a Markus Bode a socio con participación en los beneficios. El director ejecutivo era un hombre cualificado y, en la última entrevista, había demostrado que se sentía muy implicado con Griefson & Books. Por lo tanto, quizá el paso correcto era premiar su compromiso.

–Bueno –dijo Sarasvati, sonriendo satisfecha–, no puedo asegurárselo al cien por cien, pero su combinación de cartas indica que incluso es posible que pronto haya una boda.

Jonathan soltó una carcajada estridente.

–¿Boda? Si eso fuera verdad, ¡yo lo sabría!

–Nuestro subconsciente sabe cosas de las que nosotros no tenemos ni idea.

Jonathan se echó a reír de nuevo. Su propia risa le sonó un poco histérica.

–De acuerdo, ¿sabe qué le digo? ¡Tenía usted razón! Hasta ahora no tenía miedo de nada, pero si me dice que habrá boda este año... Bueno, ahora tengo miedo. Mucho.

–No hay motivos para preocuparse.
–Y no lo hago. Porque su comentario es un puro disparate. Ni siquiera tengo novia –dijo, y le dirigió una mirada triunfal. Seguro que ella no contaba con que estaba solo, a millones de años luz de tener una relación.

Sin embargo, la señora Schulz se mostró tranquila y poco impresionada.

–El año acaba de empezar –constató.

–Créame –Jonathan aún sonreía–, aunque al salir por la puerta me cruzara con la mujer más maravillosa del mundo, seguro que ella no querría casarse conmigo tan pronto.

–¿Y por qué no?

–Porque sería una insensatez.

–A veces, lo insensato es lo sensato.

–Eso suena muy bien, pero no sirve en la vida real.

–¡Cualquiera diría que la conoce muy bien!

–¿El qué?

–La vida real –dijo, repitiendo sus palabras–. Calculo que pasa de los cuarenta. Y si hasta ahora no ha encontrado pareja, eso no significa que no pueda encontrarla.

–¡Oiga, que estuve casado!

–Remarquemos el «estuve». Alguna razón habrá para que no lograra conservar a su mujer.

–¿Pretende ofenderme?

–Sí.

–¡Muchas gracias!

Se miraron fijamente durante unos instantes. Mientras lo hacían, Jonathan notó un hormigueo, casi tuvo la sensación de que había chispa entre él y la atractiva señora Schulz. No recordaba la última vez que se había sentido así. Ni siquiera si había habido una vez; la época con Tina le parecía a años luz.

Sin embargo, no le resultaba desagradable, al contrario. Estimulado por aquel estado de ánimo tan inusual, Jonathan se dejó llevar y le soltó una fresca:

–Tampoco parece que usted haya encontrado a nadie, o sea que estamos en el mismo barco.

–¿Ah, sí? ¿Y usted cómo lo sabe? ¿Ahora es adivino?

–Consejero –la corrigió Jonathan.

–*Touchée!*

Los dos se echaron a reír.

–¿Está con alguien? –preguntó Jonathan cuando se acallaron las risas. No se explicaba lo que le ocurría para comportarse como un adolescente maleducado. Pero tenía que admitir que se lo estaba pasando en grande.

–Sí –contestó ella–. Pero no hablemos de mí. En mi opinión, ya hay bastantes cosas en su vida por las que debería preocuparse.

Jonathan se echó hacia atrás y cruzó los brazos.

–De acuerdo, si me lo permite, haré un resumen: me esperan unos cuantos cambios decisivos. Iniciaré una relación íntima y, probablemente, incluso me casaré. Y tengo que estar pendiente de las señales y hacerles caso.

–Sí, podría decirse así.

–La cuestión es cómo voy a reconocer las señales.

–Es relativamente fácil.

–¿Ah, sí?

–Aprenda a decir «sí».

–¿A decir «sí»? No lo entiendo.

Sarasvati puso los ojos en blanco.

–A usted hay que explicarle las cosas desde Adán y Eva.

–¿Qué tiene que ver la Biblia en todo esto?

La tarotista lanzó un suspiro exagerado de crispación.

–Lo hace realmente bien.

–¿El qué?

–Hacerse el tonto a propósito.

–Lo siento, no era mi intención.

–De acuerdo, se lo explicaré. Pruebe a ver qué pasa si a partir de ahora, en vez de decir que no, dice que sí a las personas que se encuentre. Por ejemplo, a una invitación que normalmente rechazaría.

–¿Y de qué me servirá?

–Le servirá para tener nuevas experiencias, para ampliar horizontes, para darle una oportunidad al destino o al azar o como quiera llamarlo. Y eso solo se consigue diciendo «sí» a las cosas.

–¿Se refiere, por ejemplo, a cosas inesperadas, como la agenda que me ha traído aquí, por la cual ahora me está echando las cartas?

–¡Eureka! ¡Lo ha entendido!

–Tampoco era taaaan difícil –replicó Jonathan, un poco enfurruñado.

–Elija otra carta –le pidió Sarasvati, pasando por alto su suspicacia–. Y concéntrese en algo que quiera saber.

–De acuerdo. –Pasó la mano izquierda por encima de las cartas, que estaban colocadas en abanico sobre la mesa, y se preguntó de dónde procedía la agenda y qué tenía que hacer con ella. Por extraño que pudiera parecer, de repente notó un ligero hormigueo en los dedos que lo llevó a tocar con el dedo índice la carta sobre la que tenía la mano–. Esta.

–Bien. Dele la vuelta.

Lo hizo. Y la observó con Sarasvati.

–«La rueda de la fortuna» –leyó Jonathan.

–¡Perfecto! –exclamó la pitonisa, aplaudiendo contenta–. ¡No puede estar más claro!

–¿No?

–La rueda de la fortuna simboliza el sentido de la vida. Gira sin parar. –Se la veía emocionada, casi eufórica–. Dígame su fecha de nacimiento, por favor.

Se la dijo.

–¡Lo sabía! –exclamó Sarasvati, después de anotar la fecha y hacer una serie de cálculos incomprensibles para Jonathan–. ¡El año también suma diez!

–¿También?

Sarasvati tocó con la punta del dedo índice la «X» que se veía en la última carta que había elegido Jonathan.

–La rueda de la fortuna es también el número diez de los arcanos mayores del tarot. Por lo tanto, este año no solo está bajo la influencia de un gran cambio, sino también de la fortuna. Todo lo que haga este año le saldrá bien.

–¿Y usted puede calcularlo? –preguntó Jonathan con asombro–. ¡Es fantástico!

–Sí, lo es. ¡Diría que le espera un año perfecto! Solo tiene que reunir el valor para encararlo.

–¿Un año perfecto? –La miró con desconfianza. «Tu año perfecto.» Él no le había mencionado que eso era lo que ponía en la primera página de la Filofax. No podía ser una casualidad, ¡parecía organizado!–. Dígame, ¿está segura de que no sabe de quién es la agenda?

Sarasvati parpadeó, desconcertada.

–No, de verdad que no. ¿Por qué lo pregunta?

–Por nada. –Jonathan buscó un indicio en su rostro que la delatara, pero no descubrió ninguno. ¿Eran falsas sus sospechas? Desde el día anterior por la mañana, no paraban de ocurrirle cosas disparatadas, ¿quizá aquella solo era una más?–. Bueno –dijo–, en cualquier caso, parece que estoy muy bien equipado para este año.

–¿Tiene más preguntas? Todavía nos queda un poco de tiempo.

–Tengo un montón de preguntas, pero no creo que podamos aclararlas esta tarde.

–Puede pedir hora para otra sesión.

Jonathan hizo un gesto negativo con la mano.

–¡Oh, no, gracias! Ha sido una incursión muy divertida en el mundo de lo trascendental, pero por ahora es suficiente.

La señora Schulz suspiró.

–Sigue sin entenderlo. Esto no tiene nada que ver con la trascendencia. Debería considerarlo un diálogo, una mirada a su subconsciente, un espejo en el que se refleja lo que de verdad le conmueve.

–Como quiera –replicó él, y echó un vistazo al reloj de pie–. Es hora de que me vaya. El ticket de aparcamiento ha caducado hace más de dos horas y aún tengo que solucionar un par de cosas.

Lo último era mentira, pero no le apetecía explicarle que a las diez de la noche solía estar con un buen libro en la cama. Imaginaba lo que comentaría sin necesidad de oírlo.

–¿Y qué piensa hacer con la agenda?

Jonathan hizo un gesto de negación con la mano.

–Creo que la llevaré a la Oficina de Objetos Perdidos. Es lo más razonable.

–Sí, lo más razonable, quizá.

–¿Qué quiere decir?

–Piense en ello.

Al llegar al coche, Jonathan descubrió tres cosas:

a) el Golf no estaba;
b) en el parabrisas había una multa por haberse pasado de la hora;
c) y también había una nota.

Cogió el pedazo de papel y leyó:

> ***Estimado Jonathan N. Grief:***
>
> ***Yo también le deseo un día fantástico y una vida llena de amor y felicidad, en la que cosas tan insignificantes como los espacios pequeños para aparcar desempeñen un papel tan secundario que ni siquiera se fije en ellos. ¡Y lamento mucho que le hayan puesto una multa!***
>
> ***Cordialmente,***
>
> ***La conductora descarada***

Jonathan suspiró y sacó la multa de debajo del limpiaparabrisas. Estrujó el papel y, para su sorpresa, soltó una carcajada.

16

Hannah

Catorce días antes
19 de diciembre, martes, 16.47 horas

—¡Qué frío hace fuera! Soy un témpano con piernas. Necesitamos un cacao caliente, ¡pero ya!

Lisa tenía las mejillas rojas como ascuas cuando entró precipitadamente por la puerta de La Pandilla, remolcando a siete pequeños que tiritaban de frío. Había pasado más de una hora con ellos en el parque porque los renacuajos habían insistido en hacer una guerra de bolas de nieve. A pesar de que llevaban gorras, bufandas y ropa térmica impermeable, ahora estaban helados, pero todos lucían una sonrisa de oreja a oreja.

Hannah sonrió al verlos. Retozar en la nieve era el no va más para los críos; en ese aspecto, nada había cambiado desde su infancia. Armados con una bola de nieve gorda y apretujada, soltando gritos de alegría cuando acertaban el tiro y le daban en el trasero a un «enemigo», no notaban las temperaturas bajo cero ni les molestaba no sentirse los pies. De pequeña, ella también se entusiasmaba cuando caían los primeros copos de nieve en invierno. Entonces, sus padres iban a buscar el viejo trineo de madera al sótano y la arrastraban en él hasta el parque, donde libraba verdaderas batallas con su padre.

—¿Hola? Aquí la Tierra contactando con Hannah, ¡hemos pedido cacao!

—Perdona, tenía la cabeza en otro sitio.

—Se notaba —dijo su amiga—, tenías la mirada perdida. —Le guiñó un ojo—. Deja que adivine, pensabas en Simon.

–Error –replicó Hannah–. Recordaba cosas.

–Entiendo. Recuerdos, recuerdos.

–Exacto –dijo, y señaló hacia la cocina–. El cacao está a punto, ahí, encima del fogón.

–¡Genial! –Lisa se frotó las manos–. Aún tenemos una posibilidad de salir de esta sin congelarnos. –Se quitó el abrigo, lo colgó en el guardarropa y se puso a despojar a los niños, uno a uno, de los trajes y las botas de nieve que llevaban.

Hannah volvió a la sala donde hacía un momento montaba estrellas de Navidad y angelitos de papel dorado con otros ocho niños, a la agradable temperatura de veintidós grados. Un tercer grupo, al cuidado de su madre, Sybille, había salido a mediodía para ir de visita a una comisaría y también aparecería de un momento a otro.

Los pronósticos optimistas de las dos amigas se habían cumplido, incluso con creces. El enorme interés que habían despertado desde la inauguración no se había interrumpido; al contrario, había ido a más. La publicidad del boca a boca funcionaba de manera excelente y los cuatro artículos sobre La Pandilla que Simon había conseguido colocar, aunque como textos de promoción y, por lo tanto, sin cobrar, no solo les habían proporcionado una llamada un tanto avinagrada de su última jefa («¡Podríais haber avisado!», «Ya lo hicimos, pero no nos hizo caso»), sino también de familias de barrios lejanos, como Blankenese y Sasel. Y ahora no les quedaba más remedio que consolar a los padres que no tenían plaza y trabajar con listas de espera.

Además de sus respectivas madres, Sybille y Barbara, en La Pandilla trabajaban unas cuantas personas más, estudiantes de pedagogía o educadoras infantiles tituladas, porque tenían que abrir por la mañana y, debido a la gran demanda, ofrecían una fiesta de pijamas cada dos fines de semana. Resumiendo: el negocio iba viento en popa, ¡la idea había sido un bombazo! En cuanto a la paga extra de Navidad, ese año sería mucho mejor que en años anteriores, y Lisa y Hannah incluso habían podido darles a sus empleados un extra de cincuenta euros.

A veces, Hannah se sorprendía pensando que era una pena no haber tenido el valor de hacer realidad su idea mucho antes, pero no se enfadaba por ello. Al final lo había hecho y era mejor tarde que nunca. En ocasiones, incluso se planteaba ideas de expansión, pero se las guardaba y no las comentaba con Simon ni con Lisa. No quería que la tomaran por una persona con delirios de grandeza y prefería esperar la confirmación de que el modelo de negocio se desarrollaba bien a largo plazo.

No obstante, por muy agradable que fuera el éxito, la circunstancia de que Simon no hiciera absolutamente nada atenuaba el entusiasmo. Por desgracia, desde el desmayo de unas semanas antes, su novio no le había hecho la pregunta que quedó pendiente en el hospital ni había encontrado trabajo ni, por lo tanto, estaba de mejor humor.

En cuanto a su salud, Simon no hacía progresos importantes. Pasaba la mayor parte del tiempo en casa, tumbado en el sofá y viendo series de televisión. De vez en cuando enviaba sin ganas una solicitud de empleo y se lamentaba diciendo que todavía no se tenía en pie. ¡Era para echarse a llorar!

Como la mayoría de los hombres, Simon dominaba el arte de quejarse por su deplorable estado, pero no se le ocurría ir al médico como le había aconsejado claramente el doctor Fuchs.

Hannah intuía el verdadero problema. Estaba plenamente convencida de que sufría algún tipo de depresión y no encontraba la salida. Las molestias físicas solo eran un síntoma de su estado anímico y, al mismo tiempo, la excusa perfecta para abandonarse.

El día anterior por la mañana, después de pasar otra noche sin Simon, que prefería estar solo en su cama, Hannah se había hartado y lo había llevado personalmente al médico de cabecera para que se hiciera un chequeo a fondo antes de Navidad. Esa mañana le daban los resultados de las analíticas y ella esperaba desde hacía horas su llamada; confiaba en que le diría con la boca pequeña que le habían recetado unas vitaminas y le habían aconsejado que se quitara la ropa de estar por casa y se lanzara a vivir.

Sin embargo, Simon aún no había dado señales de vida y Hannah empezaba a ponerse nerviosa. No quería llamarlo ella, ya lo había presionado bastante y no le apetecía convertirse en una «vieja gruñona» que siempre lo fustigaba.

–¿Tienes un minuto? –le preguntó Lisa hacia las seis y cuarto, cuando ya se habían despedido de los niños y de la madre de Hannah y habían arreglado el caos de la sala en un pispás–. Pensaba que podríamos hablar de la programación para la semana que viene. Si te va bien, claro.

Habían decidido no cerrar La Pandilla durante las fiestas. Esos días, estresados por el jaleo de la Navidad y Fin de Año, los clientes casi lloraban de gratitud ante la perspectiva de apartar a sus hijos unas horas del televisor. Evidentemente, eso significaba que Hannah y Lisa tendrían que pasar la semana sin ayuda, puesto que todos sus colaboradores estarían de vacaciones. Y Simon... Bueno, sí, Simon.

–Pues claro –contestó Hannah–. No tengo planes –dijo y, sin poder evitarlo, soltó un profundo y ruidoso suspiro.

–¡Oh, eso no ha sonado bien! ¿Qué te pasa?

–Bah, no es nada –negó Hannah, y se corrigió al cabo de un segundo–: Bueno, estoy un poco preocupada por Simon.

–¿Se encuentra peor?

–No, aunque tampoco mejora.

–¿Ha ido al médico?

–Ayer por la mañana –contestó Hannah–. Pero casi tuve que llevarlo a rastras. Hoy le daban los resultados del análisis de sangre, pero aún no me ha llamado.

–No será nada –replicó Lisa con contundencia–. Tú siempre dices que la falta de noticias es buena señal.

–Cierto, pero me gustaría que Simon me comunicara que no hay noticias. Hace horas que espero su llamada.

–¡Hombres! –Lisa puso los ojos en blanco–. Viven en otra dimensión temporal, ya se sabe. Seguro que está enfrascado en el ordenador o viendo la tele y no se le ocurre pensar que a su novia casi le sangran las uñas de tanto mordérselas.

–En fin –dijo Hannah, encogiendo los hombros sin saber qué hacer–, probablemente tengas razón. –Debió de decirlo con voz de infeliz, porque Lisa puso enseguida cara de compasión.

–Lo siento, he sido muy poco sensible. Estás realmente preocupada por él, ¿verdad?

–¡Qué va! –Hannah movió la mano derecha como si con ese gesto pudiera ahuyentar los pensamientos desagradables.

–Bueno, es raro que se sienta débil desde hace tanto tiempo.

–Pero tú acabas de decir que seguramente no es nada.

–Sí, claro, aunque...

–Yo diría –la interrumpió Hannah con energía– que estar en paro lo destroza, eso es todo.

–Así, a bote pronto, no veo la relación entre estar en paro y tener una infección detrás de otra –objetó Lisa.

–Todo está relacionado.

–Exacto. –Lisa sonrió burlona–. ¡Amén!

Hannah oyó que sonaba su móvil, se abalanzó hacia su abrigo y sacó el aparato del bolsillo.

–¡Ja! –exclamó mientras miraba la pantalla–. Hablando del rey de Roma... –Luego contestó la llamada casi sin aliento–: ¡Hola, rey de Roma!

–Hola. –La voz de Simon sonó un tanto ronca. Y muy tranquila al pronunciar esa única palabra. A Hannah le fallaron las piernas, igual que el día en el hospital, y tuvo que apoyarse en la pared con una mano–. Soy yo –añadió Simon y no hizo ningún comentario al sorprendente saludo de Hannah, cosa que a ella le pareció extraña.

–¿Todo bien?

–Sí.

Una sola sílaba, y a Hannah la embargó una oleada de alivio; sintió calor y frío y, luego, otra vez calor.

–Gracias a Dios –murmuró, y cerró los ojos un momento. Entonces se dio cuenta de que Lisa tenía razón al suponer que estaba muy preocupada, pero no quería admitirlo–. ¿Qué te ha dicho el médico? –preguntó, y abrió los ojos.

Lisa la miró asintiendo con ojos radiantes y con los pulgares hacia arriba.

–Eso es lo de menos –replicó Simon–. Lo que importa es que ahora mismo vuelvas a casa, te pongas el mejor vestido que tengas y me esperes. Pasaré a buscarte dentro de una hora exacta.

–¿Cómo? ¡No entiendo ni una palabra!

–Vete a casa –repitió Simon con lentitud, y Hannah casi lo oyó sonreír–, ponte un vestido bonito y espérame en la puerta a las siete y media en punto.

–¿Para qué?

–No pienso decírtelo, es una sorpresa.

–A ver si lo adivino –le falló la voz a causa de la emoción–, ¡has encontrado trabajo!

–Siento desilusionarte –contestó él–, pero sigo en el paro.

–¿No podrías dejarte de secretismos y decirme qué pasa?

–Ya lo sabrás.

–¡Simon! –se rebeló Hannah–. ¡Cuéntame ahora mismo qué te traes entre manos!

–No –dijo sin más, y colgó el teléfono.

Hannah se quedó mirando el móvil, desconcertada.

–¿Qué pasa? –preguntó Lisa.

–Ni idea. Me ha dicho que me ponga un vestido y lo espere, que pasará a buscarme por casa.

–¿Ha conseguido un nuevo trabajo?

Hannah negó con la cabeza.

–No, no es eso.

–Mmm. –Lisa parecía desconcertada, pero enseguida se le iluminó la cara y empezó a dar palmadas con entusiasmo–. ¡Huy! –exclamó–. ¡Es algo mucho mejor!

–¿Mejor? No entiendo nada.

–¡Hannah! –Lisa le dedicó una mirada severa–. ¡Está más claro que el agua! Normalmente no eres tan dura de mollera.

–¿A qué te refieres?

–Hoy es la gran noche... ¡Va a pedirte que te cases con él!

–¿Hablas en serio?

–¡Pues claro! ¿Qué más puede ser si no ha encontrado trabajo? No creo que te pida que te pongas guapa para enseñarte sus niveles de colesterol.

–Probablemente, no –la secundó Hannah.

–¡Qué bien! ¡Por fin pasa algo! –exclamó Lisa, pero luego torció el gesto–. Aunque no sea en mi vida.

–Perdona –la consoló Hannah–. Estoy segura de que muy pronto encontrarás a tu media naranja. Mientras tanto –hizo un gesto con los brazos para abarcar todo el local–, ¡mira a tu alrededor! En las últimas semanas han pasado muchísimas cosas.

–Sí, es verdad –replicó Lisa–. Pero yo hablaba de cosas realmente importantes. De algo significativo. Algo... –buscó las palabras adecuadas–, algo decisivo en la vida.

17

Jonathan

3 de enero, miércoles, 09.11 horas

Después de ducharse, vestirse y desayunar, como solía hacer al volver de correr, Jonathan se sentó en el escritorio y observó la pila de documentos que Markus Bode le había entregado el día anterior. Sabía que su obligación como director editorial era ocuparse de ellos, pero no le apetecía lo más mínimo.

Si por él fuera, Markus Bode podría hacer y deshacer a su antojo, puesto que confiaba de forma plena en él. Sin embargo, plantearlo abiertamente equivaldría a un fracaso total por su parte, con lo que no le quedaba más remedio que ponerse a ello, aunque solo fuera para entrar en materia.

Jonathan paseó la mirada por las largas columnas de cifras; Bode había marcado con rotulador algunos datos, aunque a él, por desgracia, se le escapaba lo que el director ejecutivo pretendía señalarle. Era penoso tener que admitirlo tan drásticamente, pero lo cierto era que se sentía cubierto por el velo oscuro de los ignorantes. Cuando decidió estudiar Filosofía y Literatura comparada, su padre se limitó a sonreír de forma benévola y le dijo que la parte económica ya la aprendería cuando empezara a trabajar en la editorial «desde abajo».

No obstante, eso no sucedió, puesto que Wolfgang Grief decidió en algún momento que su hijo tenía más dotes para ocuparse de las cuestiones representativas de la editorial. Jonathan seguía sin saber qué había motivado esa valoración, pero en el fondo le daba lo mismo porque siempre le pareció bien el reparto de papeles resultante. De cara al público, él representaba el papel de editor y se ocupaba de que los autores se sintieran respetados y a gusto. ¿A quién no le gustaba ir a comer a buenos restaurantes y conversar sobre buena literatura con gente experta? Las decisiones de verdad importantes las tomaba su padre; incluso cuando hacía tiempo que se había retirado oficialmente, siguió siendo una especie de cerebro gris en la sombra. Procedieron de ese modo hasta que la enfermedad de Wolfgang Grief se agravó tanto que Jonathan ya no pudo fiarse de sus opiniones. De todos modos, eso no supuso ninguna tragedia, puesto que Markus Bode era un director ejecutivo extraordinario y la editorial marchaba de maravilla. Así pues, Jonathan dejó que las cosas siguieran funcionando como siempre. Hasta entonces. Ahora se daba cuenta de que se encontraba ante un dilema: ¿debía confesarle a Bode que no tenía ni idea de temas empresariales y, menos aún, de contabilidad?

Jonathan observó unos minutos los documentos, luego los apartó a un lado, suspirando, y cogió el ejemplar del día del *Hamburger Nachrichten*. Ya se ocuparía más tarde de las cuestiones de la editorial, ahora quería empezar el día con una lectura matutina agradable.

Se enfadó un poco al fijarse en que la primera página estaba rasgada. Tendría que hablar con el repartidor para decirle que, en el futuro, fuera más cuidadoso al meter el periódico en el buzón pertinente. Al fin y al cabo, por algo lo habían instalado. Y no costaba tanto enrollar el periódico y meterlo sin accidentes en la gran abertura que había en la puerta de su casa.

Hojeó con interés las noticias, subrayó con un lápiz afilado algunas faltas de ortografía y gramática y se saltó la sección de deportes. En su opinión, el deporte solo tenía sentido y una finalidad si se practicaba activamente, no leyendo de forma pasiva el rendimiento de otros. Para acabar, se concentró en el suplemento cultural.

Al cabo de una hora escasa, cuando doblaba el periódico para dejarlo encima del escritorio, le llamó la atención una noticia en la parte de abajo de la portada.

Periodista del Hamburger Nachrichten desaparecido desde Año Nuevo

Hamburgo. Simon Klamm, periodista de treinta y cinco años, desapareció el lunes de su casa en el barrio de Hohenfelde. Klamm trabajó durante años en el *Hamburger Nachrichten* y por ese motivo publicamos la noticia dándole la máxima prioridad. Según informaciones de la Policía, no se puede descartar que Simon Klamm haya atentado contra su vida. Por lo tanto, se teme que...

Gracias al repartidor, ahí acababa el artículo. Faltaba precisamente la esquina en la que Jonathan suponía que ampliaban la información y publicaban una foto del desaparecido. ¡Menuda jugarreta!

El nombre de Simon Klamm le sonaba de algo. Pero ¿de qué? ¿Lo conocía? No, de eso estaba seguro, la memoria le funcionaba de maravilla. Quizá había leído artículos suyos porque, según la noticia, formaba parte de la plantilla del periódico al que Jonathan estaba suscrito desde hacía años.

Antes de seguir pensando en ello, lo sobresaltó un timbrazo. Echó un vistazo al reloj de muñeca. Eran las diez y, como solía ocurrirle, se había olvidado de que Henriette Jansen, la asistenta, llegaba todos los miércoles a esa hora para limpiar su «piso de soltero».

Se levantó de un brinco, bajó a toda prisa las escaleras, entró en el comedor, recogió entre ruidos los platos, la taza y los cubiertos del desayuno y los metió en el lavavajillas. Al oír el segundo timbrazo, corrió hacia la puerta, la abrió y saludó con un alegre «¡Feliz Año Nuevo!».

–Igualmente, señor Grief. –La asistenta, una mujer robusta de un metro sesenta, entró con paso decidido, puso un ramillete de amarilis encima del pequeño armario de la entrada y se desanudó el pañuelo de cabeza, con lo que dejó ver su pelo corto, de color gris azulado y peinado con permanente–.

¿Qué, otra vez ha recogido a toda prisa? La puerta de la cocina todavía se mueve –dijo, y le hizo un alegre guiño; tenía los ojos de color marrón claro y enmarcados entre millones de patas de gallo.

–Claro que no –replicó él–. ¡Para eso la tengo a usted!

–Exacto. –Meneó la cabeza con aire divertido, se quitó las botas de invierno y sacó un par de sandalias ergonómicas que estaban en el armario del pasillo, junto a las zapatillas de fieltro para los invitados–. ¿Algo especial para hoy?

–No, todo como siempre.

–Entonces, empiezo.

–Y yo me voy enseguida.

Mientras Henriette Jansen desaparecía en la cocina, Jonathan subió al despacho para coger un buen libro.

Durante las cinco horas que la asistenta estaría atareada en su casa, él iría a una cafetería y leería. Lo hacían así desde siempre; a Henriette Jansen no le gustaba que la «miraran por encima del hombro» mientras trabajaba.

La mujer le había dicho más de una vez que le diera un juego de llaves, así no tendría que esperarla para dejarla entrar, pero a él le costaba hacerse a la idea. Y no porque desconfiara de ella; de verdad que no. Al fin y al cabo, había empezado a trabajar en su casa cuando aún vivía con Tina, y estaba fuera de cualquier sospecha. Era solo que... No se sentía cómodo dándoselas.

Al llegar al despacho, echó un vistazo a los lomos de los muchos libros que tenía en la gran librería. ¿Qué le apetecía hoy? ¿Poesía? Más bien no. ¿Un ensayo? Mejor no. ¿Una novela? No era lo más indicado, seguramente no podría concentrarse. Sus ojos saltaron de un título a otro, pero ninguno lo atrajo.

Podía imprimir uno de los manuscritos pendientes de lectura, de los que la editorial siempre le enviaba copia, pero no le apetecía, puesto que inmediatamente pensaría en el poco edificante tema «editorial y cifras». Así que, en vez de entretenerse con la literatura, ese día se limitaría a dar un paseo.

De pronto se acordó de que los documentos de Bode estaban a la vista encima del escritorio, y aunque Henriette Jansen era una persona de total confianza, no tenía por qué enterarse de la situación económica de Griefson & Books.

Se acercó a la mesa, echó mano de la pila de papeles con las cuentas y la metió entre las páginas del periódico. Titubeó un momento. Luego cogió el diario y lo embutió en el fondo de la caja de papel para reciclar que había en el suelo, junto al escritorio. Por si las moscas.

Con cierta sensación de alivio, volvió a la planta baja, se puso la cazadora de invierno y se acercó a la puerta de la cocina para despedirse de la asistenta.

–Ya me voy –dijo.

–Muy bien –replicó Henriette Jansensin levantar la vista de la encimera que estaba limpiando.

–Ah, una cosa: no saque la basura ni el papel para reciclar. Los contenedores están llenos a rebosar, no cabe nada.

–De acuerdo. Ya lo he visto.

–Bien. ¡Hasta el miércoles que viene!

Ya tenía el pomo de la puerta en la mano cuando su mirada se posó en la bolsa que colgaba de una percha en el guardarropa. Antes no la había visto porque la tapaba su cazadora.

La bolsa con la agenda.

Bueno, ahora ya sabía en qué invertir el tiempo hasta que la señora Jansen acabara su trabajo. Iría en coche a la Oficina de Objetos Perdidos de Altona y entregaría la agenda.

Él había intentado hacer todo lo posible por localizar al propietario. El resto lo decidiría el destino. Sí, el destino. Después de todo, eso decía Sarasvati Schulz.

18

Hannah

Quince días antes
19 de diciembre, martes, 19.56 horas

When the moon hits your eye like a pizza pie, that's amore...

El himno al amor de Dean Martin sonaba a todo volumen cuando entraron en el restaurante italiano Da Riccardo, en la Mansteinstrasse. Hannah estaba emocionada como nunca, se sentía ebria de ilusión y notaba un salvaje hormigueo en el estómago.

Como le había dicho, Simon pasó a buscarla por casa a las siete y media en punto. La acompañó hasta el coche llevándola galantemente del brazo, le abrió la puerta, esperó a que se sentara y la cerró.

Ahora, a la luz tenue del pequeño restaurante, le ayudó a quitarse el abrigo, como un caballero formal, le dedicó una mirada de admiración y dijo:

—¡Estás preciosa!

—¡Gracias!

Evidentemente, Hannah había puesto todo su empeño en esa cita inesperada. Estuvo media hora pasándose la plancha para el pelo por los rizos pelirrojos de su melena, que a ella le recordaban el relleno del cojín reventado de un sofá y que ahora le caían sobre los hombros formando ondas suaves que, con suerte, aún le durarían unos minutos.

También llevaba los pendientes de aro dorados que Simon le regaló un año por Navidad y, por primera vez desde que había dejado atrás la adolescencia, recurrió a los botes de cosmética para intentar pintarse los ojos con un efecto ahumado. Había leído en algún sitio que el *smokey eyes* daba un toque sensual y misterioso a las mujeres que, como ella, tenían los ojos verdes.

Sin embargo, al mirarse en el espejo constató que parecía un ladrón con antifaz, de manera que se quitó el maquillaje y lo sustituyó por otro en tonos naturales, completado con un poco de brillo de labios. Así se sentía mucho más cómoda, más auténtica. Además, lo último que quería era que Simon relacionara «ladrón» con «prisión» y luego con «matrimonio».

Como le había pedido su novio, esa noche llevaba puesto su mejor vestido. La elección no fue complicada, puesto que solo tenía uno. Su vida cotidiana no incluía ocasiones de las que no pudiera salir airosa con unos pantalones, por lo que estuvo un buen rato buscando el vestidito negro en lo más recóndito del armario. Después, en el fondo del cajón de los calcetines encontró unas medias de nailon intactas. Los zapatos de tacón negros eran los mismos que llevó en el funeral de la madre de Simon, pero esperaba que, si él le miraba los pies, no llegara de forma automática a la conclusión de que eran «zapatos de entierro». De todos modos, le costaba creer que esa noche Simon no tuviera nada mejor que hacer que preocuparse por su calzado.

–¡Tú también estás muy guapo! –constató Hannah cuando Simon volvió de dejar los abrigos en el guardarropa.

Y era cierto: no era habitual verlo tan elegante, al menos desde que perdió el trabajo y empezó a manifestar cierta dejadez en cuestiones de aseo.

Esa noche lucía un traje de mil rayas gris oscuro, que acentuaba su figura alta y esbelta. Llevaba una camisa blanca con el cuello bien planchado, corbata de color burdeos y unos gemelos de plata brillantes que asomaban por debajo de las mangas de la americana. Además, saltaba a la vista que había ido a la peluquería, puesto que su cabellera castaña oscura volvía a presentar una forma que merecía el nombre de «corte de pelo». Iba bien afeitado y Hannah por fin recuperó el placer de contemplar los atractivos hoyuelos que se formaban en las mejillas de su cara delgada. Incluso había dejado las gafas en casa y se había puesto las lentillas, un gesto excepcional que se reservaba para ocasiones «importantes», como una entrevista con un personaje de primera línea. ¿Quizá también para una propuesta de matrimonio?

–*Buona sera!* –Un camarero se les acercó sonriendo afablemente–. Soy Riccardo.

¡Oh, el dueño en persona!

–Buenas noches –lo saludaron los dos al unísono.

–¿Han reservado mesa?

–Sí –asintió Simon–. A nombre de Klamm.

–Síganme, por favor –dijo Riccardo, sin sorprenderse ni sonreír con sorna al oír el apellido que, por desgracia, equivalía a un adjetivo que coloquialmente significaba «arruinado». Cosa extraña, puesto que la mayoría de la gente era incapaz de reprimir un comentario cuando Simon se presentaba.

Hannah se lo tomó como un buen augurio para una velada maravillosa; a ellos, los chistecitos como «¿Klamm? Pues será mejor que pague por adelantado, ¡ja, ja!» solo les provocaban bostezos. Aunque quizá la falta de reacción se debía a que el hombre, a juzgar por su acento, era extranjero y se le escapaba el significado del apellido. En cualquier caso, ¡era un buen augurio!

El camarero los guio por el local, pasaron junto a seis mesas ocupadas y, al llegar al fondo del restaurante, abrió una cortina que daba a un reservado.

–¡Oh! –exclamó Hannah.

Había una mesa preparada para dos personas, con copas de vino y champán resplandecientes, que brillaban a la luz de las tres velas colocadas en un candelabro de plata. Los cubiertos también eran de plata, el mantel blanco era de tela de damasco almidonada y las servilletas tenían el mismo tono rojo que la rosa de tallo largo que había en uno de los dos platos de porcelana para el pan.

–¿Estás seguro de que no celebramos que has encontrado trabajo? –preguntó Hannah, mirando a su novio entre contenta y perpleja–. ¡Confiesa que eres el nuevo redactor jefe del *Spiegel!*

–Lo siento, pero no –replicó Simon, esbozando una sonrisa–. Es otra cosa.

–¡Me tienes en ascuas!

Si hasta entonces había albergado una pequeñísima duda respecto a que Lisa estuviera en lo cierto con sus sospechas, al ver aquel paramento romántico desaparecieron todos los recelos. Solo podía tratarse de una petición de matrimonio, era imposible imaginar otra cosa. Y si no era eso, ¡Simon tenía un sentido del humor muy negro!

–*Signora?* –Riccardo retiró un poco la silla que estaba en el sitio de la rosa para que Hannah se sentara.

–*Signorina* –lo corrigió ella, y se sentó, sonriendo con coquetería.

Quizá fuera una tontería, pero no pudo reprimir la pequeña broma y le guiñó un ojo a Simon, en un gesto de complicidad. Sin embargo, no dio la impresión de que él pillara la gracia.

Al contrario, después de que el camarero también retirara su silla, Simon se sentó con una expresión tremendamente seria, sus facciones parecían tensas, avinagradas casi. Hannah decidió automáticamente que el resto de la noche no haría más chistecitos porque, por lo visto, Simon estaba muy nervioso. Y era comprensible, no todos los días se hacían propuestas de matrimonio.

–¿Champán? –preguntó Riccardo, y la botella que sacó de la cubitera que estaba junto a la mesa tintineó contra el hielo.

–Sí, gracias –contestó Hannah.

Le tendió la copa, pero la retiró de inmediato, sintiéndose abochornada al ver la cara de sorpresa del camarero. Al parecer, en los restaurantes elegantes no estaba bien visto comportarse como en una taberna.

Riccardo abrió la botella con mano experta y un ligero «plop», sirvió primero a Hannah y luego a Simon, devolvió la botella a su lugar, les saludó discretamente con la cabeza y desapareció al otro lado de la cortina sin decir nada más.

Simon levantó su copa.

–¿Un brindis? –Por fin sonrió.

—¡Por nosotros! —dijo Hannah; brindó con él, se acercó la copa a los labios y disfrutó sintiendo las burbujas en la boca.

Volvió a sonar la voz de Dean Martin: *Bells will ring, ting-aling-a-ling.* Y esas palabras resonaron en el estómago de Hannah provocándole un cosquilleo: *ting-aling-a-ling.*

Pasaron un minuto mirándose a los ojos en silencio. Hannah se sentía más radiante que una bombilla de mil vatios, el candelabro no les hacía falta. Más bien necesitaban gafas de sol.

Hearts will play, tippy-tippy-tay...

—¿Cuál es el motivo de esta preciosa cita? —estalló finalmente, al ver que Simon no daba muestras de romper el silencio.

Se enfadó consigo misma en el acto. No pretendía ser ella la que empezara, se había propuesto firmemente dejar que Simon condujera la velada sin meterle prisa. Su invitación, ¡su ritmo!

Pero la boca actuó por su cuenta, engañó a los circuitos del cerebro y empezó a cotorrear. ¡Seguro que la muy gamberra había causado un cortocircuito! Hannah bajó los ojos, avergonzada, jamás de los jamases lograría ser una chica sensata, paciente y bien educada. Bueno, para lo de chica ya había perdido el tren, pero también lo veía negro para conseguirlo como mujer.

—¡No corras tanto, cariño! —contestó raudo Simon, que le cogió la mano y se la estrechó. Hannah se sobresaltó al notar sus dedos fríos y levantó la vista para mirarlo—. Antes me gustaría disfrutar de la velada y de una cena exquisita contigo. Hay tiempo.

—Sí, claro.

Hannah habría gritado. Y pataleado. ¡Aquello era una tortura! ¿Cómo iba a disfrutar de la velada y la cena si la espera le provocaba algo parecido a pequeñas descargas eléctricas y tenía un nudo en la garganta?

En la mesa había un platito con aceitunas, pero ella se veía incapaz de comerse una. Le costaría incluso si fuesen guisantes. Más todavía, ¡tenía dificultades para tragar saliva! Alcanzó la copa de champán y la vació de un trago. Bueno, por lo visto, sí que podía tragar líquido.

—¡Por la velada! —exclamó, esperando que su voz no sonara demasiado atormentada.

También esperaba que Riccardo volviera pronto y le sirviera más champán. No quería meter la pata sirviéndose de la botella ella misma.

–¡Ay, cariño! –dijo Simon, riendo–. Ya sé que te pido mucho.

–Pues sí –admitió Hannah.

–Te aseguro que es mejor que saboreemos la velada al máximo. –Se inclinó hacia ella por encima de la mesa, entornó los ojos y bajó la voz– antes de que las cosas se pongan serias.

–Sí, de acuerdo.

En vez de champán, esta vez Hannah tragó saliva. ¡Menuda puesta en escena! Hasta ese momento, no conocía la vena artística de Simon.

–Entonces, cenemos primero.

Como si hubiera dado una orden, la cortina se abrió, entró Riccardo y puso una pizarrita negra con las *Raccomandazioni del giorno* encima de un taburete que también llevaba consigo. Después de estudiar a fondo la carta, Simon se decidió por unos entrantes variados y una dorada a la plancha, y Hannah pidió *vitello tonnato* y una pizza con *frutti di mare*. Y también una botella de vino blanco de Gavi.

–¡Perfecto! –dijo Riccardo, después de tomarles nota.

Cogió la pizarra y se dio la vuelta para irse.

–*Scusi* –lo retuvo Hannah, y le señaló la copa de champán vacía. Le daba igual lo que hiciera la gente fina, ella lo necesitaba para controlar el nerviosismo. Además, seguro que la botella de champán ya estaba pagada y había que vaciarla antes de que llegara el vino, ¿no?

–*Certo!* –contestó el camarero.

Le sirvió una copa muy generosa y se dispuso a hacer lo mismo con Simon, pero este lo rechazó señalando con la vista su copa casi llena. Bien, él tenía que mantener la cabeza clara, planeaba algo grande. Ella solo tenía que susurrar «Sí, quiero» en el momento oportuno, y lo conseguiría en cualquier estado.

When the world seems to shine like you've had too much wine, that's amore…

–¿Qué te ha dicho el médico? –Hannah sacó el tema cuando volvieron a quedarse solos.

–Nada –contestó Simon.

–¿Nada?

–Eso no importa ahora –dijo, rechazando seguir con la conversación–. Ese tema está de más en una cena romántica.

–¡Pues ya me dirás tú de qué quieres que hablemos!

–¡Ahora no te ofendas!

–¡No me ofendo! –replicó Hannah, dolida–. Pero me parece un poco injusto lo que me estás haciendo.

–¿Lo que te estoy haciendo?

–Sí –asintió ella–. Sabes perfectamente que la paciencia no es mi fuerte.

–Eso es decirlo con mucha suavidad.

–¡¿Lo ves?! Sabes perfectamente que ese es mi punto débil. Y tú me mantienes en vilo porque sí.

Nunca se lo había dicho, pero ese era para ella el mayor problema en su relación: el ritmo de Simon o, mejor dicho, su falta de ritmo, la sacaba de quicio muy a menudo. Y, en esos momentos, todavía más.

Simon se echó a reír.

–Hannah, por favor, no estropees la noche.

–¿Qué? ¿Ahora resulta que yo estropeo la noche?

Sabía que estaba a punto de hacerlo y que sería mejor cambiar de rumbo, pero tenía los nervios tan a flor de piel que no aguantaría. Se le había hecho un nudo en la garganta y le faltaba muy poco para echarse a llorar.

Simon debió de notarlo porque de pronto la miró con ternura, le cogió la mano y se la acarició suavemente.

–Cielo –le dijo en voz baja–, no quiero torturarte ni que te enfades. Y todavía menos hacerte llorar. –Suspiró–. Solo quería pasar una velada animada, pero si a ti te hace sentir mal, ahora mismo te cuento de qué va esto.

–¡Ah, no!

No supo qué más contestar. Evidentemente, ardía en deseos de oírle pronunciar las palabras mágicas, pero al mismo tiempo se sentía fatal porque no había logrado esperar hasta que Simon considerara que había llegado el momento perfecto.

–No pasa nada –dijo Simon–. Quizá sea mejor así porque, al final, aún perderé el valor.

–¡Soy toda oídos!

–De acuerdo, Hannah.

Simon le estrechó la mano todavía con más fuerza, como si tuviera miedo de que ella se levantara de golpe y se fuera corriendo. Eso era absurdo, ¿por qué iba a hacer algo así? Lo que ella deseaba era precisamente lo contrario, pasar el resto de su vida con él.

–¿Y bien? –Su voz interior gritó: «¡Date prisa!».

Simon carraspeó.

–En primer lugar, me gustaría decirte otra vez que esta noche estás preciosa.

–Gracias. –«Vamos, ¡rápido, rápido!»

–La primera vez que te vi, el día que fui a buscar a Jonas, me enamoré locamente de ti.

Hannah soltó una risita y murmuró tímidamente:

–¡Oh, vamos!

–Es la verdad. Al verte supe que eras mi media naranja. Y sigo pensando lo mismo.

A Hannah se le sonrojaron las mejillas. Y tuvo que admitir que, de pronto, el ritmo de Simon la fascinaba. Podía hacerle la propuesta a paso de tortuga si quería; mientras lo hiciera con palabras tan cautivadoras, a ella le parecía bien.

–Estás llena de energía, ¡llena de vitalidad! Tu entusiasmo me atrajo desde el principio, aunque a veces piense que no estaría mal que de vez en cuando bajaras de revoluciones.

–Bueno, yo...

–¡Psst! –la interrumpió Simon–. Ahora hablo yo.

–De acuerdo.

–Hasta he pensado que ojalá nuestros hijos se parecieran más a ti que a mí. –Le sonrió–. Porque heredarían tu maravillosa terquedad y tu carácter optimista, y también tus rizos pelirrojos.

Hannah se pasó una mano por el pelo y se preguntó si el peinado aún aguantaba o los rizos volvían a ir a la suya.

–¡En serio, Hannah! Tú personificas todo lo que he deseado siempre en la vida. Eres una mujer fabulosa, la mejor amiga, consejera, un apoyo, todo en uno. ¡Cualquier hombre querría a una mujer como tú! –Cada vez levantaba más la voz, hablaba con tanta euforia y tan alto que a Hannah casi le dio vergüenza. Confiaba en que los que estaban en el comedor principal no oyeran ese panegírico exagerado, aunque la verdad era que los piropos de Simon eran de lo más galantes.

–Gracias, Simon –dijo–. Pero ya puedes parar.

–No –replicó él–. No pienso parar porque tú eres el amor de mi vida.

–Y tú el mío.

Simon tragó saliva con dificultad.

–Por eso lo que quiero decirte no me resulta fácil.

Ahora fue ella la que le estrechó la mano para darle ánimos.

–Tú dilo.

–Hannah... –Cerró los ojos un momento. Cuando volvió a abrirlos, la miró fijamente y a Hannah se le nubló la vista. Había tanto sentimiento, tanto amor en su mirada que ella estaba dispuesta a creerse todas las palabras que acababa de decirle, fueran o no exageradas–. Por eso... –Simon hizo una pausa–. Por eso, Hannah, te dejo libre.

–¡Sí! –gritó, llena de júbilo–. ¡Sí quiero!

Se levantó de un brinco con la intención de rodear la mesa y echarse en sus brazos. Entonces comprendió lo que Simon acababa de decir y, confusa, se dejó caer de nuevo en la silla.

–Perdona, pero... ¿qué has dicho?

–Que te dejo libre –repitió él–. Dejo que te vayas para que puedas ser feliz con otro. Por mucho que me duela, yo no te convengo.

–¿Cómo dices? –Hannah sacudió la cabeza para ahuyentar la alucinación. ¡Dos copas de champán no podían provocar semejante efecto! Apartó su mano de la de Simon bruscamente–. A ver si lo he entendido bien, ¿estás cortando conmigo?

¡Simon tenía un sentido del humor demasiado negro!

–No –replicó él con voz serena–. Yo nunca me separaría de ti, ¡nunca!

–Pero acabas de hacerlo.

–Por favor. –Quiso volver a cogerla de la mano, pero Hannah encogió los dedos–. Entiendo que estés confusa.

–¿Ah, sí? –Hannah notó que se le arqueaban las cejas–. ¿Y eso? Es muy normal que tu novio te suelte un discurso diciendo que eres la mujer de sus sueños y luego se separe de ti.

–Por favor, deja que te lo explique –dijo Simon–. No lo hago por voluntad propia.

–¿Lo haces por obligación?

Simon se encogió de hombros.

–Algo parecido.

–Ajá. –Hannah no entendía nada–. ¿Y quién te obliga? ¿Tienes una doble vida, trabajas de espía y yo no lo sabía? ¿Vas a pasar a la clandestinidad? ¿Entrarás en un programa de testigos protegidos?

–No, Hannah –replicó, y la miró con tristeza–. Pero quiero que seas feliz. Y conmigo no podrás.

–Pero ¿qué dices? –le espetó. Estaba a punto de echarse a llorar, aquello no podía ser verdad, estaba soñando. Peor aún, ¡tenía una pesadilla!

When you walk in a dream but you know you're not dreaming...

–Hannah, la cuestión es... –Volvió a carraspear, cogió la servilleta y empezó a estrujarla con nerviosismo–. Todo parece indicar que no sobreviviré al año que viene.

Hannah lo miró fijamente. Desconcertada. De repente tuvo escalofríos y se sintió mareada. Y mal. Muy mal.

–¿Qué? –preguntó, en voz baja y temblorosa–. No entiendo lo que acabas de decir.

–Lo siento. Dentro de un año, seguramente estaré muerto.

–*Allora!* –La cortina se abrió a un lado, Riccardo se acercó con brío a la mesa y le pasó por las narices una botella a Simon –. El Gavi.

19

Jonathan

3 de enero, miércoles, 10.47 horas

No, no estaba haciendo lo correcto. ¿Qué le había aconsejado la señora Sarasvati? Que dijera «sí» a todo y reuniera el valor para encarar el año. Y estaba haciendo justo lo contrario. Aquello era un «no» clarísimo. De todos modos, aparcó delante de la Oficina de Objetos Perdidos con la intención de entregar la agenda a uno de los empleados y despreocuparse del tema.

Era lo más razonable, cierto. Pero ¿era también lo correcto?

¿Y si la agenda contenía un secreto que Jonathan debía investigar por alguna razón? La tarotista le había hablado de un secreto relacionado con sus sentimientos y su alma...

Abrió la puerta del coche con energía y puso los pies en la acera. ¡No pensaba tomarse en serio las peroratas insustanciales de una pitonisa!

Al cabo de un instante, estaba fuera del coche, con la agenda en la mano y preparado para entrar en la oficina y tirar el objeto con un resolutivo «pum» encima del mostrador o lo que tuvieran en esos sitios. Aquella libreta no le pertenecía, no había ningún motivo para preocuparse de ella.

Sin embargo, volvió a dudar. ¿Hacía bien o mal? ¿Mal o bien? Suspiró, se sentó al volante otra vez y cerró la puerta. Si entregaba la Filofax, nunca averiguaría nada. No sabría de quién era, quién la había escrito ni quién era el destinatario. Ni por qué había ido a parar al manillar de su bicicleta. ¿Lo perseguiría la incertidumbre? ¿Lo atormentaría, no lo dejaría en paz? ¿Nunca más?

No hacía falta contestar a esas preguntas porque la agenda ya actuaba de esa manera: no lo dejaba en paz, lo atormentaba.

Por muy increíble que fuera, no podía descartar categóricamente la posibilidad de que su madre no estuviera implicada. Y, si no era ese el caso, tampoco podía descartar que no fuera a perderse algo interesante.

Cogió la agenda y la abrió. Y echó un vistazo a la entrada del 3 de enero:

Solo hay dos días del año en que no se puede hacer nada. Uno se llama «ayer» y el otro «mañana». Por lo tanto, hoy es el día ideal para amar, creer y, principalmente, vivir.

Dalai Lama

Sí, bueno, cuando a la gente no se le ocurría nada, citaban al Dalai Lama, eso siempre funcionaba. De todos modos, Jonathan tuvo que admitir que la máxima tenía su lógica. Era evidente que no se podía hacer nada ni ayer ni mañana, no había que ser un genio ni el Dalai Lama para lanzar semejantes sentencias al mundo. Para ser exactos, la palabra clave para definirlas era «filosofía para amas de casa». Que, por cierto, se vendía muy bien.

Jonathan pensó en los libros de Paulo Coelho, de Sergio Bambaren, François Lelord y compañía, que entusiasmaban a hordas de lectores con sus tostones sensibleros y se mantenían durante meses en las listas de los autores más vendidos. Su padre, citando a Karl Marx, los llamaba despectivamente «opio del pueblo», y afirmaba que en Griefson & Books no necesitaban esos «éxitos baratos», puesto que también se podía ganar dinero con la literatura seria. En esas ocasiones, solía señalar la hilera de obras encuadernadas en piel de Hubertus Krull que ocupaban un lugar prominente en su librería.

Ahora bien, si Jonathan había interpretado correctamente las palabras de Markus Bode, la editorial necesitaba un par de éxitos. Mejor si les salían baratos. ¿O debería decir «rápidos»?

Antes de seguir divagando, volvió a concentrarse en la agenda, había más texto escrito en la página del día 3 de enero.

La letra era tan pequeña que tuvo que inclinarse hacia la guantera para buscar las gafas de lectura. Se las puso y continuó leyendo:

> *Una tarea diaria a partir de ahora:*
>
> *En el apartado de «Notas», al final de la agenda, escribe todas las mañanas tres cosas por las que das las gracias. Cosas que te salgan del corazón: el sol brilla, tus amistades, el amor, puedes andar, lo que se te ocurra.*
>
> *Por la noche escribe tres cosas fantásticas que te hayan pasado durante el día: una buena comida, una conversación agradable, tu canción preferida en la radio.*
>
> *¡Empieza ya!*

Aquel texto parecía propio de adolescentes. ¡Qué tontería! ¿Quién tenía tiempo para esas cosas? Y, sobre todo, ¿de qué servía?

Jonathan sabía qué cosas tenía que agradecer en la vida, no le hacía falta anotarlas. A diferencia de su padre, él no sufría demencia senil, no corría el peligro de que se le olvidaran.

Por ejemplo, estaba agradecido por..., por... Daba las gracias por...

Sí, ¿por qué daba las gracias en realidad?

20

Hannah

Quince días antes
19 de diciembre, martes, 21.23 horas

No probaron el vino. Tampoco tocaron la dorada ni el *vitello tonnato* ni la pizza con *frutti di mare.* No comieron nada. Solo hablaron. No, Simon habló.

Le contó que el médico de cabecera lo había enviado al hospital, donde pasó medio día. Allí lo examinaron y lo volvieron a examinar, exploraciones físicas por palpación, más análisis de sangre y resonancias. Luego se sentó delante de un triunvirato de médicos que le comunicaron con cara de preocupación que su diagnóstico era cáncer linfático, por lo que le aconsejaban que se hiciera una biopsia urgentemente para confirmarlo y poder determinar el tipo de linfoma y la gravedad.

Salió de la clínica aturdido. Aterrado, desesperado, presa del pánico. Llegó a casa y se puso a investigar en el ordenador. Y llegó a la deprimente conclusión de que moriría dentro de los próximos doce meses.

En ese momento, Hannah lo interrumpió, mientras se tragaba las lágrimas con valentía.

–¿Y cómo lo sabes? Ni siquiera es seguro que...

–¡Hannah! –la cortó él–. ¡Tú no estabas allí! Pero yo vi a los médicos. Vi cómo me miraban, cómo me examinaban desde el cráneo hasta la planta de los pies, y entretanto no paraban de menear la cabeza. Cómo arqueaban las cejas al estudiar el resultado de las analíticas y las resonancias, y luego intercambiaban miradas sombrías. Créeme, el cáncer está extendido, lo de «confirmar el diagnóstico» solo lo dicen para tranquilizarte. Para que no te tires desde el primer puente que encuentres. –Soltó una amarga carcajada–. En ese tema, soy un experto. Los médicos siempre les daban esperanzas a mis padres y eso solo les llevó a años de sufrimiento.

–Pero ¡tú no puedes saber lo que te pasa a ti! –exclamó Hannah, y le falló la voz.

–Sí puedo –replicó él–. En primer lugar, estoy marcado genéticamente y siempre he tenido un factor de riesgo muy elevado de enfermar de cáncer. –Contaba los argumentos con los dedos–. Y, además, presento un cuadro de sintomatología B.

–¿Sintomatología B?

–En mi opinión, lo que creíamos que era un resfriado persistente pero inofensivo, eran síntomas del linfoma.

–En tu opinión.

–No, no solo en la mía. Internet está lleno de historias sobre gente a la que le ocurrió lo mismo. La mayoría murieron en el plazo de medio año. En las personas jóvenes, el cáncer se extiende muy deprisa. Busca «cáncer linfático» en Google y entenderás de lo que te hablo.

–¡Maldita sea, Simon! –Hannah dio un manotazo en la mesa y lo miró fuera de sí–. ¡Espero que no pongas en manos del doctor Google un tema tan importante!

–Por supuesto que no. Pero no olvides que soy periodista. Sé qué fuentes hay que tomarse en serio y cuáles no. Y no soy un iluso de los que siempre parten de lo mejor y se convencen de que no será para tanto.

–¿Lo dices por mí? –Hannah volvió a tragarse las lágrimas.

–No –se apresuró a contestar Simon. Pero, después de buscar las palabras adecuadas, rectificó–: Hannah, a mí me falta tu optimismo, nunca lo he tenido. Y no te considero una ilusa, no hay más que ver el éxito que has conseguido con La Pandilla. Pero tú y yo somos muy diferentes. Y yo prefiero enfrentarme al hecho de que dentro de un año seguramente estaré muerto. No quiero engañarme.

–¡Me niego a seguir escuchando estupideces! –replicó Hannah, y notó que la embargaba la rabia a casusa de la obsesión de

Simon de descartar categóricamente la posibilidad de que no estuviera tan mal como temía–. Vámonos a casa y ya pensaremos con tranquilidad cómo hay que actuar. Si hace falta, te llevaré de especialista en especialista. ¡Ni hablar de esconder la cabeza debajo del ala!

–No –dijo Simon–. No haremos nada.

–¡De ninguna manera! No te dejaré solo, ¡lo superaremos juntos!

Simon no contestó. Solo la miró con tristeza.

–¡Vamos! –Hannah se levantó–. Pagaremos en la entrada.

Simon no dio muestras de querer levantarse y Hannah volvió a sentarse en su sitio. De pronto vio que él también luchaba contra las lágrimas. En ese preciso instante, Hannah sintió algo que había estado reprimiendo hasta entonces: miedo. Y ese miedo, con sus garras frías y sin piedad, le apretó un nudo en la garganta.

–Por favor, Simon –murmuró.

Él volvió a cogerle la mano.

–Sé que es muy difícil para ti. Pero mi decisión es firme. Mi madre acompañó durante diez años a mi padre en su agonía. Siempre entre el temor y la esperanza, día tras día. Operaciones y sesiones de quimioterapia, noches en vela con dolores y vómitos, largas semanas en el hospital, una vez y otra y otra. Pequeños avances que solo conducían a otro contratiempo. Mi madre dejó a un lado su vida, la relegó para ocuparse de mi padre. Y luego... Cuando él por fin murió y ella podría haber disfrutado de los años que le quedaban, se puso enferma y sufrió una muerte terrible. ¡No permitiré que a ti te ocurra lo mismo!

Hannah tragó saliva con dificultad. Del modo en que lo explicaba, realmente parecía terrible.

–Todo eso ya lo sabía –admitió–. Pero no pienso dejarte.

–No hace falta. –Simon metió la mano en el bolsillo lateral de la americana, sacó la cartera y la puso encima de la mesa–. Te dejo yo. Lo siento.

Con esas palabras, apartó la silla y se levantó.

–¡No puedes hacerme esto!

Hannah también se puso de pie, con tanto nerviosismo que estuvo a punto de tirar la mesa. Se plantó delante de él, se echó en sus brazos y lo estrechó con todas sus fuerzas.

–¡Yo te quiero!

Hannah no pudo contener por más tiempo las lágrimas, que empezaron a deslizarse por sus mejillas.

–Yo también te quiero.

Simon la rodeó con sus brazos y la estrechó contra su cuerpo. Le acarició suavemente el pelo, inclinó la cabeza y la besó cariñosamente en la oreja. Lloraba tanto como Hannah, los sollozos lo sacudían y la apretaba con tanta fuerza que ella se convenció de que el encantamiento se había roto y nunca más la soltaría.

Pero lo hizo.

Al cabo de unos minutos, Simon se deshizo del abrazo de forma un tanto violenta. Volvió a mirarla con tristeza, pero se pasó la mano por la cara y después también le secó las lágrimas a ella.

–Quiero irme a casa –dijo.

–¿Puedo ir contigo? ¡Por favor!

–No, Hannah. Necesito estar solo.

–No tienes por qué...

–Por favor –repitió Simon–. Ya he tenido un día bastante malo.

–¿Y yo lo empeoro? –preguntó Hannah, dolida.

–Sí –replicó él, aunque rectificó en el acto–: No, claro que no. Pero... –suspiró–, no me lo pongas más difícil.

–Pero es que yo quiero ponértelo difícil –contestó ella, con un amago de sonrisa–. No esperarás que obedezca y te deje ir sin más, ¿verdad?

–Dame al menos unos días, ¿de acuerdo? Tengo la cabeza hecha un lío, necesito un poco de distancia y tranquilidad.

–Entonces ¿retiras lo de separarnos?

–¡Oh, Hannah! –Volvió a estrecharla y la besó en la frente–. Hannah –murmuró–. Mi dulce, alocada y maravillosa Hannah.

Ella lo apartó un poco, levantó la cabeza, se puso de puntillas y le dio un beso largo y tierno.

–Saldremos de esta –dijo en voz baja, después de soltarse.

Simon guardó silencio.

–Estoy segura de que no hay motivos para desesperarse. Cuando hayas superado el *shock,* encontraremos maneras de ayudarte. –Ella misma se dio cuenta de que hablaba como una cotorra nerviosa, pero no podía evitarlo–. ¡Y sobrevivirás al año que viene! Te esperan al menos cincuenta años buenos, ¡segurísimo! Pero ¿qué digo? No serán buenos, serán maravillosos, ¡perfectos!

Simon seguía sin decir nada.

–Por ejemplo, yo podría...

–Vámonos –la interrumpió Simon–. Te llevo a casa y luego me iré a la cama.

–¡Ya te he dicho que voy contigo!

Por primera vez, Simon sonrió.

–Ya lo sé. Pero voy a llevarte a tu casa, cabezota. Ya hablaremos otro día.

21

Jonathan

3 de enero, miércoles, 16.44 horas

Cuando Jonathan subió por la rampa adoquinada que conducía a la entrada de su casa, empezaba a oscurecer. Paró el motor y se quedó un momento dentro del coche. Se sentía avergonzado.

Unas horas antes, después de pasear un rato sin rumbo fijo por la ciudad y de hacer unas compras, que no incluían pan proteico ni embutido de pavo porque en la tienda se les habían acabado esos productos, se sentó en un banco del parque Planten un Blomen, abrió la Filofax y sacó el bolígrafo.

Quería hacerlo, quería escribir sobre el papel su lista de agradecimientos. Solo porque sí, para distraerse. Porque tenía que decir «sí» en vez de «no», por eso quería hacer ese pequeño ejercicio. Y, para ser sinceros, no tenía ningún otro plan, más que pasar el tiempo hasta que Henriette Jansen hubiera concluido su trabajo. Entonces, ¿por qué no redactar una lista de agradecimientos? Después arrancaría la hoja; la agenda era un cuaderno de anillas y el propietario no lo notaría cuando finalmente fuera a parar a sus manos.

Nada.

Un vacío absoluto en su mente, no se le ocurrió nada por lo que se sintiera agradecido.

Bueno, sí, tópicos como «no estoy atado a una silla de ruedas», «tengo la cuenta corriente llena», «todos los días como», «soy un hombre respetado y valorado», y cosas por el estilo.

Pero, desafortunadamente, no se le ocurrió nada por lo que realmente se sintiera agradecido. Desde lo más hondo de su corazón. Nada que de verdad mereciera el término de «gratitud», que lo llenara de felicidad, alegría y satisfacción, nada en lo que pudiera pensar todos los días al levantarse y también antes de cerrar los ojos por la noche.

¿Qué podía agradecer? Su mujer lo había engañado con su mejor amigo, y él se había quedado solo. Su padre se consumía y su madre lo había abandonado cuando era un niño. Por lo que sabía desde hacía poco, la editorial había entrado en crisis y él quizá acabaría de patitas en la calle. Y la forma en que evolucionaba el mundo en general y sus coetáneos en particular solía sacarlo de quicio, ¡como para estar agradecido! No tenía más que pensar en los excrementos de perro a orillas del Alster.

No, no era un desagradecido ni era infeliz. Eso no. Su vida estaba... bien. Pero nada más. Simplemente, transcurría, avanzaba sin altibajos especiales. Funcionaba. Él funcionaba. Aunque, siendo sincero, no había mucho en lo que funcionar. Él mismo había organizado su vida para poder vivirla sin responsabilidades. Libre de responsabilidades, pero también de euforia.

Deprimente. Sí, tenía que admitirlo: en cierto modo, pensar en ello era deprimente.

Al final, cerró la agenda, enfadado, y decidió volver a la Oficina de Objetos Perdidos y entregarla. ¿Para qué le servía un objeto que lo descentraba?

Sin embargo, los horarios de la oficina le jugaron una mala pasada: delante de la puerta cerrada, constató con incredulidad que los martes solo abrían hasta la una del mediodía. Los miércoles y los viernes, más de lo mismo; según el cartel, solo los jueves trabajaban hasta las seis de la tarde.

El enfado de Jonathan se transformó en ira, ¡menudo tugurio! ¿A quién le extrañaba que el país fuera de mal en peor si los funcionarios solo trabajaban medio día o ni siquiera eso?

Para desahogarse, volvió al coche, se acercó al gimnasio al que iba de vez en cuando y levantó pesas durante tres horas, hasta acabar agotado. Con los vaqueros y en calcetines, porque tenía la bolsa de deporte en casa y Henriette Jansen no quería que la molestaran. Y mientras se obstinaba en hacer ejercicio bajo las miradas de asombro de los demás socios, no dejó de repetirse que las listas de agradecimiento y esas tonterías eran cosa de chicas, ¡y él era un hombre hecho y derecho!

Además, ¿cómo había que entenderlo? ¿Estar agradecido? ¿Con quién? ¿Con el destino? ¿Con Dios? ¿Qué sentido tenía? ¿Acaso importaba estar agradecido? Y, en contrapartida, ¿no se podía estar «desagradecido» por todas las cosas que no funcionaban o se iban al traste? Claro que, en este caso, volvía a plantearse la pregunta de con quién había que estar desagradecido.

Jonathan N. Grief seguía en el coche, delante de su casa, preocupándose por ideas absurdas. En el asiento del copiloto, la maldita agenda, que se le pegaba como un fantasma que no quería soltarlo. Pero ¡él no lo había conjurado! No, no lo había hecho.

¿O sí?

–¡Al cuerno! –maldijo en voz alta, cogió la Filofax y se dirigió a la puerta de entrada de su casa.

Al entrar en el vestíbulo, lo recibió un refrescante olor a limón. Le encantaba que Henriette Jansen acabara sus tareas fregando el suelo de toda la casa con ese jabón que impregnaba el aire con su aroma durante varios días.

Y, por muy disparatado que pareciera, en ese momento entendió el motivo: aquel olor le recordaba su infancia porque su madre utilizaba ese mismo producto de limpieza. Y siempre aguantando las protestas de su padre, que defendía la idea de que ninguna «señora Grief» debía encargarse de las tareas del hogar. Sin embargo, no logró convencer nunca a Sofia, que era una auténtica *mamma* italiana y en ningún momento se planteó cederle el terreno a una mujer extraña.

Jonathan, repentinamente de mejor humor, se quitó la cazadora y la colgó en el perchero. Luego subió las escaleras para ir al despacho y tiró la agenda encima del escritorio.

¡No permitiría que ese librito lo agobiara ni que lo pusiera de mal humor! Lo dejaría allí hasta que lograra llegar a la Oficina de Objetos Perdidos en el espacio de los treinta segundos que duraba el horario de apertura. Mientras tanto, no pensaba prestarle atención; tenía cosas mejores que hacer. Por ejemplo...

Su mirada se posó en la caja de papel para reciclar.

En la caja de papel vacía.

¡Vacía!

¿Cómo podía ser?

¿Acaso no le había dado instrucciones a Henriette Jansen para que no la tocara?

Sí, lo había hecho.

Le entró un ataque de vértigo repentino y, de buenas a primeras, no supo qué le preocupaba más, si el hecho de que la asistenta no cumpliera sus órdenes o que las cuentas de Griefson & Books estuvieran en el contenedor de papel. Las alarmantes cuentas al acceso de cualquiera que las encontrara por casualidad.

Los documentos, eso era lo que más le afectaba. Reaccionó, dio media vuelta y bajó corriendo a la planta baja. Abrió la puerta de la entrada, saltó los peldaños que daban al jardín y se precipitó hacia el contenedor de papel, que seguía lleno hasta los topes. Levantó la tapa y no vio los documentos de Markus Bode. Arriba del todo aún estaba la bolsita de regalo donde Tina había puesto la figurita de chocolate. Y la figurita... Bueno, se la había zampado, esas cosas no se tiran.

Pero ¿dónde estaban las cuentas? ¿Dónde había vaciado la caja Henriette Jansen?

Jonathan volvió corriendo a casa, descolgó el teléfono del pasillo y marcó el número de la asistenta.

–¿Sí? –contestó la señora Jansen.

–Hola, soy Jonathan Grief.

–Hola, señor Grief. ¿Me he olvidado algo?

–No, solo quería preguntarle qué ha hecho con el papel viejo. Ya sabe, el que había en una caja al lado de mi escritorio.

–¿El papel usado? –preguntó, sorprendida–. Lo he tirado a la basura.

–Pero si le he dicho que no lo hiciera. –Jonathan consiguió dominarse y no añadir: «¿Por qué no cumple mis instrucciones?». Dada la situación, no le pareció conveniente.

Henriette Jansen se echó a reír.

–Sí, me lo ha dicho, pero me he tomado la libertad de tirarlo.

–¿Y dónde, si me permite la pregunta? –Notó que el sudor le cubría la frente.

–¿Dónde va a ser? –contestó ella–. En el contenedor de papel, claro.

–Pero ¡en el de casa no hay nada! –gritó Jonathan.

–¿Por qué está tan enfadado?

–No estoy enfadado. –Se esforzó por hablar con voz tranquila–. Por desgracia, ha tirado unos papeles que ahora necesito urgentemente –le explicó.

–¡Oh, qué tonta soy! –la mujer parecía afectada–. Pensaba que se alegraría si...

–¿Dónde están? –la interrumpió Jonathan.

–Al lado del parque, calle arriba, en el contenedor público –contestó–. Había sitio, lo habrán vaciado estos días, por eso...

–Entendido, ¡gracias! –exclamó, y colgó.

Jonathan salió corriendo de casa y se dirigió al parque, al lugar donde estaban los contenedores grandes de papel y de vidrio. Rezó por encontrar los documentos dentro.

¡La que se armaría si acababan en las manos equivocadas!

Ya se imaginaba los titulares en la sección local del *Hamburger Nachrichten*: «Editorial de mucho prestigio al borde de la quiebra».

Se obligó a mantener la calma. Los pensamientos catastrofistas no ayudaban, y aún estaba por ver si podía suceder algo así. Para que ocurriera, hacía falta que alguien se fijara en los documentos. Luego, ese alguien tenía que entender de qué iban y ser capaz de llegar a la conclusión de que la información podía interesar a los medios. En definitiva, era más que improbable.

Además, Griefson & Books quizá se enfrentaba a ciertas dificultades, pero no estaba ni mucho menos al borde de la quiebra. Al menos, eso esperaba Jonathan, aunque no se aclarara con las cuentas.

Con todo, al llegar a los contenedores, el pulso le iba a mil. Tuvo suerte dentro de la desgracia porque el contenedor de papel no solo tenía una ranura estrecha, sino también una tapa azul grande en el lateral para las cajas de cartón grandes.

La abrió sin esfuerzo y miró dentro. Una oscuridad lúgubre, no se veía nada. Se inclinó todo lo que pudo y palpó con la mano, confiando en que de ese modo podría pescar algo. Sin embargo, solo notó el vacío. A diferencia del contenedor que tenía delante de casa, aquel lo habían vaciado hacía poco.

Gimió, se puso de puntillas, se agarró con la mano libre al borde de la abertura y se impulsó hasta meterse prácticamente cabeza abajo en el contenedor. Por fin tocó un trozo de papel con la punta de los dedos, lo cogió y tiró de él. Se le escapó de las manos y entonces intentó estirarse para acercarse al objetivo.

Cuando se dio cuenta de que había desplazado el centro de gravedad de su cuerpo demasiado adelante, ya era tarde. Jonathan perdió el equilibrio, se precipitó dentro y cayó de bruces encima de un trozo de cartón. Olía a pizza.

Soltó un gemido y, al mismo tiempo, se oyó un «¡ay!».

Se quedó de piedra. Él no lo había dicho. Esa voz era de otra persona.

22

Hannah

Quince días antes
19 de diciembre, martes, 23.17 horas

—Lo siento, pero si no te tranquilizas no entiendo nada. ¡Hablas como un crío de tres años con el chupete en la boca!

–Yoooooo... Yooooo...

No había nada que hacer, Hannah era incapaz de pronunciar palabras comprensibles. Solo lloraba y gritaba. No era de extrañar que Lisa no entendiera nada.

Hannah la había sacado de la cama hacía tres minutos con una llamada. Lisa se disculpó por no haber contestado al teléfono al oír el primer tono y, aunque su amiga tenía otras preocupaciones, le señaló que no había motivos para disculparse por no dormir al lado del teléfono.

–Tranquilízate, Hannah –dijo Lisa–. Respira hondo. Lenta y profundamente. ¡Inspira y espira! Inspira y espira. –Ella también respiró de ese modo, como haría una profesora de yoga para enseñárselo a sus alumnos.

–De ac... De acuerdo.

Hannah intentó seguir el consejo de su amiga. Jamás habría imaginado que fuera tan difícil respirar. Pero lo era, tenía la sensación de que el pecho le estallaría en cualquier momento.

Todo había ido bien hasta media hora antes. Al menos, teniendo en cuenta las circunstancias. Simon la llevó a casa y se despidió de ella con un abrazo y un beso. Le prometió que la llamaría al día siguiente y le aseguró que no pensaba tirarse de un puente. Y que si, por lo que fuera, de repente se encontraba al borde de una barandilla, la telefonearía desde allí. Hasta ahí, todo bien.

Hannah mantuvo la calma de un modo sorprendente. Se quitó el vestido, se desmaquilló, se aplicó una crema y se lavó los dientes. Luego se puso el camisón y, sin más rodeos, se metió en la cama. La noche había sido agotadora.

Sin embargo, en cuanto apagó la luz y cerró los ojos, se desveló. Unas imágenes y unos pensamientos horribles la asaltaron.

Un miedo espantoso a que Simon tuviera razón con sus suposiciones y muriera en el plazo de unos meses. Miedo a que el cáncer se le hubiera extendido por todo el cuerpo y nada ni nadie pudieran salvar a su novio. Y ella se quedaría pronto sola.

Intentó expulsar el miedo de su mente, sustituirlo por recuerdos bonitos y plácidos. Incluso se puso a cantar en voz baja, con la esperanza de poner freno al tiovivo de emociones que la embargaban. No lo consiguió.

Morir. Desaparecer. Simplemente irse, marcharse para siempre. «Polvo eres y en polvo te convertirás.»

Hasta entonces, Hannah no había tenido ninguna experiencia con la muerte, exceptuando a la madre de Simon y su larga agonía. Pero ella solo había presenciado sus últimos meses de sufrimiento. Evidentemente, la entristeció, pero sobre todo por Simon, porque había perdido demasiado pronto a un ser tan querido. Por lo demás, pensó que para Hilde Klamm había sido una liberación; su muerte encajaba a la perfección en ese consuelo tópico.

Sin embargo, ahora era distinto. Por primera vez la afectaba a ella de forma directa, por primera vez le tocaba a una persona a la que quería. Y por primera vez, por mucho que la avergonzara confesarlo, era consciente de su propia condición mortal. Dolorosamente consciente.

Además del miedo a perder a Simon, de la nada surgió un pensamiento que hasta entonces le había parecido ajeno: «Un día, tú también morirás; un día, tú también abandonarás este mundo».

Evidentemente, sabía que ese día llegaría. Todo el mundo lo sabía.

Pero era una certeza vaga, abstracta, con la que Hannah, por absurdo que pareciera, no tenía nada que ver; al menos, de momento. Al fin y al cabo, aún no había cumplido los treinta, ¡y Simon solo tenía cinco años más! Morir... Sí, algún día, en algún punto del horizonte más lejano. Morir... Hasta entonces, solo afectaba a los demás.

«A la larga, todos morimos.» Mientras estaba en la cama, Hannah recordó esa frase que su abuela Marianne citaba muy a menudo cuando se hablaba del final. Hasta entonces, ella siempre se había reído, le divertía el humor ingenioso de su abuela y le daba la razón. «A la larga.» Sí, muy, muy a la larga.

Ahora, lo que le había contado Simon había situado la muerte al alcance de su mano, la había incluido en su realidad, y la había catapultado a un pánico cerval. El miedo se propagaba en su sangre como un veneno pernicioso, se pegaba a ella como un parásito devastador.

A eso había que sumarle la vergüenza y el asco que se provocaba a sí misma porque, ante la circunstancia de que Simon estuviera muy enfermo, quizá incluso terminal, ella no hacía más que preocuparse de su propia existencia efímera. No se trataba de ella; en esos momentos, ella no importaba. El cáncer amenazaba a Simon y ella no tenía derecho a sentirse tan mal. Al contrario, tenía la obligación de mantenerse fuerte para él.

Finalmente, al llegar al borde de la desesperación, no vio otra salida que llamar a Lisa, aunque fuera muy tarde. Quería hablar con ella, tenía que hablar con ella antes de perder la cabeza y hacer una tontería. Para no salir a la calle a gritar pidiendo ayuda. Para no ir a casa de Simon y suplicarle sollozando que la acompañara al hospital de inmediato para hacerse todas las pruebas necesarias.

Sabía que ese no era el camino, que sería contraproducente y que Simon se cerraría en banda. Su novio le había dejado muy claro que necesitaba tiempo, distancia y tranquilidad para digerir y asimilar lo que le habían dicho los médicos. Y ella quería concedérselo, aunque eso la condenara a una inactividad absoluta que la volvería loca.

Por eso marcó el número de Lisa. Sin embargo, ahora que tenía a su amiga al teléfono y trataba de seguir sus instrucciones y limitarse a respirar, el pánico no disminuía. Al contrario, mientras Hannah luchaba contra la sensación de mareo y aturdimiento, incluso pareció acrecentarse.

–¿Estás mejor? –preguntó Lisa.

–Sssss... Nnnnn...

–Escúchame bien: ahora mismo cojo el coche y voy a verte, ¿de acuerdo? Tardaré un rato, pero intentaré darme mucha prisa.

–Nnnnn...

–¡Hasta luego!

Lisa colgó.

Hannah volvió a su cuarto arrastrándose a gatas por el pasillo, se metió en la cama y se cubrió con la colcha hasta la cabeza. Y esperó. Esperó con el corazón palpitante que el condenado miedo desapareciera. Y que Lisa apareciera pronto.

23

Jonathan

3 de enero, miércoles, 17.04 horas

—¿Hay alguien ahí? –preguntó Jonathan, sobresaltado, mientras manoteaba tratando de ponerse en pie.

–¡Sí, atontado! –mascullo una voz masculina en la oscuridad–. ¡Y tú acabas de tirarte encima de mi cabeza!

–¡Lo siento! –replicó Jonathan–. ¿Y quién es usted? –Entornó los ojos pero seguía sin ver nada en la oscuridad.

–Me interesa más la pregunta de qué haces tú en mi contenedor.

–¿Su contenedor?

–¡Olvídalo!

Jonathan oyó un crujido de papeles, notó movimiento a su lado y se apartó con tanta brusquedad que se golpeó contra la pared del contenedor y se oyó un «pum» metálico.

–¡Mierda! –renegó el hombre.

–Lo siento –repitió Jonathan, aunque el que se había dado el golpe fuera él–. No sabía que había alguien aquí dentro. –Carraspeó con nerviosismo–. No es lo habitual, ¿no? Además, no me he tirado, me he caído sin querer...

–¡Cállate la boca! –le increpó la voz.

Jonathan vio por el rabillo del ojo una vaga silueta que se ponía de pie.

–Perdóneme...

–No –replicó el hombre–, ¡no te perdono!

Una cabeza salió por la trampilla del contenedor y Jonathan oyó un resoplido, seguido de inmediato por un traqueteo y el ruido sordo de unas suelas al pisotear el asfalto. La persona que hacía un momento estaba con él en el contenedor del papel había salido.

A pesar de que el suelo del contenedor bailaba, Jonathan también consiguió incorporarse. Se agarró con las dos manos al borde y se asomó por la abertura hasta la altura del pecho. Entonces vio al hombre, que estaba de pie delante del contenedor. Llevaba un abrigo militar de color azul oscuro y lo observaba con hostilidad.

–¡Buenas tardes! –dijo Jonathan, lo más amable que pudo, y le tendió una mano, mientras con la otra seguía aferrándose al borde. Su compañero de contenedor hizo caso omiso del gesto y lo miró todavía más malhumorado–. Bueno... –añadió, intentando pasar por alto la embarazosa situación, y se dispuso a salir de su encierro. Pero la cosa no era tan fácil porque, por algún motivo, el agujero era más estrecho que cuando había entrado.

El desconocido observó un rato sus esfuerzos inútiles; luego suspiró, dio un paso hacia él y le alargó una mano.

–Gracias –dijo Jonathan, que la aceptó. El hombre tiró de él y lo sostuvo–. Es usted muy amable –añadió al pisar suelo firme y mientras se sacudía la ropa, abochornado. Le daba la impresión de que apestaba a caja de pizza. En serio, ¿por qué la gente no tiraba el papel sucio al cubo de la basura?

–Faltaría plus –respondió el hombre, que hablaba con un fuerte acento del norte de Alemania.

El desconocido sonrió tímidamente y eso lo hizo parecer mucho más simpático. Tenía el pelo blanco, recogido en una cola de caballo, y barba de tres días, también blanca. Pálido y con cara de cansancio, llevaba un abrigo harapiento que casi le llegaba a los pies y parecía sacado del contenedor de ropa usada. Jonathan calculó que estaba al final de los cincuenta; las profundas arrugas que surcaban su cara indicaban que tenía unos cuantos años a sus espaldas.

–Me has pegado un buen susto –dijo el desconocido.

–¡Usted a mí también! –Volvió a tenderle la mano derecha–. Jonathan Grief.

El hombre dudó un momento antes de estrechársela. Llevaba mitones puestos y le dio un apretón de manos firme.

–Leopold –dijo.

–¿Leopold? No es un nombre muy frecuente, al menos aquí, en el norte. Es más típico en el sur.

–Mis amigos me llaman Leo. –Sonrió burlón–. Tú llámame Leopold.

–¡De acuerdo! –replicó Jonathan, que al principio no entendió lo que acababa de decirle.

–Y bien, John-Boy, ¿qué hacías en mi contenedor?

–Buscaba una cosa.

–¿Qué cosa?

–Unos documentos, nada importante –contestó, reforzando sus palabras con un gesto de la mano. No le apetecía contarle detalles de la búsqueda a aquel bicho raro.

–Pero lo suficiente para saltarle encima de la cabeza a alguien en plena noche.

–En primer lugar, todavía no es de noche, solo media tarde –le corrigió Jonathan–. Y, en segundo lugar, yo no sabía que usted estaba dentro. –Lo miró con franca curiosidad–. ¿Qué hacía en el contenedor?

–¿Usted qué cree? Resguardarme del frío.

–¿Entre un montón de papel usado?

El hombre asintió.

–Sí, da calor.

–¿Y por qué no se va a casa?

Leopold soltó una carcajada. Tan estridente que Jonathan se estremeció.

–¡Menudo estás hecho! –exclamó, tronchándose de risa y dándose palmadas en la pierna–. ¿De dónde sales tú?

–¿Por qué lo dice?

–¡Por nada! –replicó, y se secó las lágrimas de los ojos–. Verás –dijo, aguantándose la risa–, estoy haciendo reformas en mi mansión y por eso no puedo ir.

–¿Ah, sí? –Jonathan lo miró con escepticismo. Algo le decía que le estaba tomando el pelo.

–Pero ¡hombre! –exclamó Leopold, confirmando sus sospechas–. ¿En qué planeta vives? ¡Mírame! ¡Soy un sin techo!

–Oh. –A Jonathan no se le ocurrió nada más que comentar, excepto que de repente se sentía muy, pero que muy tonto. Y eso, evidentemente, no pensaba decirlo.

–Sí, ¡oh! –replicó Leopold–. Y cuando hace mucho frío, como hoy, a veces me echo un sueñecito en el contenedor.

–¿No es peligroso? –preguntó Jonathan–. Podrían vaciarlo mientras duerme.

–Sí –le confirmó, y se dio unos golpecitos en la sien con la punta del dedo índice–. Pero tengo los horarios de recogida aquí dentro.

–Eso está bien.

–Con lo que no contaba era con que alguien me saltaría encima de la cabeza.

–Ya le he dicho que lo siento.

–Tranquilo, no ha sido nada.

–No, por suerte.

–¿Y qué pasa ahora con lo que buscabas?

Jonathan se encogió de hombros.

–Ni idea –reconoció–. Esperaba encontrarlo en lo alto.

–Mmm. Me temo que lo he revuelto todo cuando me he puesto cómodo.

Al oír la palabra «cómodo», Jonathan estuvo a punto de echarse a reír. En la vida se le habría ocurrido relacionar ese adjetivo con un contenedor de papel.

–¿Tienes una linterna? –preguntó Leopold.

–Sí, en casa –contestó Jonathan, señalando al otro lado de la calle.

Leopold profirió un sonido indefinido.

–¡Guau! ¿Vives ahí? ¡No está mal!

–Mmm, sí.

De repente, a Jonathan lo asaltó la idea de que quizá había cometido un error al señalarle su casa tan abiertamente a aquel hombre. Después de todo, nunca se sabía...

–Te propongo una cosa –dijo Leopold, interrumpiendo sus pensamientos–. Tú vas a buscar la linterna, yo vuelvo a entrar en el contenedor y tú iluminas dentro.

–No sé –replicó Jonathan dubitativo.

–Entonces, no será tan importante.

Jonathan volvió a ver en su mente el titular del *Hamburger Nachrichten*.

–Sí lo es –admitió a disgusto–, pero no quiero causarle molestias ni robarle su tiempo.

–No es ninguna molestia. Y lo único que me sobra es tiempo.

Jonathan lo pensó un momento; luego aceptó la propuesta con agradecimiento y fue a casa a buscar una linterna en el sótano.

Cuando volvió al contenedor, Leopold lo saludó desde dentro.

–Bien –dijo el hombre–. ¿Qué buscamos exactamente?

–Unos papeles con cifras.

–¿No podrías ser más concreto?

–Hay notas escritas con bolígrafo rojo.

–De acuerdo, voy a sumergirme.

Dicho y hecho, el hombre desapareció en el fondo del contenedor. Jonathan se inclinó tanto como pudo para alumbrar con la linterna.

–Sí, así está bien –resonó su voz amortiguada y, poco después, añadió–: ¡Puaj, qué asco!

Una piel de plátano pasó volando junto a la cabeza de Jonathan y le rozó la oreja izquierda.

–¡Qué guarra es la gente que tira aquí dentro esas cosas! –renegó Leopold.

Jonathan le dio en silencio la razón; lo de los envases de pizza aún podía entenderse, pero la basura orgánica no tenía nada que hacer allí. El hombre que acababa de conocer le cayó de pronto mucho más simpático, puesto que parecía compartir su criterio sobre lo que convenía y lo que no convenía.

–¿Es esto? –resonó la voz de Leopold, que sacó una hoja arrugada por el agujero.

Jonathan la cogió y le echó un vistazo.

–Sí –confirmó, contento–, pero es solo una parte.

–Un momento, aquí hay más.

Se oyó un crujido de papeles y, al poco, Leopold le plantificó en las narices unas cuantas hojas más.

–¡Estas también! ¡Ha encontrado el sitio donde están!

–Trátame de tú –replicó el hombre, jadeando–. Ya que estoy removiendo la basura por ti, podríamos tutearnos, ¿no?

–De acuerdo. –Jonathan desistió de comentarle que él lo había tuteado todo el rato.

–¿Cuántas hojas faltan?

–No lo sé –admitió Jonathan–. Voy a mirarlo, están numeradas.

Movió la linterna y enfocó los papeles.

–¡Eh! –se quejó Leopold–. ¿Y la luz?

–Enseguida. Ahora la necesito yo. –Jonathan sujetó la linterna con los dientes y buscó la numeración en las páginas arrugadas. En la parte inferior derecha de una ponía «3 de 12». Las ordenó: 1, 2, 3, 4..., 8, 9, 10, 12–. ¡Faltan cuatro! –le gritó a Leopold.

–¡Enfoca aquí!

Jonathan volvió a dirigir la luz al interior del contenedor y Leopold removió los papeles a gatas, de izquierda a derecha.

–Espero que lo que buscamos sea importante de verdad.

–Lo es –lo tranquilizó Jonathan.

–¿Y qué puñetas hace aquí? –masculló el hombre.

Una botella de plástico salió zumbando hacia la cabeza de Jonathan.

–Un despiste –contestó, mientras se agachaba a un lado–. ¿Podría...? ¿Podrías tener más cuidado o avisarme antes de tirar cosas?

–Perdón. –Jonathan casi pudo oír la sonrisa burlona de Leopold–. Tendré cuidado, lo prometo. –Al cabo de un momento, salió volando un cojín, seguido por una exclamación:– ¡Ups!

–Deberías quedártelo –bromeó Jonathan, que volvió a tirarlo dentro–. Te ayudará a pasar una noche más confortable.

–No me hace falta –replicó el otro, que sacó la cabeza por la abertura, sosteniendo triunfalmente en alto cuatro hojas de papel arrugadas–. Diría que me he ganado honradamente una noche en un lugar calentito.

–¿Ah, sí? –preguntó Jonathan, mientras cogía agradecido los papeles–. ¿Dónde?

Leopold sonrió ampliamente.

–¡Adivina!

Con la barbilla señaló la mansión de Jonathan, al otro lado de la calle.

Jonathan N. Grief estuvo a punto de replicar en el acto: «¡No, ni hablar!».

Pero se acordó de las palabras de Sarasvati.

Y al final dijo:

–Sí, claro, ¡con mucho gusto!

24

Hannah

Quince días antes
19 de diciembre, martes, 23.52 horas

Al cabo de veinte minutos, cuando su amiga llamó al timbre, Hannah reunió sus últimas fuerzas para recorrer el pasillo tambaleándose y abrir la puerta. Al verla, se derrumbó en sus brazos entre sollozos.

–¡Hannah! –exclamó asustada Lisa, y la estrechó–. ¿Qué te pasa?

En vez de contestar, Hannah siguió llorando y disfrutó de la sensación de seguridad que daba el abrazo de un ser querido. De que la sostuvieran como a una niña pequeña que se echa en los brazos de su madre buscando refugio.

–Perdona que haya tardado tanto, pero...

–Psssst –se limitó a decir Hannah, pidiéndole que callara. Daba igual cuánto hubiera tardado, lo que contaba era que ahora estaba allí.

–¿Vas a contarme qué te pasa? –le preguntó Lisa con suavidad al cabo de unos instantes, y le acarició el pelo.

Hannah asintió y pronunció un «sí» lastimoso.

Lisa la sujetó por el codo y la llevó a la salita, donde se sentaron juntas en el sofá de mimbre y se taparon con una manta.

Hannah le habló de la cena en Da Riccardo y Lisa no la interrumpió en ningún momento. Las palabras salían a borbotones de su boca, como si se hubiera abierto una compuerta. Le contó que los médicos le habían diagnosticado un cáncer a Simon. Y que él estaba convencido de que moriría en el transcurso del próximo año. Y que se negaba a hacerse más pruebas porque creía que era inútil. También le contó que quería separarse de ella porque no podía pedirle que siguiera con él en esas circunstancias; no permitiría que cargara con el mismo destino que había tenido que soportar su madre.

Al final, Hannah también le confesó sus propios miedos, le contó que le había entrado un ataque de pánico y había pensado en su propia condición mortal. Y eso la avergonzaba mucho. Se le caía la cara de vergüenza.

–Es normal –la tranquilizó Lisa–. Eso no te convierte en mala persona.

–¿Tú crees? –preguntó tímida Hannah.

–¡Pues claro! –se reafirmó su amiga–. Nos pasa a todos. Cuando vemos un accidente en la autopista o leemos una noticia horrible en el periódico sobre una catástrofe natural o un atentado terrorista, siempre pensamos: «¿Y si me hubiera pasado a mí?». O peor todavía: «¡Menos mal que no me ha tocado a mí!».

Hannah respiró aliviada.

–¡Me alegra que no me consideres un monstruo! Ya me siento un poco mejor.

–Bien hecho. –Lisa la abrazó–. Ahora no necesitas hacerte reproches, la situación ya es bastante grave por sí sola.

–Aun así, me da vergüenza haber pensado en esas cosas.

–Ya te he dicho que no hay motivos para que te sientas así.

–Afirma la mujer que se disculpa por cualquier tontería y siempre tiene mala conciencia.

–Cierto. –Lisa se echó a reír–. Pero tú misma lo has dicho, suele ser por tonterías.

–Por desgracia, en este caso es por mucho más.

–Eso también es verdad.

Hannah suspiró.

–¡Y yo que creía que Simon me invitaba a una cena romántica para pedirme que me casara con él, que le oiría preguntarme si quería compartir la vida con él hasta el final de mis días! –Se le escapó un gemido–. ¿Cómo iba a imaginar que quería hablarme del final de «sus» días? Y de que ese final estaba tan cerca.

–¡Frena! –la interrumpió Lisa, que le dedicó una mirada severa–. ¡Nadie sabe cuándo acabarán sus días!

–¡Eso díselo a Simon! Ya está escogiendo la funeraria y la lápida.

–Dame el teléfono, voy a llamarlo ahora mismo.

–¡Ni hablar!

–Pero si acabas de decirme que...

–Sí... Es decir, no. –A Hannah todavía le costaba concentrarse–. Simon está trastornado. Si lo presionamos, nos puede salir el tiro por la culata.

–¿A qué te refieres con lo del tiro por la culata?

–Ni yo misma lo sé –replicó, inquieta, y pensó en el puente–. De todos modos, no creo que sea buena idea hablar ahora con él. Además, no sé si le parecerá bien que te lo haya contado.

–¿Si le parecerá bien? –contestó Lisa, incrédula. Y también indignada.

–Es un asunto personal –comentó Hannah.

–¡Oh, vamos, por favor! ¿Qué significa aquí «personal»?

–A lo mejor le resulta embarazoso...

–Embarazoso, ¿por qué? –la interrumpió Lisa–. Tu novio tiene cáncer, ¡no ha robado a una abuelita!

–Ay, Lisa, ya sabes a qué me refiero.

–Sí, ya lo sé –dijo, asintiendo con la cabeza, enérgica–. Y te diré una cosa: ¡has hecho bien en llamarme! ¿Qué espera Simon? ¿Que después de soltarte la noticia, tú te encojas de hombros, vuelvas a tus actividades cotidianas y hagas como si no pasara nada? ¿Que te las apañes sola y mañana mismo te abras un perfil en una página de contactos mientras él busca un sitio en el cementerio como hacen los elefantes viejos y decrépitos?

–Yo no he dicho que esperara eso de mí.

–Pero te preguntas muy en serio si a él le parecerá bien que me lo hayas contado. Sinceramente, esas reflexiones son de mi estilo, ¡no del tuyo!

Hannah sonrió.

–Eso es verdad.

–¡Ya te digo!

–Pero no tengo ni idea de qué debo que hacer. De qué puedo hacer.

–Es una pregunta difícil –admitió Lisa–. Probablemente tengas razón al considerar que presionarlo sería contraproducente.

Hannah se encogió de hombros y miró a su amiga con tristeza. Luego gruñó enfadada.

–¡No me entra en la cabeza que sea tan obtuso y se niegue a hacerse más pruebas! Que le den un diagnóstico y lo acepte sin más. Si yo fuera él, ya habría contactado con los diez mejores oncólogos del mundo. ¿Y él no hace nada, se da por vencido y se entrega al destino de brazos cruzados?

–Bueno, yo puedo entender que necesite algo de tiempo para asimilarlo.

–¿Qué tiene que asimilar? Si realmente es tan grave como cree, ¡cada día cuenta!

–En eso, discrepo –dijo Lisa–. Si realmente teme que sea tan grave, comprendo que no vaya corriendo a buscar otro especialista.

–¿Ah, sí? –Hannah arqueó las cejas, asombrada–. ¡Explícamelo!

–Por un lado, Simon ha tenido malas experiencias con el tema del cáncer por sus padres...

–No creo que nadie las haya tenido buenas con ese tema –objetó Hannah.

–Y por otro –prosiguió Lisa sin inmutarse–, imagino que hay cosas que nadie quiere saber con absoluta certeza.

–¿Aunque sean tan importantes como en el caso de Simon?

–Tal vez prefiera que le quede un resto de duda.

–¿Un resto de duda?

–¡Es posible! –replicó Lisa–. El hecho de que se niegue a que le practiquen una biopsia no significa únicamente que desperdicie la oportunidad de que los médicos le digan que su estado no es tan grave y que pueden ayudarle. Con eso también evita el riesgo de que le digan: «Sí, por desgracia, no podemos hacer nada. Váyase a casa, no hay ningún tratamiento para usted». Piénsalo bien, de esa manera también elimina el peligro de recibir una sentencia de muerte casi irrevocable y definitiva.

Hannah rompió a llorar de nuevo.

–Lo siento, ¡perdona! –Lisa se dio un manotazo en la frente–. ¡Soy una idiota! ¿Cómo he podido decir algo así?

–No, no –contestó Hannah, sollozando–, tienes razón. –Se pasó las manos por las mejillas y trató de sonreír valientemente–. Es solo que a mí me cuesta entenderlo. Yo preferiría saber a qué atenerme en vez de dar palos de ciego. Es la única forma de prepararse para lo que pueda venir y de actuar en consecuencia.

–Mmm... ¿Estás segura de que es eso lo que decidirías? Tú nunca has estado en esa situación.

–Absolutamente –contestó Hannah sin dudarlo–. Yo querría saberlo.

Lisa caviló unos instantes antes de plantear otra idea.

–Supongamos –dijo, con voz pausada y concentrada– que alguien puede adivinar tu futuro con total seguridad...

–Eso es imposible.

–Da igual, partamos de la base de que no lo es. Y ese alguien también podría predecir la fecha exacta de tu muerte. ¿Dejarías que lo hiciera? ¿O preferirías que la muerte te llegara de golpe y porrazo, y te arrebatara la vida sin previo aviso?

–¡Es una pregunta con muy mala baba!

–Pero Simon se enfrenta justo a esa pregunta.

–No exactamente –objetó Hannah–. Simon sabe que está enfermo, o sea que no será de golpe y porrazo.

–Bueno, el diagnóstico le ha llegado de golpe y porrazo.

–Sí, ha sido un buen golpe –replicó Hannah–. Pero hacía meses que no se encontraba bien. Ni física ni psicológicamente.

–¡No me lo puedo creer! Perdona, pero ¿insinúas que Simon tendría que estar más preparado para asimilar la noticia porque hace meses que las cosas le van mal? –Lisa movió la mano en el aire cuando Hannah la miró consternada–. Era eso, ¿verdad? Será mejor que pienses en mi pregunta.

–De acuerdo –accedió, con desgana–. Me gustaría saberlo –se reafirmó–. Así podría vivir a plena conciencia el tiempo que me queda, saborear cada día hasta el último. Podría poner en orden mis asuntos, como suele decirse; y despedirme de la gente a la que quiero o dar la vuelta al mundo. Y, al final, quizá montaría una gran fiesta.

–Bien –dijo Lisa–. Me lo imaginaba. Tú eres así.

–¿Cómo?

–Pragmática.

–¿Pragmática?

–Siempre mirando adelante –contestó Lisa–, sin doblegarse nunca y pesando en lo mejor, y cosas por el estilo. Pero cada persona es distinta y Simon ha elegido otro camino.

–No ha elegido un camino, ¡se ha quedado quieto!

–No hacer nada es también una decisión.

Hannah le dedicó una mirada de asombro.

–¿Desde cuándo hablas como un gurú?

Lisa se sonrojó.

–Yo, mmm, lo he leído hace poco en algún sitio.

–¿Dónde? ¿En *La mente es maravillosa?*

–¡No te burles! Solo quiero ayudar.

–Lo siento, no lo decía con mala intención.

Hannah le dio un empujoncito conciliador a su amiga.

–El papel de pedir disculpas es mío –afirmó Lisa, que también le dio un empujoncito–. Además, tú siempre te llenas la boca con esas sentencias, con que si «la crisis como oportunidad» y... Bueno, el caso es que pensé que aprendería algo de ti.

–¡Ja, ja!

Intercambiaron una sonrisa burlona. Hannah se alegraba de tener a su amiga en casa. La situación seguía siendo un asco, pero Lisa se la hacía más soportable.

–¿Y tú qué? –preguntó finalmente–. ¿Te gustaría saber cuándo vas a morir?

–Ni idea. No pienso en esos temas.

–¡Uf! –Hannah hizo una mueca fingiendo crispación y amenazó a su amiga señalándola con el dedo índice–. ¡De eso nada, monada! Por ahí no paso, ¡tú también tienes que contestar a la pregunta!

–¿En serio?

–Sí.

–De acuerdo, déjame pensarlo.

Lisa se recostó en el sofá y cerró los ojos, pensativa. Meditó durante mucho rato.

–¿Te has dormido? –preguntó al rato Hannah, impaciente.

–No.

Lisa abrió los ojos, pero no dijo nada y se quedó mirando fijamente el techo como si allí hubiera algo interesante.

–Tampoco es tan difícil –se quejó Hannah, después de que pasaran dos minutos más sin que su amiga abriera la boca–. ¡Intentas ganar tiempo!

Finalmente, Lisa volvió la cabeza hacia ella y la miró muy seria.

–No –dijo, y meneó la cabeza con lentitud–, no me gustaría saber la fecha de mi muerte. ¡Ni hablar! Y si alguien tuviera la intención de decírmela, se lo prohibiría. Tampoco me gustaría saber la de otras personas. Me sentiría fatal si supiera el día que te morirás tú. O mis padres.

Hannah levantó las manos a la defensiva.

–¡No hace falta que te pongas en plan trascendental! No te preocupes, no te lo diría.

–Lo siento.

–¿Y ahora por qué lo sientes?

–Porque me he puesto «trascendental».

–No es para tanto –la tranquilizó Hannah–. Pero me extraña que te lo tomes tan en serio.

–El tema es serio.

–Solo era un juego. Nadie puede predecir el día que moriremos.

–No –la secundó Lisa–, nadie.

–Pues haz el favor de cambiar de cara, ¡con esa me das miedo!

–Lo sien... Acabo de acordarme de una cosa.

–¿De qué?
–No puedo decírtelo.
–¿Por qué no?
–Porque es patético. Y me da corte.
–Ahora sí que me pica la curiosidad, ¡qué mala eres!
–Lo sien... No era mi intención.
–¡Lisa Wagner! –Hannah le dirigió una mirada severa–. Estamos aquí porque mi novio, al que quiero más que a nada en este mundo y que hoy tenía que pedirme que me casara con él, me ha dicho que se está muriendo... ¿En serio crees que me quedan fuerzas para burlarme de ti porque un día hiciste algo que «quizá» fue patético?
–Lo siento. –Lisa puso cara de culpa.
–No lo sientas, ¡cuéntamelo!
–De acuerdo –dijo Lisa, dándose por vencida–. Me he acordado de una vez que un tarotista insistió en predecir la fecha de mi muerte. Y me pareció horrible.
–¿Qué? –Hannah la miró con cara de sorpresa–. ¿Fuiste a que te tiraran las cartas?
–Más de una vez. –Lisa parecía avergonzada–. Para ser sincera, voy con regularidad.

25

Jonathan

3 de enero, miércoles, 17.46 horas

—¡Menuda casa! –Leopold estaba en la entrada y miraba hacia todos lados con admiración–. He visto unas cuantas chozas como esta, pero aquí se podrían hacer fotos para una revista de interiorismo sin necesidad de que antes vinieran a pasar el aspirador.

–Bueno, gracias –contestó Jonathan, con una mezcla de sensaciones que abarcaban el orgullo, la vergüenza y la preocupación.

El orgullo ganó la partida.

La vergüenza se debía a que, delante de aquel hombre vestido con un abrigo militar harapiento, se sentía como un asqueroso ricachón. Como un cerdo que pedía un menú de diez platos sin preocuparse de que lo mirara alguien que pasaba hambre. Y que luego tiraba a la basura lo que no podía comerse, sin ni siquiera haberlo tocado.

Con lo que valía el jarrón grande que estaba a la derecha de la puerta, en el que Henriette Jansen había puesto con mucha gracia un ramo de amarilis, siguiendo una tradición que había iniciado Tina y que él había conservado, Leopold seguramente habría podido costearse una habitación durante un mes en un hotel elegante.

Las baldosas de terracota del suelo procedían de una pequeña fábrica italiana, por supuesto, y la alfombra tejida a mano que cubría las escaleras que llevaban al primer piso era propiedad de la familia desde hacía generaciones, con lo que

Jonathan no se atrevía ni por asomo a calcular a cuánto ascendía su valor.

Nunca había sido tan consciente de su riqueza como en ese momento, delante de un hombre al que acababa de sacar sin querer de un contenedor de papel. Penosamente consciente.

Pero esa circunstancia era justo lo que lo llenaba de preocupación. ¿Había cometido un grave error al invitarlo sin reflexionar o, mejor dicho, al aceptar que él mismo se invitara?

¿Acaso no era muy peligroso dejar entrar en casa a un desconocido y, más aún, a un sin techo? Sí, Leopold parecía un hombre simpático, pero ¿de qué le serviría eso a Jonathan si al final se despertaba en la cama con el cuello cortado? ¿Y a qué se refería al decir que ya había visto «chozas como esta»? ¿Acaso era un tipo muy astuto que tenía la costumbre de apalancarse en las casas de la gente que actuaba de buena fe, y luego no había manera de librarse de él?

Jonathan se estrujó el cerebro en busca de una excusa más o menos convincente para poder echarlo con educación.

Su mirada fue de la ventana a la puerta. A la luz de la lámpara exterior que iluminaba la puerta de entrada vio copos de nieve; el tiempo había cambiado a peor. No, no tenía valor para echarlo.

Además, la verdad era que Leopold le había hecho un gran favor; los papeles llenos de cifras que tenía en la mano derecha se lo recordaron.

Y siempre podía encerrarse a cal y canto en su dormitorio. De ese modo, solo correría el riesgo de que Leopold se largara con unos cuantos objetos de valor. Y eso sería mejor que dejar que lo asesinara.

Aunque también podría encerrar a Leopold. Discretamente, mientras dormía. Al fin y al cabo, el cuarto de invitados donde pensaba alojarlo, que antes era el reino de Tina, contaba con cuarto de baño, por lo que podría hacer sus necesidades cuando quisiera. Sin embargo, esa solución le pareció de muy mal gusto. Bueno, no solo se lo parecía, era de muy mal gusto.

Y, en este caso, «de muy mal gusto» suponía un eufemismo; el término «privación de libertad» era más acertado.

–¡A ver si lo adivino! –oyó decir a Leopold.

–¿Cómo?

Jonathan lo miró desconcertado, estaba tan absorto en sus pensamientos que no se había dado cuenta de que quizá llevaba un buen rato pensando en silencio.

–Te estás rompiendo la cabeza para saber cómo librarte de mí.

–¡Qué tontería! –replicó Jonathan N. Grief con vehemencia, y se sonrojó.

–Sí –replicó de inmediato Leopold, aunque no parecía molesto, sino más bien divertido–. Se te ve en la cara, lo tienes escrito con mayúsculas en la frente. Y lo entiendo. –Puso la mano en el pomo de la puerta principal–. Será mejor que me vaya...

–¡No! –gritó Jonathan, avergonzado porque el hombre había leído en su cara lo que estaba pensando–. Créeme, ¡estás completamente equivocado! –Señaló el perchero con un gesto casi servil–. Por favor, quítate el abrigo y ponte cómodo.

La expresión de divertimiento se borró de la cara de Leopold. Dudó y observó con timidez las cazadoras y los abrigos colgados junto a la puerta de entrada.

–¿Estás seguro? Mi abrigo está sucio y... –no acabó la frase, solo bajó los ojos para mirárselo.

–No importa –dijo Jonathan, con excesiva calma para parecer convincente–. Cuélgalo en una percha que esté libre. Luego te enseñaré tu habitación.

–¿Una habitación para mí solo? A mí me basta con el sofá, ¡hasta dormir en el suelo sería un paraíso!

–Si te apetece, puedes dormir en el suelo del cuarto de invitados.

–No, claro que no, ¡prefiero dormir en la cama! –se apresuró a contestar Leopold, que se quitó el abrigo y las botas con cordones que llevaba.

Jonathan tragó saliva al verle los calcetines, los dos con un tomate por el que asomaba el dedo gordo del pie. Pero ¿qué esperaba de un mendigo? ¿Calcetines finos de Hugo Boss como los que llevaba él?

Abrió la puerta izquierda del armario del pasillo y sacó un par de zapatillas de fieltro.

–Toma –dijo, y se las dio a su invitado, que las aceptó agradecido y se las puso enseguida; saltaba a la vista que quería eludir el tema de los agujeros en los calcetines–. Sígueme.

Le resultó extraño entrar con Leopold en la habitación de su exmujer. Hacía años que no ponía los pies allí, pero Henriette Jansen pasaba el aspirador y la limpiaba cada quince días.

Aunque la llamaba «habitación de invitados» desde que se separó, y la cama siempre estaba hecha y había toallas limpias en el cuarto de baño contiguo, nunca la había ocupado nadie.

En realidad, hasta entonces no había hecho falta. Jonathan no solo había nacido y se había criado en Hamburgo, sino que nunca había pasado más de tres semanas seguidas lejos de la ciudad, con lo que no tenía amigos ni conocidos en otras ciudades ni en otros países que pudieran o quisieran hacerle una visita.

Y, si los hubiera tenido, seguramente serían como él y preferirían alojarse en un hotel antes que invadir la esfera privada de otra persona.

El contacto con sus parientes italianos se rompió al marcharse su madre o, mejor dicho, cuando él le envió la última postal, de modo que por ese lado tampoco podía esperar visitas. Jonathan sabía que su madre tenía una hermana en Italia; de niño coincidió con ella unas cuantas veces. Pero no recordaba con certeza cómo se llamaba, aunque le sonaba algo así como Gina o Nina.

En cualquier caso, Jonathan nunca tenía motivos para entrar en la antigua habitación de Tina; en el resto de la casa tenía sitio de sobra. Ahora, mientras se encontraba con Leopold en medio del colorido mundo de retales de su ex, sintió un mareo. Era como si las paredes estuvieran impregnadas de su espíritu y la habitación entera exhalara su presencia.

A diferencia de lo que hizo en el resto de la casa, Tina no decoró su ámbito personal manteniendo una línea moderna y sobria, sino en un alegre estilo rústico.

La colcha era de colores vivos y, encima de la cama de 140 centímetros de anchura, se mecía un dosel de encaje. El resto del mobiliario –el armario, la librería, el tocador y la silla a juego–, lo trató ella misma con pintura a la tiza, en un intento de darle sentido a su vida con el típico «hazlo tú misma», y las vetas de la madera todavía asomaban por debajo del barniz blanco. Para las paredes, se decidió por un suave tono pastel de color albaricoque y añadió una cenefa decorativa de flores a la altura de los ojos. Las cortinas de las ventanas tenían el mismo dibujo.

En conjunto, era una habitación de ensueño para una chica, al estilo de las que se encontraban en los hoteles románticos apartados, y el remate final era el pequeño vestidor que había a mano izquierda. Jonathan recordó abochornado que, cuando Tina le enseñó el trabajo terminado, le dijo algo así como: «¿Estás viviendo tu segunda adolescencia?». Tina se echó a llorar y, aunque él la invitó a cenar a su restaurante preferido y le compró un collar caro, no consiguió animarla.

A sus comentarios posteriores sobre que la habitación había quedado muy bien, Tina contestó «no lo dices en serio» y «me has ofendido». Visto con perspectiva, quizá era cierto que no hacían muy buena pareja. Curiosamente, mientras le enseñaba a Leopold el antiguo refugio de su ex, Jonathan tuvo que admitir que el cuarto de invitados era muy bonito y acogedor. No se ajustaba a su gusto, pero era confortable.

–¡Oh! –exclamó Leopold–. ¡Laura Ashley está viva!

–¿Quién? –preguntó Jonathan.

–Laura Ashley –repitió Leopold–. ¿No sabes quién es?

–No había oído nunca ese nombre. ¿Quién es?

–La que inventó este estilo, inspirado en las casas de la nobleza rural inglesa y esas cosas.

–¡Cuánto sabes!

–No te lo imaginabas, ¿verdad? –Leopold sonrió satisfecho–. Quizá te sorprenda, pero no nací en un contenedor de papel.

–¿Eh? ¡Pues claro que no! –Jonathan estuvo a punto de volver a sonrojarse; en tan solo unos minutos, Leopold había dado en el clavo por segunda vez–. Póngase cómodo –dijo, para cambiar de tema, y volvió a tratarlo de usted por despiste–. Ponte –se corrigió enseguida–. Quería decir que te pongas cómodo.

–Ya lo sé.

–Mmm, sí... –Jonathan volvió la cabeza, indeciso. Luego enderezó los hombros y añadió–: Ven, te enseñaré un momento la cocina.

Regresaron al vestíbulo y desde allí fueron a la amplia cocina con muebles de la marca Bulthaup. Jonathan le explicó a su invitado dónde encontraría los platos, los cubiertos y los vasos, y una caja con botellas de agua mineral; y le dijo que los zumos y la leche estaban en el frigorífico, igual que la mantequilla, el embutido y los quesos.

–Sírvete tú mismo –dijo, mientras abría la cesta del pan, que estaba en la encimera.

–¡Eres muy, muy amable y generoso!

–Faltaría plus –contestó Jonathan, y los dos se echaron a reír.

Se rompió el hielo.

Un segundo después volvió a formarse.

–Bueno –Jonathan dio una palmada–, espero que te sientas como en casa. Yo me voy arriba. Nos vemos mañana.

Leopold puso cara de perplejidad.

–¿Vas a dejarme aquí solo?

–Sí, ¿no? –replicó Jonathan, que se detuvo y le dirigió una mirada interrogativa–. ¿Necesitas algo más?

–No, no es eso... Pero creía que... Bueno, contaba con que pasaríamos un rato juntos.

–¿Que pasaríamos un rato juntos? –repitió Jonathan.

Leopold carraspeó.

–Dicho así, suena raro. Pero yo pensaba que podríamos cocinar alguna cosa juntos, charlar un rato y... No sé, me apetecía una noche de hombres. No suele ocurrir que... –En su cara se reflejó la misma expresión de timidez que antes; meneó ligeramente la cabeza y bajó la mirada–. Nada, olvídalo –murmuró–. Ya he tenido mucho morro autoinvitándome –añadió, y se dirigió a la puerta de la cocina–. Voy a darme una ducha, ¿de acuerdo?

Jonathan le puso una mano en el hombro y lo detuvo.

–Una noche de hombres suena bien.

Leopold se dio la vuelta.

–¿Sí?

–Pero tendrás que cocinar tú. Yo solo sé hacer huevos fritos con jamón.

–¿Y para qué quieres una cocina con seis fogones? –preguntó su invitado, y señaló con la cabeza la isla que se alzaba en el centro–. ¿Y ocho cazuelas de acero inoxidable y cuatro sartenes? –añadió, esta vez señalando la batería de cocina profesional que colgaba de una rejilla.

Jonathan se encogió de hombros.

–Ni idea –admitió–. Pero queda bien, ¿no? ¡Y no se pueden hacer huevos fritos en la palma de la mano!

–¡Qué pena!

–¿Que no se puedan freír huevos en la palma de la mano?

–No –Leopold se rio–, que una cocina como esta malgaste su existencia con alguien que no la aprecia.

Jonathan N. Grief abrió los brazos en un gesto hospitalario que abarcaba todo el espacio.

–Lo dicho, ¡estás en tu casa! *A minha casa é tua casa.*

–¿Hablas italiano?

–Es portugués –contestó Jonathan.

No, no hablaba italiano. Y eso también era una pena.

26

Hannah

Catorce días antes
20 de diciembre, miércoles, 01.01 horas

—Era la oveja negra de la profesión. Muy poco serio.

Hannah escuchaba con interés lo que Lisa le contaba sobre sus experiencias en el mundo de los adivinos. Le costaba creer que su amiga iba desde hacía años a que le echaran las cartas una vez cada dos o tres semanas, y también que no lo hubiera mencionado nunca.

Y se sintió un pelín decepcionada y ofendida: ella creía que eran amigas íntimas y esperaba que se lo contara todo. Intentó ahuyentar de sus pensamientos esa «traición», que no era tal, y limitarse a escucharla. Al fin y al cabo, todo el mundo tenía derecho a guardarse algún secreto, también Lisa.

–Tendría que haberme dado cuenta enseguida –dijo su amiga, siguiendo con el relato de su visita al autodenominado «consejero» que pretendía darle a conocer la fecha de su muerte sin que se la hubiera preguntado–. Porque, a ver, ¿qué se puede esperar de alguien que se hace llamar «Míster Magia»?

–¿Míster Magia? –A Hannah le entró la risa y le dio un ataque de tos–. ¿Lo dices en serio?

–Yo no –contestó Lisa–. Él.

–¿Y cómo lo encontraste?

Lisa se encogió de hombros.

–En internet –respondió–. A pesar de ese nombre tan tonto, su web tenía muy buena pinta. Y quise probarlo.

–Ese es el problema de la red. Lo mismo pasa con las webs de citas. Cuando tienes la primera cita, resulta que los hombres más guapos son en realidad unos niños mimados barrigudos, que ya han cumplido los cuarenta y siguen viviendo en la habitación que tenían de adolescentes.

Lisa se rio.

–¡Tienes experiencia!

Hannah hizo un gesto de negación con la mano.

–Es lo que dice la gente, yo nunca he entrado en esas webs.

–¡Siempre es mejor una afirmación contundente que una prueba débil!

–Exacto –corroboró Hannah–. Pero ¡cuéntame más cosas! ¿Cómo reaccionaste con el adivino?

–¿Cómo va a ser? Me levanté y me fui.

–Yo habría hecho lo mismo.

–Antes afirmabas lo contrario; decías que te gustaría saberlo.

Hannah puso los ojos en blanco.

–Sí, ya. Pero no por boca de un adivino. Además, no creo que nadie pueda predecir el día de tu muerte.

–Yo tampoco –replicó Lisa–. De todas formas, si alguien te dice que puede adivinar cuándo morirás... te entra el canguelo.

–Si ese alguien se llama Míster Magia, a mí me entraría un ataque de risa.

–Tú no estabas allí –refunfuñó Lisa.

–Cierto. Yo nunca habría ido a ver a alguien con ese nombre.

–Es muy fácil juzgar a posteriori. Y hay muchos que no son como Míster Magia.

–Eso espero.

–Lo digo en serio –se acaloró su amiga–. Ha habido sesiones que me han ayudado mucho.

–¿A qué? –Hannah no pudo evitar poner cara de escepticismo.

–A tomar decisiones, por ejemplo.

–¡Dime una!

Lisa se quedó pensativa un momento.

–Por ejemplo, cuando nos planteábamos montar La Pandilla y trabajar como autónomas...

–¿Le pediste consejo a un adivino para decidir si dábamos ese paso? –la interrumpió Hannah.

–No son adivinos, son consejeros –le aclaró Lisa, y torció el gesto–. Además, era una mujer.

–Ah, claro, eso lo cambia todo.

Lisa suspiró, crispada.

–¡Olvídalo! No voy a contarte nada más, estoy haciendo el tonto.

–¡No, por favor! ¡La historia promete!

–No me apetece –dijo Lisa.

–¡Por favor! –insistió Hannah.

–No.

–¡Porfa, porfa, porfa! Así me distraigo y dejo de pensar en Simon.

–¡Eso ha sido un golpe bajo! Ahora no puedo decirte que no. –Cruzó los brazos delante del pecho y le dedicó una mirada cargada de reproches a su amiga.

–¡Va! –le rogó Hannah–. Tendré la boca cerrada.

–No aguantarás.

Hannah se cerró la boca con una llave imaginaria, la tiró al aire y exclamó:

–¡Mmmm!

–De acuerdo –replicó Lisa en tono indulgente–. Como es normal, la decisión no se basó exclusivamente en lo que decían las cartas. La sesión solo reforzó mi convicción de que hacíamos lo correcto, porque todas las señales apuntaban al éxito.

–*Mues m'legro* –farfulló Hannah con los labios apretados, y se ganó otra mirada severa de su amiga.

–La verdad es que –siguió Lisa– tú misma te das las respuestas. En realidad ya las conoces, pero no las ves, y las cartas te ayudan a descubrirlas, ¿comprendes?

Hannah asintió.

–Pongamos otro ejemplo. –Por lo visto, Lisa volvía a estar parlanchina–. Sé que tú y Simon os preguntáis cuándo voy a buscar novio de una vez. Pero, si te soy sincera, durante todo este tiempo no quería tener pareja porque, en el fondo, sabía que no era el momento adecuado. Desde la última relación, siempre tenía cosas más importantes que hacer.

Hannah escuchaba con atención.

–Ajá –concluyó–, lo has dicho en pasado. ¿Ha cambiado algo?

–No puedes hablar, pero sí.

–¿Sí? ¿Has conocido a alguien?

–Todavía no, pero pronto.

–¿Pronto?

–Estos últimos años, me gustaba estar sola –contestó Lisa–. No echaba en falta nada, disfrutaba haciendo lo que quería. Y eso era justamente lo que señalaban las cartas: que las cosas estaban bien como estaban. –Hizo una breve pausa para reflexionar–. Pero desde hace unas semanas, desde que abrimos La Pandilla... ¿Cómo te lo diría? Me siento tan llena y tan feliz que a menudo pienso que sería fantástico tener a alguien a mi lado para compartir esa alegría.

–¿De verdad? –Hannah se emocionó y le estrechó la mano a su amiga–. ¡No sabes qué alivio me da oírte decir eso! A veces me preocupo un poco pensando si hice bien al convencerte para que dejaras tu trabajo. Las cosas aún pueden torcerse.

–¡Claro que sí! –Lisa asintió con vehemencia–. Si llego a saber que iría tan bien, ¡lo habría intentado mucho antes!

–Lo dicho, ¡qué alivio! –Hannah sonrió–. Y ahora que sé que contamos con el respaldo de una tarotista, ya no hace falta que me siga preocupando. Si al final nos arruinamos, le endosaré a ella las deudas..., porque tendría que haberlo visto en su bola de cristal.

–Cartas –la corrigió Lisa–. Sarasvati tira las cartas, no tiene nada que ver con bolas de cristal.

–¿Sarasvati?

–¡Huy! –exclamó Lisa–. ¡Se me ha escapado!

–¡Ahora ya lo has dicho! –constató alegremente Hannah–. Pero Sarasvati suena todavía más absurdo que Míster Magia.

–¡Es fantástica! –Lisa salió en su defensa–. Y hasta ahora ha acertado en todas sus predicciones.

–¡Pues pídele los números de la lotería!

–¡No digas tonterías! –Lisa parecía realmente ofendida.

–Perdona, no quería molestarte –se retractó Hannah–. ¡Cuéntame más cosas! Esa tal Sarasvati ¿cree que pronto encontrarás al hombre de tu vida?

–Ella no ha dicho nada del «hombre de mi vida». Pero cuando fui a verla, hará dos semanas, me explicó que el año que viene conoceré a alguien que será importante en mi vida.

–«Conocer a alguien» es una afirmación muy vaga.

–Según ella, era un tema de pareja.

–A lo mejor se refería a mí. Al fin y al cabo, tú y yo formamos una pareja profesional.

–En primer lugar, a ti hace tiempo que te conozco. O sea que quedas excluida –contestó Lisa–. Y, en segundo lugar, en las cartas aparecía un hombre.

–Vale. –Hannah le guiñó un ojo–. Yo no soy un hombre.

–Exacto. Aunque a menudo te comportas como si lo fueras.

–¡Muchas gracias!

–Era un cumplido.

–Y mi agradeciimiento era sincero.

Se echaron a reír las dos, pero Hannah enseguida se puso seria.

–Y, dejando a un lado que, por lo visto, tienes buenas cartas en lo que respecta a La Pandilla y a tu media naranja, dime, ¿qué hacemos con Simon?

–No lo sé –reconoció Lisa–. Supongo que esperar.

–Eso me cuesta. Yo lo llevaría a rastras al hospital para que le hicieran más pruebas.

–No puedes obligarlo. Tiene que salir de él.

–Ya lo sé. Pero si pudiera convencerlo de que no puede perder las ganas de vivir, que no es verdad que solo le queda un año de vida y que no tiene que obsesionarse pensando lo peor.

–¿Y cómo piensas convencerlo? Sinceramente, tú tampoco lo sabes.

–¡Claro que lo sé! –replicó Hannah–. Estoy segura.

–¿Y de dónde te viene esa seguridad?

–Ni idea, pero lo sé. Es imposible que Simon muera pronto. ¡No lo permitiré!

Las lágrimas volvieron a asomarle a los ojos porque sabía que acababa de presentar un argumento infantil, que lo suyo no eran más que fantasías, un intento desesperado de taparse los oídos para no tener que oír lo que no quería.

Lisa la miró con tristeza.

–A veces ocurren cosas tan terribles que nos negamos a creerlas, pero eso no quita que sean verdad.

–Sí –dijo Hannah con voz queda y sollozando–. Por desgracia, así son a veces las cosas.

Siguieron allí sentadas, dos amigas que no sabían qué más podían decir. Lisa volvió a acariciarle el pelo a Hannah, como si la consolara porque se había roto un hueso. Y la herida era grave, profunda. Tanto que quizá no se le curaría nunca.

–Creo que tengo una idea –dijo al final Lisa, rompiendo el silencio.

–¿Sí?

–Podríamos enviar a Simon a casa de Sarasvati para que le eche las cartas.

Hannah se incorporó y la miró con cara de duda.

–No me convence. En primer lugar porque Simon nunca aceptaría, seguramente diría que eso son «patrañas»... Y, en segundo lugar, no sabemos lo que enseñarían las cartas. ¿Y si le sale que no tiene ninguna posibilidad?

Lisa negó con un gesto de la cabeza.

–Sarasvati no hace esas cosas, no es Míster Magia. Ella solo enseña a sus clientes caminos que les ayudan a descubrir sus propias posibilidades.

–Ni por esas. Simon no aceptará, de eso estoy segura. –Hannah casi se echó a reír–. ¡Ya me lo imagino! Voy a verlo y le comento: «Sé que crees que vas a morir pronto, pero tengo la dirección de una tarotista fantástica y deberías hacerle una visita». ¡Diría que me falta un tornillo!

–Solo era una idea. –Lisa suspiró–. No se me ocurre cómo podemos ayudarle.

–Bueno, no importa. A mí me ayudas mucho con tu compañía, así no tengo que pasar la noche sola.

–¡Qué menos! –Lisa sonrió, se inclinó hacia ella y le dio un beso en la mejilla–. Y estoy segura de que encontraremos una solución juntas. –Bostezó con ganas y se acurrucó en el sofá–. Ahora no sé cómo, pero mañana lo veremos todo un poco más claro.

–Eso espero.

Hannah apoyó la cabeza en el hombro de su amiga y cerró los ojos. Aunque ella también estaba reventada, no paraba de calentarse la cabeza. ¡Ojalá se le ocurriera algo para sacar a Simon del agujero! Alguna cosa para insuflarle ganas de vivir. Para convencerlo de que no moriría durante el próximo año, eso segurísimo.

Pero ¿una sesión con la tarotista de Lisa? No, eso eran tonterías y no llevaban a ninguna parte.

Oyó la respiración profunda de Lisa y supo que se había dormido. Ojalá ella también pudiera evadirse y librarse de las cavilaciones al menos unas horas. Pero no había nada que hacer; a pesar del agotamiento, no conseguía relajarse. Después de intentarlo unos minutos, se quitó la manta de encima y se levantó con cuidado para no despertar a su amiga.

Miró ensimismada a Lisa. Estaba realmente contenta de tenerla como amiga. No solo porque hubieran montado con éxito un negocio propio, sino, sobre todo, porque sin ella no habría sabido cómo superar aquella noche.

Hannah se fue a su cuarto, se sentó en la cama y cogió el móvil de la mesita de noche. Normalmente, lo desconectaba para dormir, igual que el fijo, pero en esta ocasión había prescindido de esa costumbre por si llamaba Simon. Un vistazo a la pantalla le reveló que no lo había hecho, aunque tampoco contaba con ello.

No obstante, lo esperaba. Lo deseaba. Suspiraba por que le hubiera enviado un mensaje antes de dormirse, unas breves palabras: «Te quiero y pienso en ti». O un simple: «No te preocupes, estoy bien». Algo, cualquier cosa.

Entró en internet desde el móvil. La tentación de informarse sobre el cáncer linfático era inmensa, pero la resistió. No quería correr el riesgo de que el doctor Google la volviese loca como a Simon. No, ella mantendría la calma y no se dejaría arrastrar a una espiral de especulaciones sobre la muerte, planteadas por gente que había obtenido sus conocimientos médicos en el escaparate de una farmacia.

En lugar de eso, Hannah buscó sugerencias relacionadas con las ganas de vivir, el optimismo y la esperanza. Historias que demostraran que siempre había una salida, incluso en las situaciones más desesperadas.

Mientras leía y leía, su mente se concentraba en una única cuestión: ¿cómo consigo que Simon encare el año con total confianza a pesar de su enfermedad? ¿Cómo puedo convencerlo de que depende de él la forma en que se perfilen los próximos doce meses? Y de que no puede perder la esperanza. Y de que tiene que saborear y disfrutar a tope cada día, cada hora, incluso cada minuto. Porque no importaba cuánto tiempo se vivía, lo que contaba siempre era el aquí y el ahora, el momento presente.

La pantalla del móvil marcaba las 06.23 horas cuando a Hannah se le ocurrió la solución. Soltó un grito de alegría tan fuerte que al instante se oyó un batacazo en la salita. Lisa se había caído del sofá.

Al cabo de un instante, su amiga estaba en la puerta del dormitorio y la miraba con cara de susto.

–Por el amor de Dios, ¿qué te ha pasado?

–Nada –replicó Hannah, y se rio–. Se me acaba de ocurrir una idea genial.

–¿Qué idea? –Lisa se sentó a su lado en la cama y la miró con curiosidad.

–En realidad, es muy sencilla.

–¡Explícamela!

–Tú y yo somos expertas en organizar actividades, ¿no?

–Bueno, quizá eso es un poco exagerado.

–Pues exageremos. En cualquier caso, nos ocupamos todos los días de que nuestros pequeños se lo pasen bien.

–Me temo que no te sigo.
–Es muy simple: ¡lo que Simon necesita es pasárselo bien!
–¿Pasárselo bien?
Hannah asintió.
–¡Exacto!
–Ajá. –En la cara de Lisa se dibujaron mil interrogantes.
–Estoy convencidísima –prosiguió Hannah– de que Simon está realmente sumido en una depresión. La muerte de su madre, perder el trabajo... Se ha hundido en una crisis existencial y no sabe cómo salir.
–Te olvidas de que acaba de enterarse de que está muy enfermo.
–No, no me olvido, ya volveremos a ese tema luego. ¿Puedo seguir hablando?
–Sí, claro, ¡perdona!
–Bueno, he pensado cómo podría conseguir que Simon disfrutase más de la vida. Y la respuesta es evidente: tiene que vivir con más intensidad, ¡eso es todo! Tiene que ser más activo.
–¿Y cómo va a conseguirlo? –intervino Lisa–. Si no lo he entendido mal, está planeando su propio entierro. No creo que sea el mejor momento para exigirle que recupere las ganas de vivir.
–¡Error! –replicó Hannah.
–¿Error?
–¡Es el mejor momento! ¿Qué momento puede ser más pertinente que aquel en que tomas conciencia de tu propia condición mortal, el momento en que todo te recuerda con la máxima claridad que nuestra existencia es efímera?
–¿Tú crees?
Hannah asintió con vehemencia.
–¡Absolutamente!
–¿Y en qué consiste tu plan?
–¡Voy a escribirle una agenda!
–¿Una agenda?
–¡Sí! –Hannah volvió a asentir–. Hoy mismo me pondré a planear el año que viene para Simon, pensaré «citas» y actividades adecuadas para él.

—¿Vas a dictarle lo que tiene que hacer el año que viene?

—¿Dictarle? No, serán sugerencias. Trescientas sesenta y cinco ideas, ¡una para cada día del año! —A Hannah casi le falló la voz de la emoción—. Le dejaré huellas en el futuro.

—¿Huellas en el futuro?

—Sí —le confirmó Hannah.

—No lo entiendo.

—Se trata de un principio muy simple. Si dejas huellas en el futuro, te comportas como si lo que deseas ya fuera realidad.

—Sigo sin entenderlo —admitió Lisa.

—Un ejemplo práctico: tú usas la talla 40, pero te gustaría tener una talla menos y te compras unos pantalones de la 38. Pues bien, al comprarte una cosa que te irá bien más adelante, pones una huella en el futuro.

—Ajá.

—¡Es realmente muy simple! Nuestra energía se concentra en las cosas en las que ponemos nuestra atención —dijo, para explicarle a Lisa una teoría de la que estaba firmemente convencida—. Si nuestros pensamientos se centran en lo que queremos, la probabilidad de conseguirlo es mucho mayor que si no paramos de amargarnos por lo que no queremos, puesto que entonces centramos toda nuestra atención en lo que nos gustaría evitar.

—Perdona, no sé si te he entendido bien, pero, según esa lógica, no tendríamos que circular con el cinturón de seguridad puesto.

—Ahora soy yo la que no te entiende.

—Está muy claro: si me pongo el cinturón, pongo en el futuro la huella de que puedo tener un accidente.

—No funciona así —replicó Hannah, un poco alterada—. Poner una huella en el futuro no significa perder el juicio y saltar desde un tejado porque uno crea que puede volar.

—Lástima.

—¡Serás tonta!

—¡De remate!

Hannah se rio.

–Para ser una persona que basa sus decisiones en los pronósticos de una adivina, ¡te veo muy crítica!

–Consejera –la corrigió Lisa–. Además, solo intento adoptar la perspectiva de Simon, y de ese modo te obligo a enfrentarte a sus posibles reacciones. A mí, personalmente, me parece fenomenal esa agenda. Pero, por desgracia, no se trata de lo que yo opine.

–No me importa lo que diga, ¡pienso hacerlo de todas maneras! Simon cree que no le quedan ni doce meses de vida, y yo le organizaré todo el año que viene, pondré huellas en el futuro para que vea por escrito todo lo que le toca hacer. ¡No podrá morirse porque la agenda no le dejará tiempo! –exclamó con entusiasmo.

–No quiero desanimarte –dijo Lisa, actuando de nuevo como abogada del diablo–, pero ¿crees de verdad que Simon estará abierto a ese tipo de propuestas?

–Te lo acabo de decir, es el momento más adecuado.

–Lo que has dicho de la existencia efímera está muy bien y tiene su lógica, pero entre la teoría y la práctica hay una gran diferencia. Además, cada persona es distinta. Hay quien se entera de que pronto estirará la pata y... –se interrumpió y, tímidamente, añadió–: Perdona.

–No te preocupes, ¡continúa hablando!

–Bueno, hay personas que se enteran de que pronto se irán al otro barrio y aprovechan para explorar lo que aún no conocen de este barrio, como harías tú. Y otras se aíslan.

Hannah no contestó, solo la miraba fijamente.

–¿He dicho algo malo?

–No –contestó Hannah, pensativa y con el ceño fruncido. De pronto, miró radiante a Lisa–. ¡Al contrario! –exclamó–. ¡Has hecho un comentario magnífico!

–¿Ah, sí?

–¡Sí! Una lista de cosas para explorar en este barrio, ¡eso va a ser la agenda!

–¿Una lista de qué?

–¿Has visto la película *Ahora o nunca?*

–No, ¿por qué?

–Deberías, ¡es muy buena! Trata de dos enfermos terminales de cáncer...

–Ah, muy bien, sobre todo en esta situación.

–¡Eso no importa ahora! El caso es que se hacen amigos y empiezan a escribir una lista de cosas que quieren hacer antes de...

–... irse al otro barrio. –Lisa completó la frase.

–Exacto.

–¿Y cómo acaba?

Hannah se retorció ligeramente.

–Bueno, al final mueren los dos. Pero después de lograr hacer realidad todos los puntos de su lista.

Entonces fue Lisa la que se quedó mirando fijamente a su amiga.

–¡Genial! ¡Así se van a la tumba totalmente satisfechos!

–Tendrías que ver la película, entonces entenderías a qué me refiero.

–Te entiendo muy bien –replicó Lisa–. Quieres obligar a Simon a escribir una lista de deseos. Decirle algo así como: «Anota cosas que quieras hacer antes de irte al otro barrio. Tú crees que solo te quedan meses o quizá semanas, pero eso no quita que no podamos ir un día al parque de atracciones de Soltau. Y, si tenemos suerte, eso te mantendrá tan ocupado que no pensarás en la muerte». Ahora, en serio, no querías decirle que fuera a ver a una tarotista porque te daba miedo que te mandara a freír espárragos, ¡y crees que esa lista será todo un éxito!

Hannah la miró con tristeza.

–No le diré qué clase de lista es. Además, no la escribirá él, lo haré yo. Para eso servirá la agenda, yo le daré la lista hecha.

–¿Y qué pondrás? Además de la excursión al parque de atracciones, claro.

–Todavía no lo sé –admitió Hannah–. La idea se me acaba de ocurrir, ahora tengo que pensar con calma. –Se retorció las manos–. Cosas agradables que podamos hacer juntos. Ir al mar, por ejemplo. O pasear descalzos por un prado lleno de flores, salir a bailar hasta las cinco de la madrugada...

–Teniendo en cuenta el estado en que se encuentra Simon, no te lo aconsejo –objetó Lisa–. Lo siento –añadió rápidamente al ver la cara que ponía su amiga–. Esa es mi opinión.

–En la agenda cabe de todo, no hace falta que sean actividades de fábula –continuó fantaseando Hannah–. Esas pequeñas cosas que te hacen sentir bien. O unas cuantas frases de consuelo; no tengo ni idea –dijo, y se quedó pensativa un momento–. Por ejemplo, podría señalarle una fecha exacta para que empiece de una vez a escribir una novela.

–Quizá sería una obra morbosa. Además de inacabada.

–¡Lisa!

–Lo siento –repitió, y bajó la vista–. Yo solo quiero que no te lleves una decepción –murmuró.

Hannah suspiró.

–Peor que ahora, imposible. Tengo que intentarlo. Y, si Simon realmente cree que morirá el año que viene, ¿qué puede perder con lo que le propongo?

–En realidad, nada.

–Tú lo has dicho. Si le pido que lo haga por mí o que, al menos, lo intente, quizá lo haga, ¿no? Simplemente porque todavía me quiere un poco y le importo.

–Podría funcionar –admitió Lisa.

–Eso espero.

–Pero ¿qué pasa con su enfermedad? No puede ignorarla, tiene que ir a ver a un especialista o volver al hospital.

–No lo sé. Espero transmitirle suficiente energía para que decida luchar y busque ayuda. –Hannah sonrió con tristeza–. Y si al final tiene razón con sus pronósticos sombríos y realmente le queda poco tiempo, ¡al menos que sea el mejor tiempo de su vida! –Hannah tragó saliva con dificultad y, sin poder evitarlo, se echó a llorar de nuevo–. ¡Mierda! –exclamó, y empezó a dar manotazos encima de la colcha–. Si realmente va a ser su último año, ¡quiero que sea un año perfecto para él!

Lisa le pasó un brazo por los hombros.

–Te saldrás con la tuya –dijo en voz baja–. Y yo te ayudaré.

27

Jonathan

3 de enero, miércoles, 18.32 horas

Veinte minutos después, los dos hombres estaban sentados a la mesa larga del comedor, con un plato de huevos revueltos con jamón cada uno. No porque Jonathan no supiera cocinar otra cosa, sino porque no tenía otros ingredientes en casa.

Se ofreció a ir al supermercado a comprar lo que Leopold le apuntara en una lista, pero su nuevo conocido rechazó la oferta diciendo que le bastaba con cenar algo caliente.

Luego se disculpó para ir a darse una ducha rápida, y al cabo de un cuarto de hora volvió a la cocina con el albornoz de flores que había en el cuarto de baño de Tina. Silbando alegremente, sacó un cartón de huevos del frigorífico y puso manos a la obra.

En cuanto a ingredientes, el resultado no difería mucho de los huevos fritos que preparaba Jonathan, pero la diferencia de sabor era abismal. Mientras cocinaba, Leopold echó mano del cajón de las especias y preparó una mezcla que consiguió que aquellos huevos revueltos fueran los mejores que Jonathan había probado en la vida, y no exageraba.

–¡Riquísimos! –elogió.

–Me alegro.

–¿Dónde aprendiste a hacerlos?

Leopold sonrió.

–No es un plato de alta cocina.

–Como si lo fuera –se reafirmó Jonathan–. Están deliciosos.

–Cuando tienes que apretarte el cinturón, aprendes a hacer lo máximo con lo mínimo.

–Entiendo.

–Además, soy cocinero profesional.

–Eso lo explica todo.

–Toma. –Leopold le acercó una cestita con rebanadas de pan integral–. Coge una, con pan todavía están más ricos.

–No, gracias –replicó Jonathan–. No como carbohidratos después de las seis de la tarde.

Leopold estuvo a punto de atragantarse con la comida.

–¿Hablas en serio? –preguntó con voz cavernosa, y se llevó la servilleta a los labios.

–¡Completamente! Los alimentos con almidón en la cena son un auténtico veneno para el organismo.

–¿Quién lo dice?

Jonathan se encogió de hombros.

–Es la opinión general.

–¿De quién?

–Ni idea –tuvo que admitir Jonathan–. Lo leí en algún sitio y me pareció convincente.

–Ya. –Leopold cogió una rebanada de pan y le dio un mordisco con apetito–. ¡Por la opinión general! –dijo con la boca llena.

–Pero ¡tengo una cosa que sienta de maravilla a estas horas! –Jonathan se levantó, salió del comedor, fue a la cocina y volvió con una botella de vino tinto y dos copas–. Un burdeos, un vino excelente para ocasiones especiales –dijo, mientras se sentaba. Le acercó una copa y se dispuso a descorchar la botella.

–Me siento muy honrado –replicó Leopold, aunque un poco triste–. Pero me temo que ahora seré yo el aguafiestas. No bebo alcohol.

Jonathan dejó quieto el sacacorchos.

–Pero ¡si solo es vino!

–Lo siento, soy totalmente abstemio. Tampoco bebo vino.

–Oh.

Jonathan lo miró desconcertado, indeciso, no sabía si abrir la botella. Al mismo tiempo se dio cuenta de lo mucho que lo sorprendía que un sin techo no bebiera: tópico arriba, tópico abajo, estaba convencidísimo de que todas las personas que vivían en la calle empinaban el codo para hacer más llevadera su existencia. ¡Y más todavía un cocinero! Él creía que todos vivían pegados a la botella. Un chorrito de vino en la salsa y el resto, para adentro.

–¿Desde siempre? –preguntó.

Leopold se rio.

–No, no desde siempre. Al contrario, antes bebía mucho. Demasiado. Por eso mismo ahora no toco el alcohol.

–Ajá. –Jonathan seguía con el abridor clavado en el corcho, sin saber qué hacer con las manos. Ni con la botella.

–Por favor –dijo Leopold–, disfruta de una buena copa. A mí no me molesta.

–¿Seguro?

–Segurísimo. –Leopold sonrió–. Si fuera incapaz de resistir que los demás bebieran en mi presencia, tendría que emigrar a una isla desierta. Y aún me encontraría a un náufrago con una petaca. O sea que ¡adelante!

Se oyó un sonoro «plop» cuando el corcho salió del cuello de la botella. Jonathan se sirvió un trago, agitó un poco la copa y se la llevó a los labios.

Evitó cualquier comentario de entusiasmo; bebiendo delante de un alcohólico se sentía como un criminal. De haberlo sabido, se habría conformado con el agua que había servido antes en los vasos.

–No hace mucho que la dejé atrás –dijo Leopold, que se recostó en la silla.

–¿A qué te refieres?

–A la bebida.

–¿Ah, sí?

Leopold asintió.

–Hace seis semanas, fui a parar otra vez al hospital. Esa noche me quedé tirado en la entrada de un salón recreativo, en la calle Reeperbahn, y la Policía me recogió. Cuando me desperté en la planta de desintoxicación, tenía una tasa de 3,2 grados de alcoholemia.

–¿3,2 grados? –Jonathan estuvo a punto de exclamar una palabra de admiración, pero consiguió reprimirse a tiempo.

–Sí. –Leopold parecía arrepentido, pero también un poco desafiante–. Al cabo de una semana, tenía otra vez la cabeza muy clara y me juré que esa sería la última vez que me ingresaban y que volvería a tomar las riendas de mi vida.

–Pero todavía sigues en la calle, ¿no?

–¿Qué significa «todavía»? Las cosas no son tan fáciles –dijo Leopold–. Acabo de empezar.

–¿No tiene derecho todo el mundo a un subsidio? –Jonathan no estaba muy al tanto de las ayudas sociales, ¿por qué iba a estarlo?, pero le sonaba que, en ese país, nadie estaba obligado a vivir en la calle si no quería.

–Para hablar de ese tema necesitaría un trago –afirmó Leopold, que inmediatamente hizo un gesto con la mano para dejar claro que bromeaba–. Es bastante complicado. Al vivir en la calle entras en un círculo vicioso y no es fácil romperlo; hace falta tiempo. Y perseverancia.

–¿Puedo...? –Jonathan tuvo que poner el freno para no completar la frase con «ayudarte». Disfrutaba de la compañía de Leopold, pero no podía dejarse llevar por un arrebato emocional espontáneo y acogerlo para siempre en su casa. Así pues, formuló torpemente otra pregunta–: ¿Puedo saber más cosas de tu historia?

–Uf, no –contestó Leopold, reforzando la negativa con otro gesto de la mano–. No es demasiado emocionante. Mejor háblame de ti. Hasta ahora, no me has contado nada. Solo sé que tienes una casa fantástica, con una cocina fantástica que no usas. Y que tiras documentos importantes a la basura.

–No hay mucho más que explicar.

–No te creo.

–Pero es verdad.

–¡Demuéstralo!

–De acuerdo. –Jonathan bebió un trago de vino–. Soy el único descendiente de una dinastía de editores de Hamburgo. Por lo tanto, la mayor parte de mi fortuna no me la he ganado trabajando, sino que la he heredado. Mi padre es un déspota, pero ahora sufre demencia senil y se le ha suavizado el carácter; y a mi madre hace treinta años que no la veo. Estoy divorciado, no tengo hijos y ocupo la mayor parte de mi tiempo en leer, pasear y hacer deporte. Eso es todo.

–¿Algún hobby?

–Corro todos los días y leo mucho.

–¿Y nada más?

–¿Cómo que nada más?

–¿Qué haces en tu tiempo libre? Es evidente que tienes mucho.

–¿Y qué quieres que haga?

–Ni idea –contestó Leopold–. Lo que hace la gente que tiene todas las puertas abiertas. Viajar, por ejemplo. O gestionar proyectos benéficos. Navegar a vela, jugar al polo o al golf; lo que hace la gente como tú.

–La editorial tiene una fundación para promocionar a autores jóvenes, pero de eso se ocupan los empleados. Los caballos me dan miedo, la vela me aburre y el golf también. Y, desde que me dejó mi mujer, no me apetece viajar. Me gusta estar en casa, de verdad.

Leopold lo miró con cara inexpresiva. Luego, por segunda vez en ese día y con un retintín evidente, dijo:

–¡Guau!

–Ya te he dicho que no había mucho que explicar –se defendió Jonathan.

–Cierto –admitió Leopold–. Pero ¿tan poco?

–La mayoría de la gente no vive como Indiana Jones.

–Ya, pero tiene que haber un punto medio entre eso y una vida sin sentido.

–¿Y qué sentido tiene vivir en un contenedor? –contraatacó Jonathan.

Leopold entornó los ojos; el ambiente relajado se transformó de golpe en hostil, y Jonathan supuso que su nuevo conocido pronto sería un exconocido; que se levantaría y se marcharía. Y, con un poco de mala suerte, antes quizá le arrearía una bofetada.

Sin embargo, no ocurrió nada de eso.

Leopold sonrió y levantó su vaso de agua:

–*Touché!*

–¡Salud! –replicó Jonathan, que también levantó su copa, y brindaron.

–Volvamos a lo nuestro –dijo Leopold después de beber un sorbo–. Me interesa muchísimo saber lo que buscabas con tanta urgencia en el contenedor del papel. No era una carta de amor, eso seguro –dijo, y le guiñó un ojo.

–Ah, eso... –Jonathan titubeó, pero decidió contárselo. Al fin y al cabo, Leopold le había confesado sus problemas con el alcohol; por lo tanto, era justo que él le diera algo a cambio de esa confidencia. Además, dudaba mucho de que tuvieran conocidos en común y pudiera hacer algo con la información. Y, aunque los tuvieran, la intuición le decía que el hombre que estaba sentado al otro lado de la mesa era un gran tipo. Castigado por la vida, pero decente–. Eran las cuentas actuales de la editorial y creo que no pintan muy bien. Por eso tenía miedo de que alguien las encontrara y las utilizara.

–¿Crees? –repitió Leopold–. ¿Solo «crees» que no pintan muy bien?

–No las he estudiado a fondo.

–Pero es tu empresa, ¿no?

–Sí, claro. –A Jonathan lo embargó una sensación de malestar; le habría gustado guardarse ese detalle, pero ya era demasiado tarde–. Pero de la gestión se ocupa el director ejecutivo. Yo... –se interrumpió.

–¿No tengo ni idea? –Leopold completó la frase.

–No mucha –admitió.

–¿No te interesa?

–Sí, claro, yo... –Jonathan buscó las palabras adecuadas–. No lo sé, la literatura me entusiasma... Es solo que... –Jonathan enmudeció y miró a Leopold con impotencia.

–¿No te atreves a llevar el negocio?

–¡Pues claro que me atrevo! –exclamó Jonathan, y bebió otro trago de vino.

Leopold se encogió de hombros.

–Bueno, pues si no es eso, solo queda la falta de interés.

–No es tan fácil.

–Sí que lo es –replicó su compañero de mesa–. Incluso muy fácil. Te diré una cosa: si algo he aprendido en la vida es que la gente tendría que dedicarse únicamente a las cosas que le apasionan. Todo lo demás es una chapuza, nadie debería actuar en contra de su corazón ni de sus convicciones. –Y, para prestar más fuerza a sus palabras, dio un manotazo en la mesa.

–Perdona –replicó Jonathan–, no quiero ofenderte, pero viendo adónde te ha conducido esa postura...

–¡Te equivocas! –lo interrumpió Leopold–. Si estoy en esta desagradable situación, es precisamente porque antes no mantenía esa postura. Nunca actuaba de acuerdo con mis convicciones, hacía cosas que me amargaban tanto la vida que empecé a beber. Y eso provocó que mi matrimonio fracasara, perdí a mi familia, me echaron del trabajo y acabé en la calle. Por desgracia, me he dado cuenta demasiado tarde, no lo comprendí hasta mi último ingreso en el hospital. Entonces se me cayó la venda de los ojos y supe que había ido por mal camino durante décadas.

–Ya –replicó Jonathan con cinismo–. Y como tú viste la luz hace seis semanas, ahora vas de apóstol por la vida, ¿no?

Leopold negó con la cabeza.

–No, en absoluto. Pero te miro y pienso que daría lo que fuera por tener quince años menos y poder hacer las cosas de otra manera.

–Perdona –Jonathan carraspeó–, pero yo no estoy enganchado a la botella ni vivo en la calle.

–Tu matrimonio se ha ido al traste y acabas de decirme que las cuentas de tu editorial no son muy halagüeñas. Y un caserón como este no se mantiene solo.

–Ya, pero...

–A tu edad, yo también me tomaba una copa de buen vino de vez en cuando –prosiguió Leopold, sin hacerle caso– y había llegado a lo más alto.

–Trabajando de cocinero –replicó secamente Jonathan.

–No, ¡pedazo de alcornoque! –Leopold levantó la voz–. ¡Ojalá hubiera seguido trabajando de cocinero! Disfrutaba, era mi pasión. Pero quería más, nunca tenía bastante. Me apunté a la escuela nocturna para poder hacer la Selectividad, luego estudié empresariales y, con los años, ascendí desde el puesto de director de una cadena de restaurantes hasta miembro de la junta directiva de una multinacional del sector alimentario.

–No está mal –objetó Jonathan.

–¡Claro que no! –exclamó Leopold–. Era genial. Un buen sueldo, un buen coche de empresa con chofer incluido, una buena casa, un buen velero y muy buenos amigos de la alta sociedad. Y un buen ego. Y también unas buenas depresiones porque pasaba tantas horas en un trabajo que no me gustaba que ya no sabía quién era. Cuando todo se fue a pique, perdí a mi mujer y a mis hijos, y también a todos mis buenos amigos, y me quedé solo con la botella y un enorme montón de deudas. Es lo que hay.

–Oh –fue lo único que se le ocurrió comentar a Jonathan.

–Exacto, ¡oh! Y por eso te aconsejo que mires en tu interior y prestes atención a tus sentimientos. Si la editorial no es lo tuyo, véndela.

–¿Venderla? –Jonathan soltó una carcajada cáustica–. Imposible.

–¿Por qué?

–¡Porque es una empresa familiar con mucha tradición!

–Eso no es un motivo.

–Lo es.

–Si las tradiciones familiares son tu único motivo, deberías venderla mañana mismo.

Jonathan abrió la boca para replicar. Y volvió a cerrarla porque se había quedado sin palabras.

¿Quién era aquel hombre? ¿Qué hacía sentado a su mesa? De repente, le vino una idea a la cabeza: ¡no era una casualidad! Le pasaban cosas raras desde hacía dos días, ¡ahí había gato encerrado!

Tonterías, ¡claro que era una casualidad! Nadie podía prever que Henriette Jansen tiraría las cuentas al contenedor de papel y, como consecuencia, él se toparía con Leopold.

Sin embargo, era raro. Casi inquietante. O... ¿irreal? Sí, exacto, ¡como en un cuento! En los cuentos siempre aparece un viejecito que le señala el buen camino al héroe de la historia.

O el malo, según el caso.

–Lo siento –dijo Leopold, arrancando a Jonathan de sus pensamientos–. Me he pasado de vehemente, no tenía derecho a hablarte así.

–No importa –replicó Jonathan–. De todos modos, ha sido... interesante.

–No, en serio, me he excedido. No te conozco y no tengo ni idea de cómo es tu vida. Da la impresión de que te va muy bien, y yo no debería juzgar a los demás partiendo de mis experiencias.

–Cierto, nadie debería hacerlo nunca –replicó Jonathan, que inmediatamente pensó: «Tiene razón. Mi vida va. Pero nada más»–. ¿Sabes? –añadió–, anteayer me pasó una cosa curiosa.

–¿Más que encontrarte a alguien en un contenedor de papel?

–Digamos que curiosa de otra manera.

Jonathan le contó la historia de la agenda. Y su nuevo amigo la escuchó con atención.

Las tres y cuarto. ¡De la madrugada! Jonathan no recordaba cuándo fue la última vez que estuvo despierto hasta tan tarde, disfrutando de un buen vino en compañía y charlando. Ni si había habido alguna vez. Él no era trasnochador y, en su opinión, dormir era tan importante como comer y beber.

Sin embargo, después de hablarle a Leopold de la agenda, se la enseñó y empezaron a especular sobre de dónde podía haber salido y para quién la habían escrito. Leopold no creía que la teoría de la madre de Jonathan fuera muy acertada. También comentaron la visita a Sarasvati y para qué sería el dinero. Y, evidentemente, discutieron sobre lo que había que hacer con la Filofax. El nuevo amigo de Jonathan se mostró totalmente contrario a entregarla en la Oficina de Objetos Perdidos; en primer lugar, porque consideraba más que dudoso que eso sirviera para que el propietario la recuperara y, en segundo lugar, porque el asunto le parecía «demasiado fascinante» para concluirlo de una «manera tan simple».

–Cuando el destino te ofrece algo así, no puedes ignorarlo –dijo.

–¿Qué manía le ha dado a todo el mundo con hablar del destino? –replicó Jonathan.

–Esa pregunta también se merece una reflexión–contestó Leopold, sonriendo con aire de misterio.

Misterio, sí, o eso creyó Jonathan, aunque también podía ser a causa del vino, puesto que esa noche se había saltado la costumbre de tomar una copita de vez en cuando y casi había vaciado la botella.

Ahora, a las tres y cuarto de la madrugada, estaba en la cama. Le retumbaba la cabeza, no tanto por el vino como porque los pensamientos jugaban una alegre partida de ping-pong en su mente. No eran desagradables, solo inusuales. Cerró los ojos y suspiró. Habían ocurrido muchas cosas en los últimos días.

Estaba a punto de dormirse cuando recordó una cosa.

Se incorporó rápidamente, encendió la lámpara de la mesita y cogió de encima la Filofax. La abrió y buscó el bolígrafo que había puesto entre las hojas. Luego, escribió:

Doy las gracias por haber conocido a Leopold y por la agradable charla que hemos tenido.

Observó satisfecho el texto. ¡Por fin tenía algo por lo que dar las gracias de todo corazón! Y, aunque sonrió y en ese momento se le escapó un fuerte «hip», sus palabras no eran consecuencia del vino.

Se dispuso a cerrar la agenda, pero antes añadió:

Mañana le propondré que se quede en el cuarto de Tina. Si acepta, también estaré agradecido porque me gusta la idea de que viva en mi casa.

Jonathan N. Grief dejó la agenda en la mesita de noche, volvió a hipar, apagó la luz y se deslizó entre las sábanas.

«Será divertido», pensó antes de cerrar los ojos al fin.

Compartir casa con un amigo. ¿Por qué no?

28

Hannah

Cuatro días antes, 31 de diciembre, domingo,
23.59 horas y 59 segundos

Cuando los primeros cohetes estallaron en el cielo de Hamburgo, Hannah no supo qué decir. ¿«Feliz Año Nuevo»?

No, eso quedaba descartado.

Estaba en el pequeño balcón del apartamento de Simon, desde el que se veía el Alster. Los dos contemplaban juntos los fuegos artificiales con los que la gente celebraba la Nochevieja. Él la rodeaba por detrás con los brazos y le apoyaba la barbilla en la cabeza. Hannah deseó que pudieran quedarse así para siempre.

Pero sabía que era imposible. El plazo de gracia duraría unos minutos, en los que podría sumirse en la ilusión de que aquella Nochevieja era como muchas otras... Pero pronto entrarían en casa y entonces llegaría la hora de la verdad para los dos. Con la diferencia de que Simon no se esperaba nada y ella tenía mucho miedo. ¿Cómo reaccionaría a su regalo?

No habían vuelto a hablar de la enfermedad, ni siquiera la habían mencionado desde la cena en Da Riccardo. Hannah lo intentó una vez al día siguiente, pero él le pidió que no tocara el tema hasta que estuviera preparado para discutirlo.

Hannah aceptó, claro que aceptó. Le alegraba que no hubiera insistido en la insensata idea de la separación y no la excluyera completamente de su vida. Eso le bastaba de momento. Una parte de su ser incluso se sintió un poco aliviada: la parte que intentaba esconderse de la verdad, como un niño que mantiene los ojos cerrados para que los demás no puedan verlo.

Esa táctica se había visto coronada por el éxito y, los días siguientes, en los que tanto Simon como ella hicieron como si no pasara nada, le sirvieron para completar la agenda. Se puso a ello justo después de la noche que Lisa pasó en su casa. Fue a una papelería cara y compró una Filofax preciosa. La elegante agenda tenía las tapas de cuero azul oscuro con pespuntes blancos, y un tacto exquisito.

Le gustó la idea de que el cuero se volvería todavía más suave con los años, tanto que Simon acabaría acercándosela algún día furtivamente a la mejilla para disfrutar del contacto. Con los años; muchos, muchísimos años.

No tuvo que pensar en la frase que pondría en la primera página del cuadernillo de anillas. Con la estilográfica, que también compró en la librería, escribió: «Tu año perfecto». Luego se metió de lleno en el trabajo, pensó con ayuda de Lisa qué le gustaría a Simon, qué lo arrancaría de su letargo y le entusiasmaría. Qué le haría olvidar su situación y, quizá, lo llevaría a enfrentarse a la enfermedad y a luchar contra ella.

Anotó todo en lo que ella creía y por lo que vivía. Todo, todo, todo. Pasó horas buscando en internet frases positivas, pero que no fueran insulsas; se aferró a la tarea incluso en los reiterados momentos en que la desesperación amenazaba con vencerla; continuó adelante y continuó y continuó, con la esperanza de que lo que hacía convencería a su novio de que no se entregara sin más a su supuesto destino.

Desde que Simon le habló de su enfermedad, Hannah se presentó pocas veces en La Pandilla, y estaba muy agradecida con Lisa, los padres Lisa y sus propios padres, que la apoyaron sin objeciones en su empeño. De lo contrario, nunca habría logrado concluir la agenda para Fin de Año. Tanto para ella como para los demás, no cabía duda alguna de que tenía que entregársela en esa fecha tan simbólica.

La Filofax tenía que ser, ni más ni menos, que una señal de alerta, un «¡Vamos!», y Hannah puso toda su energía y todo su amor en cada una de las entradas. Se superó a sí misma, como afirmó Lisa con admiración cuando leyó la obra terminada.

Después, las dos amigas se abrazaron llorando. Lisa, sobre todo, porque se emocionó al leer en la entrada del día 2 de enero que había pedido cita con Sarasvati. Hannah le comentó que había que agarrarse a cualquier cosa, incluso a un clavo ardiente. A peor no podían ir las cosas.

A continuación, fotocopió todas las páginas para ayudar a Simon a hacer realidad su año perfecto y saber con exactitud lo que le tocaba hacer cada día. Esperaba con todas sus fuerzas que entendiera el significado de la agenda, ¡que entrara en el juego!

–Anda, vamos adentro, estás temblando de frío.

Con esas palabras, Simon dio la señal de salida para el momento hasta entonces más difícil en la vida de Hannah. No sabía si la agenda que iba a entregarle cumpliría su cometido. Ni si lo emocionaría tanto como a Lisa... Ni...

No, no quería pensar en esas posibilidades. Su madre siempre le decía: «Ten cuidado con lo que piensas porque los pensamientos se convierten en realidad». Y si eso era cierto, ese era precisamente el momento de hacer caso de su consejo.

–¿Por qué me miras así? –le preguntó Simon en cuanto se sentaron sobre la manta que habían extendido delante del sofá.

Hannah le pidió celebrar la Nochevieja como en su primera cita a orillas del Elba, sentados en el suelo en plan picnic. Tenía la esperanza de que ese ambiente le ayudaría a encauzar su misión inminente. A Simon le hizo gracia la propuesta, la llamó «mi chica romántica» y puso encima de la manta la comida preparada que habían dejado sobre la mesa.

–¿Estás bien?

Hannah tragó saliva con dificultad, esforzándose por reprimir una risa histérica. ¿En serio le preguntaba si estaba bien? Sin embargo, en vez de gritarle que no estaba bien, que nada estaba bien desde que le había dicho que se iba a morir pronto, alargó la mano hacia el bolso de bandolera que tenía a los pies, sacó la Filofax envuelta en papel de regalo y se la dio.

–Toma, para ti.

–¿Qué es?

–Ábrelo.

–¿Desde cuándo se hacen regalos en Nochevieja?

–Desde hoy.

–¡Qué ilusión!

Simon empezó a despegar todas las tiras de celo con mucho cuidado y una lentitud descorazonadora. Era su forma de abrir los regalos, y esa peculiaridad siempre había sacado de quicio a Hannah.

Una vez más tuvo que controlarse; en esta ocasión, para no arrancarle el paquete de las manos y rasgar el papel ella misma. Su paciencia se estaba sometiendo a una dura prueba, no existían suficientes «oms» en el mundo para calmarle los nervios. Al final, después de lo que a Hannah le pareció un año entero, Simon por fin tuvo la Filofax en sus manos.

–¿Una agenda? –preguntó, mirándola con asombro.

–Sí –asintió ella–. Para el año que viene.

–Pero...

No dijo nada más. Solo ese «pero». Sin embargo, en esa única palabra se concentraban centenares de miles de frases; y en su mirada había un millón de réplicas. Todo lo que Hannah temía resonó en esa palabra. «Pero si no me queda un año de vida, ¿para qué me regalas una agenda? Pero si me voy a morir pronto; no necesito una agenda. Pero no creo que pueda usar tu regalo. Pero yo sé que no hay esperanzas para mí. Pero yo...»

–La he llenado por ti –dijo Hannah para detener el eco silencioso que las palabras de Simon provocaban en su cabeza–. He anotado una actividad distinta para cada día. Lo único que te pido es que aceptes el regalo y que intentes seguir las sugerencias que te he escrito. ¡Por favor! ¡Hazlo por mí! ¡Por nosotros!

En vez de contestar, Simon retiró el cierre y abrió la agenda. Empezó a hojearla y a leer las entradas. De vez en cuando sonreía o fruncía el ceño, y leía y leía y no decía nada.

Luego, al llegar a la última página, levantó la vista.

Estaba pálido.

–Yo... –dijo Hannah, pero enmudeció al ver que dejaba la agenda.

Simon le cogió las manos y la atrajo hacia él. La estrechó contra su pecho, como la noche en Da Riccardo, y Hannah oyó los latidos de su corazón y notó que temblaba con fuerza.

–Gracias –le susurró al oído–. Nunca me habían regalado algo tan maravilloso. Te lo agradezco.

–¿Te la quedas? –Hannah se apartó un poco para verle la cara.

Simon sonrió.

–¿Cómo no voy a quedármela?

Hannah se echó en sus brazos, riendo aliviada.

–¡Todo irá bien, cariño! –exclamó–. ¡Lo conseguiremos, ya verás! El cáncer no va a doblegarnos, te pondrás bien, ¡lo sé!

–Sí –contestó él pausadamente–. Yo también lo creo.

–¡No sabes cuánto me alegra que lo digas! Cuando acaben las fiestas, buscaremos un buen oncólogo. ¿Qué digo? ¡El mejor! ¡Aunque tengamos que viajar hasta el lago de Constanza! Si hace falta, haremos autostop ¡o iremos a pie! ¡Encontraremos un especialista de primera! Él se ocupará de tu cuerpo y, con la agenda, también conseguiremos sacar a flote tu ánimo.

–Suena bien, lo haremos.

Hannah no pudo evitar que se le escapara una risita tonta.

–¿De qué te ríes? –Ahora fue él quien se apartó para mirarla.

–De nada. Te quiero con locura, eso es todo.

–Yo también te quiero. Con locura.

Cuando Hannah se despertó en la cama de Simon, el sol aún no había salido.

¡Otra vez lo mismo! Una sensación idéntica a la que había notado la mañana del día que inauguraron La Pandilla, un hormigueo increíble, como provocado por la excitación y el enamoramiento. Pero en esos momentos era mucho más fuerte que unas semanas antes.

Se puso de lado para acurrucarse contra Simon y despertarlo cariñosamente. Quería un poco más de lo que habían compartido esa noche, de la pasión con la que se habían amado hasta la extenuación.

Simon no estaba. La cama estaba vacía y Hannah, sola.

La radio despertador de la mesita de noche marcaba las 07.59 horas. Simon nunca se levantaba tan pronto, ni siquiera cuando trabajaba en el periódico, porque allí nunca empezaban antes de las diez, aunque luego trabajaban hasta muy tarde cerrando la edición del día siguiente.

Se incorporó, se desperezó y escuchó atentamente. Esperaba oír el ruido de la ducha, el borboteo de la cafetera o el sonido del televisor. Nada, un silencio sepulcral. Solo se oían unas ramas que golpeaban por fuera la ventana del dormitorio.

–¿Simon? ¿Dónde estás? ¡Vuelve a la cama!

No hubo respuesta.

–¿Simon?

Nada. Hannah se cubrió con el edredón, se arrastró hasta los pies de la cama y clavó los ojos en el pasillo, que estaba a oscuras.

–¿Simon? –lo llamó, alzando un poco la voz–. ¿Dónde te has metido?

Al no obtener respuesta, se levantó y salió del cuarto como pudo con el edredón enrollado al cuerpo. Impaciente, echó un vistazo a la sala de estar: estaba todo como lo habían dejado la noche anterior, y ni rastro de Simon. La misma imagen se le ofreció en el cuarto de baño y en la cocina. Era como si se lo hubiera tragado la tierra.

Se tranquilizó pensando que habría ido a la panadería y decidió dejar atrás la breve noche dándose una ducha.

De camino al cuarto de baño, su mirada se posó en la puerta de entrada del apartamento. Y en una nota que estaba en el suelo, encima de un sobre. Junto con las llaves de Simon. Desde lejos se dio cuenta de que en el papel había demasiado texto para ser un simple «Voy a comprar el pan».

Se acercó, se agachó y cogió la nota. Mientras la leía, le flaquearon las piernas y tuvo que apoyarse en la puerta para luego dejarse caer sobre las baldosas frías.

Querida Hannah:
Lamento muchísimo hacerte esto y causarte tanto dolor. Cuando encuentres esta carta, ya no estaré vivo.

Seguramente, mis palabras te han conmocionado. Quizá también te han enfurecido, casi lo espero. Pero no puedo evitarlo, no tengo valor para enfrentarme a la enfermedad. El sufrimiento de mis padres duró muchos años y me da mucho miedo que a mí me pase lo mismo. Y aún es mayor el miedo a hacerte pasar por lo mismo que vivió mi madre. No te lo mereces, ¡nadie se lo merece!

Esta noche me ha quedado claro que no vas a abandonarme. Saber que tu amor es infinito es maravilloso, pero también es terrible. Porque no conseguiré separarme de ti.

El regalo que me has hecho es magnífico, fantástico; tanto que me faltan las palabras para expresarlo. Pero no podré cumplir mi palabra de aceptarlo. No me queda un año de vida.

Por favor, Hannah, créeme cuando te digo que lo sé. Noto el cáncer, sé que no puedo vencerlo, es demasiado tarde. No necesito que me lo confirme un médico.

Si te soy sincero –si no lo soy ahora, ¿cuándo?–, hace mucho que sabía que algo no iba bien. Tenías razón cuando me decías que había cambiado, que había perdido las ganas de vivir.

Por desgracia, es cierto. No sé si empezó con la muerte de mi madre o con el despido. Quizá ambas cosas o quizá incluso empezó antes. La verdad es que no he enviado ninguna solicitud de empleo, ni una sola. Era mentira que me esforzara por encontrar trabajo. Era mentira que solo recibiera negativas. ¡Todo era mentira!

Creo que lo que me está matando no es el cáncer. Hay algo dentro de mí que murió hace tiempo, aunque hasta ahora no me había atrevido a sacar las consecuencias lógicas. Una vez leí en un libro un pensamiento reconfortante: «Al morir volvemos al estado en el que estábamos millones de años antes de nacer». Simplemente, dejamos de estar aquí. Por lo tanto, no es tan malo abandonar este mundo, solo volvemos al universo, donde está y estuvo nuestra alma la mayor parte del tiempo. Para mí, ese momento ha llegado, lo noto con una claridad meridiana.

Por favor, Hannah, perdona que dé este paso y sé feliz sin mí. Estoy convencido de que, con tu inquebrantable optimismo, lo conseguirás. Y estoy seguro de que te espera una vida fantástica, mucho mejor sin mí que conmigo.

Como tú dices siempre, no hay mal que por bien no venga. Y, créeme, esto es bueno. Porque es la decisión que he tomado para mí. Es lo que quiero.

Hazme un favor, devuélvele las llaves al casero. Puedes avisar a una empresa para que vacíe el piso, pero no corre prisa. La indemnización por el despido que ingresaron en mi cuenta bastará para pagar unos meses más de alquiler; deja el apartamento cuando estés preparada.

Quédate las llaves del coche: a partir de ahora, el Mustang es tuyo. Puedes conservarlo o venderlo, la documentación del vehículo y el permiso de circulación están en la cómoda de la salita, y también las llaves. En el sobre encontrarás un poder a tu nombre; espero que con eso te baste para poner las cosas en orden. No es un documento oficial, pero lo he firmado y debería ser válido.

Si al final queda dinero en mi cuenta, es para ti. Me gustaría que lo invirtieras en La Pandilla, que lo usaras para hacer crecer tu genial idea.

Hannah, ¡te quiero! ¡Y estoy orgulloso de ti!

Pero, por mucho que lo lamente, ese amor no me basta para seguir intentándolo.

Simon

Hannah no apartaba la vista de las palabras que Simon había escrito, las leyó una y otra vez. Cuando se dio cuenta de que las letras bailaban ante sus ojos y se volvían borrosas, cuando se creyó a punto de desmayarse, se mordió el labio con tanta fuerza que abrió la boca de dolor y notó el sabor de la sangre.

«Ese amor no me basta...»

Se levantó, tiró el edredón al suelo, se dirigió a la sala de estar y descolgó el teléfono. Estaba tranquila, los dedos no le temblaron cuando marcó el número de emergencias. Después de que sonara unas cuantas veces, una mujer contestó a la llamada.

–Vengan deprisa, por favor –dijo Hannah con voz pausada y clara–. Mi novio va a suicidarse.

29

Jonathan

4 de enero, jueves, 10.07 horas

Al día siguiente, Jonathan N. Grief se levantó poco antes de las diez. La noche había sido larga y era normal que no se hubiera levantado a las 06.30, como era su costumbre. No sintió remordimientos de conciencia, pero notó un ligero desánimo, cierta melancolía, algo indefinido... Sí, algo indefinido. No obstante, esa pequeña inquietud impalpable desapareció en cuanto puso los pies en el suelo y, al ver Filofax, recordó la decisión que había tomado unas horas antes: le diría a Leopold que se instalara en su casa.

De buen humor, Jonathan fue al cuarto de baño, se dio una buena ducha y se vistió. No se puso ropa de deporte, puesto que habría sido absurdo ponérsela después de ducharse, sino un pantalón de tela y un jersey de cuello alto. Ya recuperaría su rutina de entrenamiento diario más tarde. O prescindiría de ella. Un pensamiento audaz, pero no tenía ningunas ganas y el consejo de Leopold de que organizara su vida siguiendo el principio de hacer lo que a uno le gustaba le parecía casi tan obvio como no ingerir carbohidratos a partir de las seis de la tarde. Casi.

Bajó las escaleras, se dirigió a la habitación de Tina y llamó.

La puerta cedió y Jonathan dio un paso atrás para no poner en un compromiso a su invitado si aún no se había vestido.

–¡Leopold! ¡Buenos días, soy yo, Jonathan!

Mientras esperaba una respuesta, se rio para sus adentros por haber pronunciado su propio nombre. ¿Quién más podía ser? No se oía nada en la habitación y volvió a llamar suavemente a la puerta.

—¿Leopold? ¿Estás despierto? ¡Es hora de levantarse!

Sin respuesta. Jonathan volvió a llamar y entró.

La habitación de Tina estaba vacía y la puerta del pequeño cuarto de baño, abierta. Allí tampoco había nadie. La cama estaba deshecha, y el albornoz de flores estaba encima, al lado de una toalla usada. Aparte de eso, nada indicaba la presencia de una persona en el dormitorio.

Extrañado, Jonathan volvió al pasillo. ¿Dónde se había metido Leopold? Echó un vistazo al perchero y vio que el abrigo del ejército de su nuevo amigo había desaparecido, igual que las botas.

De repente lo embargó una sensación de angustia. ¿Realmente era tan idiota? ¿Había desoído todas sus reservas para comprobar ahora que se había dejado engañar por un vivales, por un estafador? ¿Por un hombre que se había aprovechado de su hospitalidad y se había largado con todo lo que se había podido llevar? Y él ni siquiera había cerrado las habitaciones importantes, como el despacho o el comedor, con la cubertería de plata, sino que se había ido a la cama tambaleándose, muy entonado.

¿Era de verdad un pedazo de alcornoque, como había dicho Leopold?

Evidentemente, sí.

Le dio la impresión de que oía a su padre riéndose a mandíbula batiente porque el inútil de su hijo había vuelto a presentar una prueba de su inutilidad. ¿Intuición? ¡Ja! ¡Ni por asomo tenía intuición!

Jonathan N. Grief enderezó los hombros. A cualquiera le podría haber pasado lo mismo. A cualquiera que todavía creyera en la decencia y la moral...

Pero, bueno, ¿a qué venía ese monólogo interior? En esos momentos, lo más aconsejable sería comprobar rápidamente las cosas de valor que se había llevado Leopold y, luego, avisar a la Policía. Tanto daba que se rieran de él, lo que importaba era que hicieran su trabajo y atraparan al ladrón. No podía haber ido muy lejos con sus botas destrozadas.

Al cabo de media hora, Jonathan había revisado toda la casa.

Nada.

No faltaba nada. Ni la cubertería de plata ni el dinero en efectivo que guardaba en una cajita encima del escritorio. Ni un solo gemelo. Ni siquiera un envase retornable del contenedor de plástico que había en la terraza y con el que hubiera podido ganar un poco de dinero. Todo estaba en su sitio. Todo menos Leopold.

Un poco confuso, Jonathan fue a la cocina para prepararse un té. Entonces se fijó en el botellero y en que faltaba algo. Por los vacíos que había, unas tres o cuatro botellas de vino. Dio media vuelta rápidamente y entró en el comedor. Allí, en un rincón del fondo, a la izquierda, estaba el mueble bar. Jonathan se dio cuenta enseguida de que allí también faltaban botellas. Se acercó y comprobó que habían desaparecido la de whisky y la de ginebra. La de grapa, una botella cara que compró un día por si tenía invitados y que aún no había abierto, seguía en su sitio. Pero casi vacía. Jonathan suspiró. Y entonces vio una nota debajo de la botella. La cogió, se sentó a la mesa del comedor y empezó a descifrar unos garabatos casi ilegibles.

Mi querido amigo:

Por lo que parece, me he topado con el náufrago del a petaca en mi isla desierta. Lo siento, la tentación ha sido muy grande esta noche. Te agradezco sinceramente la velada y la hospitalidad, y me avergüenzo de haberte defraudado.

Leo

P. D. Si yo fuera tú, y te digo con total convicción que me alegro de no serlo (seguro que entiendes la indirecta, amigo mío) echaría mano de la agenda y me pondría las pilas. No se recibe un regalo como ese todos los días. ¡Ojalá me hubiera llegado a mí hace unos años!

Jonathan volvió a leer la nota. Luego alcanzó un lápiz de la bandeja que había encima del aparador y puso la coma que faltaba después del paréntesis y antes de «echaría mano de la agenda». Sin pensárselo dos veces, fue a la cocina y tiró el lápiz y la nota a la basura.

30

Hannah

El mismo día,
4 de enero, jueves, 10.53 horas

Tres días y medio. Tres días y medio que parecían tres años y medio. O diez, veinte, cien años. Mil años sumida en un sueño lúgubre y tenebroso, como la Bella Durmiente. Detrás de un seto alto lleno de espinas, pero sin rosas. Y nadie despertaba a Hannah de ese sueño. Nadie le daba el beso.

Al principio, palabras tranquilizadoras. Gente bienintencionada de uniforme, que le hablaba para tranquilizarla y le aseguraba que encontrarían a su novio. Gente que afirmaba que las personas que anunciaban su suicidio casi nunca lo llevaban a cabo. Y, sí, harían todo lo posible por encontrar a Simon, transmitirían el aviso de su desaparición y lo buscarían todas las patrullas, pero lo que ella exigía –iniciar una búsqueda con perros y que los buzos rastrearan el Alster y el Elba– no era factible ni útil, teniendo en cuenta el tamaño de la ciudad. A partir del segundo día, llamamientos a la población a través de la radio. El tercero, una noticia en el periódico. Y el ruego de los policías para que se fuera a casa porque ella no podía hacer nada.

Sin embargo, Hannah no podía irse a casa. Era incapaz de hacer otra cosa que no fuera quedarse en el piso de Simon, esperando a que su novio entrara por la puerta. Y que le explicara que escribir aquella carta había sido un error. Una broma cruel. ¡Ja, ja, ja, qué original, una inocentada el día de Año Nuevo!

Él le diría que sí, que había sido una broma de mal gusto, de muy mal gusto. Que lo sentía mucho, pero que ella lo había presionado, lo había puesto entre la espada y la pared, esperaba tanto de él que lo había desbordado y, por eso, él había... Sí, comprendía que estuviera enfadada con él. Muy enfadada, incluso indignada. Y que no quisiera volverle a hablar nunca más, aunque estuviera dispuesto a hacerse más pruebas y a vivir ese año siguiendo las indicaciones de su pueril agenda.

Tres días y medio. Setenta y cuatro horas y treinta y ocho minutos. Ese era el tiempo que Hannah llevaba en el piso de Simon, dándoles vueltas a esos pensamientos mientras lo esperaba. Vestida con el traje negro que se había puesto para la cena en Da Riccardo y también para Nochevieja, no podía hacer otra cosa que no fuera ir de un lado a otro, del dormitorio a la salita, a la cocina o al cuarto de baño, soltando un grito cada vez que llamaban a la puerta o le sonaba el móvil.

Pero no era él, nunca era él. Siempre eran Lisa o su madre, Sybille, que se turnaban para ir a verla varias veces al día y para llevarle algo de comer. Le decían que en La Pandilla se las arreglaban sin ella, como si a ella le importara lo más mínimo en esos momentos, y la informaban de que Simon tampoco había aparecido por su casa, en la que ahora se había instalado la madre de Hannah. Y ellas, igual que la Policía, también le pedían de rodillas que abandonara la «guardia» o, como el día anterior, le llevaban un ejemplar del *Hamburger Nachrichten* para que se convenciera de que los antiguos compañeros de Simon habían cumplido lo prometido y habían publicado la noticia de su desaparición en la portada.

Y mientras vegetaba en el piso de su novio, porque eso era lo que hacía, examinaba el móvil cada diez segundos, comprobaba a distancia el contestador automático del teléfono de su casa y miraba el buzón del correo electrónico, con la vaga esperanza de tener noticias de Simon, aunque sabía que no las recibiría. Lo sabía desde el momento en que leyó su carta de despedida. Sabía que, por mucho que gritara, llorara y pataleara, su novio ya no existía.

Simon no estaba simplemente «quemado», como dijo un policía. Tampoco había «cortado todos los lazos» y ahora estaba tomando el sol «debajo de una palmera y con un cóctel en la mano». No. Eso eran únicamente palabras de ánimo para que no arrancara a correr como una loca por las calles de la ciudad y, cegada, empezara a golpear cualquier cosa que se cruzara en su camino.

La situación era esquizofrénica. Hannah estaba esquizofrénica. Porque, aunque sabía, sí, lo sabía, sabía que Simon era un hombre de palabra y siempre cumplía lo que prometía, ella se aferraba desesperadamente y con todas sus fuerzas a las posibilidades más improbables, aunque fueran un puñetero cóctel debajo de una puñetera palmera.

Sin embargo, Simon nunca se habría ido sin el Mustang. Por muy absurda y ofensiva que fuera esa conclusión, era muy acertada. Si se hubiera planteado la idea de tomarse una copa debajo de una palmera en vez de suicidarse, se habría puesto al volante de su coche y se habría marchado. Hannah no descartaba que pudiera abandonarla a ella. Pero ¿su coche? No, eso nunca. Las llaves del Mustang, que ahora estaban en la salita con una copia de la carta de despedida y otra de los poderes, puesto que la Policía se había quedado con los originales, eran una prueba contundente de lo que Hannah se negaba a admitir.

Lo único que no había encontrado en ningún sitio era la agenda. Ni en el piso ni en los contenedores de la calle, en los que había mirado, dando por seguro que estaría allí.

La última actuación pública de Simon habría sido tirarla a la basura, entre cáscaras de huevo pegajosas y posos de café. La maldita Filofax, el «churro» que Hannah había escrito con su manía de que todo era factible. Con la ingenua convicción de que liberaría a su novio del miedo a morir con un poco de tralarí tralará, «transpiro felicidad por todos los poros de mi cuerpo», y sandeces por el estilo.

Solo con pensarlo, a Hannah le entraban ganas de imitarlo. De coger el cuchillo de carnicero de la cocina y cortarse las venas, o de saltar por el balcón del tercer piso; un castigo lógico por lo que había hecho.

Su condena por haberlo empujado a cometer un acto de desesperación por culpa de su activismo y sus frasecitas insensibles: «No hay mal que por bien no venga», «la crisis como oportunidad» y «la luz se inventó en la oscuridad».

¿No hay mal que por bien no venga? ¿Qué tenía de bueno lo que estaba ocurriendo? ¿Quizá servía para humillarla y ponerla de rodillas? ¿Para demostrarle que la vida real no tenía nada que ver con el colorido mundo de Pippi Calzaslargas?

Hannah se sobresaltó al oír «bing» en el móvil. Un nuevo correo en la bandeja de entrada. Otro mensaje de sus padres o de Lisa, la *newsletter* de una empresa de comercio *online* o la comunicación de que un multimillonario de Nigeria había muerto y la había nombrado a ella su única heredera.

No era el caso. Tenía un correo de Sarasvati.

Hannah tardó un momento en recordar el nombre. El día que escribió a la tarotista de Lisa, le explicó la situación y le pidió que lanzara por la borda su ética profesional y organizara para su novio enfermo una sesión «especial» que le devolviera un poquito las ganas de vivir y que, por el amor de Dios, no le dijera que ella se lo había dicho ese día parecía haber tenido lugar en otra vida.

Sarasvati; sí, sabía quién era. Abrió el correo.

Querida Hannah:

Normalmente, no hago preguntas cuando alguien no se presenta a una sesión, ya que no quiero atosigar. Sin embargo, en este caso me gustaría hacer una excepción porque no dejo de darle vueltas al asunto.

Su novio no vino a verme. En su lugar vino un hombre que había encontrado la agenda en el Alster. No puedo contarle nada más. A él tampoco le revelé las condiciones de nuestro acuerdo porque no estaba segura de que a usted le pareciera bien.

Pero ahora creo que quizá fue un error, tengo una sensación extraña. Por eso quería preguntarle si va todo bien. ¿Cómo está su novio?

Luz y amor,

Sarasvati

Hannah nunca había marcado un número tan deprisa. Sus dedos volaban sobre el teclado del móvil cuando marcó el número que aparecía debajo de la firma de Sarasvati.

Unos segundos después, la tarotista se ponía al teléfono.

–Soy... ¡Soy Hannah Marx! –gritó, tan nerviosa que casi se le trabó la lengua.

–¡Hola, señora Marx! –exclamó una voz afable y cálida–. No contaba con que me llamara tan pronto.

–Mi novio ha desaparecido –le soltó Hannah a bocajarro–. Me escribió una carta de despedida en la que decía que iba a suicidarse.

–¡Oh, Dios mío!

Por un instante se hizo el silencio. Luego, Sarasvati le pidió que le contara lo que había pasado.

–Como le dije que haría cuando le escribí para reservar la sesión, le regalé la agenda en Nochevieja. Y me prometió que intentaría ceñirse a ella a lo largo del año. Dijo que no abandonaría la lucha antes de iniciarla. –Hannah tragó saliva al recordar su última noche juntos–. A la mañana siguiente, había desaparecido y me había dejado una carta de despedida. La Policía lo está buscando desde entonces. Y yo también, por supuesto.

–¡Cuánto lo siento! –Sarasvati resopló–. ¡Qué tonta he sido! Tendría que haberme dado cuenta de que pasaba algo cuando aquel hombre se presentó en mi casa con la agenda. Pero solo pensé que a su novio no le había gustado la idea. Cuando me escribió, usted me dijo que no sabía si aceptaría su propuesta. ¡Qué tonta he sido!

–¿Cómo era ese hombre? ¿Cómo se llamaba?

–No lo sé, lo siento –contestó, claramente compungida–. No se lo pregunté, no suelo hacerlo. Mucha gente creería entonces que llevo un pinganillo en el oído y de ese modo recibo clandestinamente informaciones sobre ellos.

–¿Sabe cómo llegó la agenda a sus manos?

–Dijo que la había encontrado dentro de una bolsa que habían colgado en el manillar de su bicicleta.

Las esperanzas de Hannah se redujeron. Ella deseaba y había rezado por que Simon le hubiera dado la agenda personalmente a alguien, se la hubiera regalado por algún motivo o se la hubiera entregado para que la guardara. De ese modo podría haber intercambiado unas palabras con esa persona, explicarle lo que ocurría y lo que se proponía su novio.

A veces era más fácil abrirle el corazón a un desconocido que contarle las penas a alguien de confianza. De otro modo, Hannah no se explicaba que Simon no le hubiera hablado de la magnitud de su desesperación.

Se corrigió al instante en silencio. Sí, se lo había contado. No con palabras, pero se lo había dicho. Y ella no le había prestado suficiente atención. No lo había escuchado y lo había arrollado con su optimismo desmesurado.

–¿La bolsa estaba en el manillar de su bicicleta? –preguntó finalmente, y puso punto final a sus propias acusaciones.

–Eso dijo. Me contó que el uno de enero fue al Alster, como todos los días, y que, al acabar el recorrido de ejercicios, fue a buscar la bicicleta y allí estaba la bolsa.

–¿Le contó algo más? –Hannah agarraba tan fuerte el teléfono que ya empezaban a dolerle los dedos y tenía blancos los nudillos–. ¿Le llamó la atención alguna cosa? ¿Vio a Simon?

–No. Dijo que no sabía de quién era la agenda y que por eso había ido a mi casa, porque en la Filofax aparecía la cita con día y hora. Creía que el propietario se presentaría.

–¿Solo quería devolverla?

–Eso dijo –contestó Sarasvati–. Pero parecía muy ansioso por saber de quién era. Quiso esperar hasta que llegara el propietario. Luego, como la sesión ya estaba pagada, le eché las cartas para pasar el rato. Un tipo curioso.

–¿Le explicó usted lo que yo le había pedido para Simon?

–¡Claro que no! –exclamó Sarasvati, en tono suave, pero concluyente–. A su novio tampoco le habría dicho nada que no viera en las cartas, si no hubiera conocido sus circunstancias especiales –rápidamente añadió–: Le devolveré el dinero, ¡por supuesto!

–No hace falta –le aseguró Hannah–. Lo único que me importa es encontrar a Simon. Y el hecho de que el día de Año Nuevo estuviera en el Alster... Eso podría ser un pequeño punto de partida. Muy pequeñito, pero ¡mejor que nada!

–¿Qué dice la Policía?

–Aún no saben lo del Alster, pero los llamaré enseguida.

–Me refería a lo que han hecho hasta ahora.

Hannah suspiró.

–En mi opinión, no mucho. Lo están buscando y han dado la orden de búsqueda, pero Simon podría estar en cualquier sitio. –Se prohibió incluso pensar «si aún está vivo»–. Su móvil está en casa, con lo que no sirve para localizarlo. Pero ahora tendrán un punto de partida para buscarlo y es posible que un vecino o alguien que pasara por allí lo vieran.

–¡Ojalá supiera cómo se llama el hombre que vino a verme!

–¿Cómo era?

–De unos cuarenta años y bastante bien parecido. No se ven unos ojos azules como los suyos muy a menudo, y menos aún en alguien con el pelo negro. Ropa cara y muy amable, pero eso es todo. Bueno, y parecía muy tenso y nervioso, pero eso no lo pensé hasta más tarde.

–No nos sirve de mucho.

–No –la secundó Sarasvati–. Además, él no vio a Simon, solo la agenda.

–Pero podría ser que, si hablamos con él, recuerde algo. Un detalle insignificante, que a él no le pareciera importante, pero que cobre sentido cuando conozca el contexto. La Filofax me da igual, pero es la única pista que tenemos y, si existe la posibilidad de que alguien viera a Simon con vida, ¡tengo que investigarla!

–Sí, lo entiendo. Ojalá pudiera ayudarle. Pero el hombre se fue al acabar la sesión y se llevó la agenda. Si hubiera...

–¿Le dijo qué pensaba hacer con ella? –la interrumpió Hannah.

–Sí. Pensaba llevarla a la Oficina de Objetos Perdidos.

–¡Ahora mismo llamo! A lo mejor tienen que rellenar una ficha con los datos de la persona que entrega el objeto –dijo Hannah con optimismo–. Y, si es así, se la darán a la Policía.

–Vale la pena intentarlo.

–Sí –replicó Hannah–. Gracias por haberse puesto en contacto conmigo.

–¡Ay, cariño! –Curiosamente, a Hannah no le pareció inapropiado que la tratara con tanta confianza–. ¡Ojalá pudiera hacer más por usted! –Se quedó pensativa un momento–. ¿Por qué no viene a verme? Podría echarle las cartas.

–¿Serviría para encontrar a Simon?

–No. –Hannah no esperaba otra respuesta–. Pero podríamos encontrar otras cosas.

–Se lo agradezco, pero yo solo quiero encontrar a Simon.

–Lo entiendo. De todos modos, venga a verme cuando quiera. Y, por favor, manténgame al corriente sobre la búsqueda.

–Lo haré –le prometió Hannah. Se despidieron y colgó.

Acto seguido, llamó a la agente de policía que le había dado su tarjeta y le había dicho que se pusiera en contacto con ella si había novedades.

–¡Simon estuvo en el Alster! –gritó en el auricular tan pronto como la mujer descolgó el teléfono–. Tiene que enviar a unos agentes, ¡enseguida! –Luego, aunque tenía muy claro que si lo exigía estaría planteando unas expectativas pesimistas y totalmente contrarias a su credo de «poner huellas en el futuro», añadió–: ¡Y envíen de una vez a los buzos!

–Antes enviaremos a unos compañeros a la zona –contestó con serenidad la agente–. Luego, ya veremos.

Hannah colgó y respiró hondo. Bien. La Policía reforzaría la búsqueda, esta vez tenían una pista concreta sobre el último sitio en el que estuvo.

Lo siguiente que hizo fue buscar en Google el número de teléfono de la Oficina de Objetos Perdidos y preguntarle por la Filofax al hombre que contestó. Negativo, nadie les había llevado nada ni remotamente parecido a una agenda desde Nochevieja. Hannah le pidió que le avisara si aparecía alguien con una Filofax de cuero de color azul oscuro. Tal como esperaba, recibió la respuesta un poco gruñona de que aquello no era el servicio de información, y entonces Hannah le explicó con brevedad y en un tono amable la situación. Acto seguido, el compungido funcionario le prometió que él o uno de sus compañeros la llamarían enseguida si les llevaban una agenda.

Hannah dio las gracias y concluyó la conversación. ¿Y ahora qué? ¿Qué más podía hacer?

Cogió el móvil por tercera vez y llamó a la redacción del *Hamburger Nachrichten* para ponerles al tanto de las novedades y pedirles que publicaran otro artículo en la edición del día siguiente. El objetivo era hacer un llamamiento a la persona que había encontrado la agenda o a otros posibles testigos que hubieran visto a Simon cerca del Alster para que se pusieran en contacto con el periódico de inmediato. Le prometieron que lo harían y que volverían a ponerlo en primera página.

Hannah continuó pensando, enfebrecida, en el siguiente paso. ¡Tenía que encontrar al hombre que se había quedado la agenda! ¿Por qué no la había llevado a la Oficina de Objetos Perdidos como había dicho? ¿Qué había hecho con ella?

Ese hombre no tenía ni idea de que quizá podía aportar pistas valiosas, de que el día de Año Nuevo, en el Alster, se había implicado en un asunto que era, literalmente, cuestión de vida o muerte. Él no podía saber que corría mucha prisa encontrarlo. Al pensar que se perdía un tiempo precioso, Hannah se sintió impotente, desamparada, y muy, muy furiosa. ¿Cómo podría dar con la persona que había encontrado la agenda de Simon?

Se le ocurrió una idea. El hombre le había hecho una visita a Sarasvati; por lo tanto, quizá intentaría acudir a otra cita antes de acercarse a la Oficina de Objetos Perdidos. Según la tarotista, quería saber sin falta de quién era la agenda. A saber por qué motivo, quizá por curiosidad o por un sentido del deber muy marcado, tanto daba. El caso era que existía una pequeña posibilidad, de modo que sacó de su bolso las fotocopias que había hecho y las hojeó, inquieta. ¿Dónde estaba la siguiente entrada con fecha, hora y lugar exactos, la próxima cita a la que podría presentarse el hombre misterioso?

Hannah se llevó una decepción al comprobar que no había ninguna hasta al cabo de diez días, el 14 de enero. ¡Diez días! Si en esa fecha Simon todavía no había aparecido ni lo habían encontrado...

Se prohibió completar la frase y se concentró en la agenda. En la página del 14 de abril había anotado una actividad concreta: Sebastian Fitzek ofrecía un recital de lectura en el espacio cultural de Kampnagel. Fitzek era el autor preferido de Simon; lo adoraba y había devorado con entusiasmo todas sus novelas de suspense.

Ella no entendía cómo la gente podía ofuscarse voluntariamente leyendo libros de asesinatos y muertes; su lema era: «¡Cuidado con lo que piensas!». Sin embargo, Simon decía que era una especie de «higiene psicológica». Según él, un buen libro de Fitzek lo inmunizaba contra las terribles noticias que, como periodista, leía o escribía todos los días y que, a diferencia de lo que se relataba en una novela, eran reales y verdaderas.

Por eso se llevó una alegría cuando, en septiembre, descubrió que Fitzek estaría en Hamburgo. Y, por mucho que pareciera exagerado, se lo tomó como una señal del destino. Pensó que una actividad relacionada con el autor favorito de Simon podría darle un empujoncito para escribir de una vez su propio libro y reservó dos entradas. Quería regalárselas en Navidad, pero luego cambió de opinión y las incluyó en su «año perfecto».

Las entradas, con el número de reserva 137, había que recogerlas el día 14 en la taquilla, y así lo había anotado Hannah en la agenda. Ya decidiría Simon si la invitaba a ella a acompañarlo o prefería ir con su amigo Sören, con el que compartía el gusto por las historias siniestras. A ella, cualquiera de las dos cosas le habría parecido bien, aunque, mientras lo apuntaba, pensó que las historias de Fitzek podrían provocarle auténticas pesadillas.

Ahora, sin embargo, se arriesgaba a tenerlas si Simon se presentaba en el teatro con «otra». O si el hombre que había encontrado la agenda en su bicicleta aparecía en la taquilla para ver quién recogía las entradas que ella había reservado.

Todavía faltaban diez días, ¡una eternidad! No, no lo soportaría, se volvería loca. ¿Por qué no había incluido más actividades concretas? ¿Por qué decidió que el año empezara con calma y solo eligió «tareas» que Simon podía resolver en casa después del «saque de inicio» con Sarasvati?

Bueno, sí, dejó mucho tiempo libre de actividades porque dio por sentado que habría que planificar muchas visitas al médico y al hospital durante los primeros días del año. Además, ella no podía perder de vista el trabajo, aunque lo cierto era que, por mucho que contara con el beneplácito de los demás implicados, ahora lo desatendía de manera más que censurable. Sin embargo, eso tampoco podía haberlo previsto.

Se maldijo por no haber organizado ninguna actividad para ese día, a una hora exacta y en un lugar concreto, determinado al milímetro, incluso con la especificación de las coordenadas, para que fuera imposible perdérsela. ¡Ojalá lo hubiera hecho!

¡Ojalá, ojalá, ojalá! ¡Ojalá supiera cómo encontrar al idiota que iba a correr al Alster!

¿Al idiota que iba a correr al Alster?

Las palabras de Sarasvati resonaron en su mente: «Me contó que el uno de enero fue a correr al Alster». ¡Lo tenía!

Al cabo de veinte minutos, Hannah bajaba corriendo las escaleras y salía a la calle con una cajita de chinchetas y cincuenta carteles acabados de imprimir con el ordenador de Simon.

Bajó corriendo por la Papenhuder Strasse y torció hacia la Hartwicusstrasse; iba con tanta prisa que estuvo a punto de caerse. Al llegar al final de la calle, vio el Alster, el lugar al que se dirigía con los papeles. Forraría con ellos todos los bancos, los árboles y los arbustos, todo, hasta la más pequeña brizna de hierba. En los carteles se veía una imagen de la agenda, que Hannah se había bajado de la web del fabricante, y una foto de Simon. Debajo, escrito en letras rojas, ponía: «¿Quién ha visto a este hombre o esta agenda?».

Si el hombre que se había presentado en casa Sarasvati iba realmente cada día al Alster, Hannah no pensaba darle la más mínima posibilidad de que pudiera pasar por alto su llamamiento. Y, en el caso de que él no se tropezara con ningún cartel, seguro que alguien más había visto a Simon. ¡Tenía que ser así, porque su novio había estado allí la mañana de Año Nuevo!

Hannah jadeaba cuando se detuvo delante del Alsterperle. Empezaría por ese local tan popular. Al clavar el primer cartel en un árbol, se sintió mejor. ¡Por fin podía hacer algo!

31

Jonathan

4 de enero, jueves, 11.16 horas

Jonathan N. Grief acababa de vestirse con la ropa de deporte y ahora estaba sentado en la banqueta que había junto al teléfono del pasillo. Se disponía a atarse las zapatillas para ir al Alster, aunque fuera más tarde de lo habitual. Pero se detuvo.

Después de la noche anterior, ¿acaso era acertado continuar haciendo lo mismo de siempre? ¿Actuar como un perro empapado de agua, que se sacudía las gotas del cuerpo con fuerza y seguía tranquilamente su camino, como si unos segundos antes no hubiera descubierto que el tentador hueso al que daba caza no era más que un palo?

Así era como se sentía Jonathan. Decepcionado, engañado. Pero, al mismo tiempo, notaba cierta culpabilidad y vergüenza; mucho se temía que no era del todo inocente de la «recaída» de Leopold. Tanto preocuparse por los objetos de valor y por su propia seguridad, y al final resultaba que lo que debería haber hecho era cuidarse de que su amigo no tuviera acceso a las considerables provisiones de alcohol que había en su casa. Se preguntó si no habría provocado incluso que el sin techo se largara al amparo de la noche con unas cuantas botellas de vino y de licor. ¿Acaso habría sido mejor no invitarlo y dejar que siguiera en el contenedor? Para acallar sus propios reproches, Jonathan se dijo que él no podía saber lo que iba a ocurrir.

Suspiró. Se lo había imaginado tan agradable, tan refrescante, tan animado: Leopold y él compartiendo casa. El mendigo y el editor, toda una extravagancia. ¡Su padre se habría frotado los ojos! Suponiendo que, en un momento de lucidez, comprendiera que lo que le contaba sobre su nuevo amigo era para frotarse los ojos.

¡Ja! Una *Extraña pareja* de las mejores, ¡con ese material se escribían novelas! Bueno, novelas de entretenimiento, de las que Griefson & Books nunca publicaría, pero novelas al fin y al cabo.

Estiró las piernas y miró ensimismado al vacío. Repasó mentalmente la noche anterior. Las cosas que le había contado Leopold, la conversación íntima y sincera entre hombres. Y las dos notas que había escrito a vuelapluma después de irse entonado a la cama. Sí, se sentía mal y también culpable. Pero ¿qué podía hacer? ¿Ponerse en camino y buscar al mendigo, con la esperanza de encontrarlo y llevárselo a casa? ¿Ejerciendo la fuerza si hacía falta?

Él no era psicólogo ni trabajador social; por lo tanto, sería meterse en camisa de once varas. Además, Hamburgo era muy grande y las posibilidades de dar en algún sitio con el vagabundo eran prácticamente nulas. ¿Tenía que olvidarse de su nuevo «amigo», atarse los cordones de las Nike y volver a las actividades cotidianas?

No, no le parecía bien.

Resuelto, Jonathan se quitó las zapatillas y subió descalzo a su despacho. El Alster continuaría en su sitio mañana. Ese día seguiría el consejo de Leopold y echaría mano de la agenda.

Se sentó cómodamente en la butaca de lectura y abrió la Filofax por la página correspondiente al 4 de enero. Leyó la entrada y se echó a reír. Leopold había desaparecido, pero sus puntos de vista parecían haberse quedado.

La vida es demasiado corta para ocuparse de cosas que no nos gustan.

Escribe dos listas. Una con todo lo que te llena de alegría. Y otra con las cosas que haces y no te gusta hacer.

Tacha enseguida lo que esté en la segunda lista, ¡y vive basándote solo en la primera! ¡Exclusivamente! Escribe también las cosas que te llenarían de alegría si las hicieras, y ¡hazlas! ¡hoy! No importa que sean locuras. Haz al menos una cosa de la primera lista. ¡Ahora mismo!

¡Menuda exigencia! Bastante ingenua, si lo pensaba bien. Porque ¿quién podía vivir la vida a su antojo y haciendo solo lo que le gustaba? Nadie, excepto unos pocos privilegiados. O quizá las personas que estaban tan cerca de la muerte que les daba igual cómo malgastaban el tiempo que les quedaba. Los demás tenían que doblegarse a las convenciones sociales y dedicarse a alguna actividad que les asegurara el sustento. Y si consistía en montar bolígrafos en una cadena de montaje, tenían que montar bolígrafos en una cadena de montaje, les gustara o no.

Por otro lado, ¿qué lo empujaba a sumirse en cavilaciones sobre los demás? Al fin y al cabo, él estaba en una situación privilegiada, podía hacer y deshacer a su antojo; Leo lo había calado muy bien. ¿Quién, si no él, podía permitirse el lujo de entrar en ese juego?

Jonathan N. Grief sacó un bolígrafo. A ver, ¿qué quería él? ¿Qué le gustaba?

Se detuvo antes de acabar de escribir la «c» de correr.

Era cierto que corría todos los días, pero al ir a apuntarlo se preguntó si realmente le gustaba.

Nunca se lo había planteado, nunca se le había ocurrido. ¿Para qué? Todo el mundo sabía que el deporte era saludable. Su rutina de entrenamiento diaria formaba parte de su vida, igual que lavarse los dientes, y no tenía por qué ponerla en duda. ¿O sí?

Se quedó pensativo y mordisqueó el extremo del bolígrafo mientras intentaba imaginarse corriendo. ¿Le divertía correr?

En realidad, no. Era más bien como cumplir un deber. Los momentos posteriores sí estaban más relacionados con el placer. Cuando, después de pegarse la paliza, hacía ejercicios de estiramiento y se alegraba de haber superado la mala leche de tener que levantarse pronto y hacer deporte, y veía los resultados.

Apoyó el bolígrafo en el papel y escribió:

Me produce placer haber ido a correr y haber hecho deporte.

Observó el texto con cara de desconcierto. ¿Qué significaba? ¿Correr se contaba entre las cosas que tenían que estar en la primera lista y que, por lo tanto, debía seguir haciendo, o no? En cualquier caso, no contemplaba la posibilidad de abolir con efectos inmediatos su rutina diaria de entrenamiento.

Si algo sabía era que todos los psicólogos y todos los medios deportivos, incluso periódicos como el *Bild,* recomendaban fortalecer el cuerpo como remedio milagroso contra casi todos los males, tanto físicos como psicológicos. Nada ayudaba tanto a poner en marcha la «máquina humana». A no ser que los problemas físicos consistieran en una parálisis, en cuyo caso tocaría practicar ejercicio mental.

Por lo tanto, el deporte era y seguiría siendo una obligación. Pero ¿tenía necesariamente que ir al Alster? Si era sincero consigo mismo, imaginaba cosas más divertidas que correr al amanecer, con mal tiempo, por la ciudad desierta y sumirse con sus pasos en una aburrida monotonía que solo rompían los enfados ocasionales provocados por excrementos de perro o ciclistas kamikazes.

Él nunca había experimentado el «subidón del corredor», esa sensación de euforia de la que hablaba tanta gente y que provocaba una adicción que empujaba a correr sin parar un kilómetro tras otro. No, él, simplemente, hacía un esfuerzo.

¿Y si no era ese el deporte adecuado para él?

«Tenis.» La idea surgió de la nada. De niño le gustaba jugar al tenis. No se le daba muy bien y no lo practicaba en ningún club, pero de vez en cuando intercambiaba unos golpes con su madre, por encima de una cuerda de tender tensada en el jardín de la mansión del Elba. Sí, era divertido, y mucho. Sin embargo, no siguió con ese deporte porque en la familia Grief había que jugar al golf. Como le había inculcado su padre desde la adolescencia, los mejores negocios se hacían en el campo de golf.

Tonterías, Jonathan no había cerrado nunca un trato con pantalones a cuadros y zapatos de tacos. Quizá se debiera a que cuando su padre enfermó y él ocupó el puesto de editor, había guardado los palos con alivio en un rincón. El golf siempre le había parecido terriblemente aburrido. Por otro lado, él no se ocupaba de los grandes negocios, para eso estaba Markus Bode.

Bode. Iba siendo hora de ponerse en contacto con él; seguramente esperaba su llamada.

Pero antes quería acabar su lista de cosas divertidas y, evidentemente, hablar por teléfono con el director ejecutivo sobre el futuro de la editorial no entraba en esa categoría. Mejor el tenis.

Anotó: «Jugar al tenis».

Acto seguido, garabateó debajo: «Cantar». ¡Lo había olvidado! De pequeño también le gustaba cantar, siempre tarareaba las canciones populares napolitanas que su madre entonaba con pasión.

Como es natural, su padre todavía tenía peor opinión de un hijo cantante que de uno que corriera detrás de una pelotita amarilla y, al marcharse su madre, Jonathan aparcó sus ambiciones musicales. Desde que le cambió la voz, no había vuelto a cantar, ni siquiera en la ducha.

Jonathan respiró hondo y arrancó:

Guarda, guarda, stu giardino
Siente, siesti scuranante...

Se interrumpió bruscamente. ¡Cantaba fatal! Si no paraba, *Daphne,* la perrita de la vecina, empezaría a aullar. Además, no tenía ni idea de cómo seguía la letra. Y eso le dolió, porque recordaba perfectamente que de niño se sabía de memoria toda la letra de *Torna a Surriento.*

Enterrada y perdida, como tantas otras cosas.

Reflexionó. Así pues, jugar al tenis y cantar. ¿Qué más? Ensimismado, dio unos golpecitos en el papel con la punta del bolígrafo. Intentaba inspirarse. ¡Seguro que se le ocurría algo más que esas dos cosas!

Nada.

Mejor pasar a la lista de lo que no le gustaba. ¿Correr? ¿Sí? ¿No? ¿Sí?

Sonó el teléfono,

La pantalla mostraba el nombre de Markus Bode.

¿Casualidad? ¿O una señal contundente, como un martillazo en el tejado de una caseta, de las cosas que aborrecía? Contestó.

–¿Sí?

–Hola, señor Grief. Soy Markus Bode.

–¡Señor Bode! Me alegro de que me haya llamado. Ahora mismo iba a hacerlo yo.

–¿Ha pensado en el asunto y se le ha ocurrido alguna idea?

–Por supuesto –contestó Jonathan.

–¿Nos vemos en la editorial?

–No.

–¿No?

–No –repitió Jonathan, sonriendo–. Es verdad que he estado pensando, y me preguntaba si usted juega al tenis.

–¿Al tenis?

32

Hannah

Ese mismo día,
4 de enero, jueves, 16.14 horas

Aunque caía aguanieve y una capa de hielo húmeda y fría empezaba a cubrirlo todo, Hannah seguía sentada en un banco, cerca del puente de Krugkoppel, y se aferraba a la última de las hojas que había imprimido. Se la había quedado tras pegar todas las demás para enseñársela a los viandantes. Sin embargo, con aquel tiempo apenas pasaba gente y la hoja de papel, que solo conseguía proteger a medias debajo del abrigo, estaba hecha polvo. Tendría que haber metido los papeles en portafolios de plástico, pero, con las prisas, no se le había ocurrido.

Al día siguiente colgaría más copias, esta vez protegidas; total, no tenía nada mejor que hacer. Hoy pasaría el resto del día en el banco; seguiría allí sentada hasta que encontrara a alguien que pudiera ayudarle. O hasta que se congelara. Por un instante la asaltó la sospecha de que la última posibilidad sería la primera en cumplirse.

Había colgado carteles alrededor de todo el lago. Mientras lo hacía, se topó con dos policías que le dijeron que mantenían la búsqueda de Simon. Al menos, ¡eso seguía en marcha!

Evidentemente, también le pidieron que se fuera a casa y, al ver cómo los miraba, le aseguraron, casi ofendidos, que harían su trabajo, que no se preocupara. Pero Hannah Marx no sería Hannah Marx si..., si no fuera Hannah Marx.

Le sonó el móvil, lo sacó del bolsillo del abrigo con los dedos entumecidos y contestó.

—¿Todavía estás en la calle?

Era Lisa, con la que ya había hablado tres veces por teléfono. La idea de Hannah de colgar carteles le había parecido buena, pero también creía que su amiga tenía que volver a casa porque, con ese tiempo de perros, aún duraría menos que Simon.

–Esperaré hasta que oscurezca.

–¡Mira el cielo! Ya está oscureciendo.

–Tranquila, hay muchas farolas.

–¡Hannah!

–¡Para ya, Lisa, por favor! Sé lo que hago.

–Perdona, pero yo no estoy tan segura. Si coges una pulmonía, no ayudarás mucho a Simon.

–¿Y si me marcho y al cabo de dos minutos pasa alguien que lo vio?

–¿Quién quieres que pasee por el Alster si está nevando y estamos por debajo de los cero grados?

–Me quedo media hora más y me voy. ¡Te lo prometo!

–¿Dónde estás exactamente?

–En el puente de Krugkoppel.

–Pues entra al menos en algún sitio. En la esquina tienes el Red Dog y podrás tomarte un té caliente.

–No sé si han abierto.

–¡Pues ve y compruébalo! –exclamó Lisa, y en su voz resonó una impaciencia llena de cariño. Sonaba igual cuando, con un temple admirable, intentaba convencer a uno de los pequeños de que, por favor, por favor, no se quitara el gorro ni los guantes.

–Pero desde allí no veré nada... –objetó Hannah.

–No hay nadie tan loco como para pasear a estas horas por ahí, ¿entendido? –Lisa suspiró–. Tú has hecho todo lo que podías hacer. Confía un poco en el destino, del que siempre hablas tanto. No todo está en tus manos.

–Ya lo sé.

En contra de su voluntad, Hannah se echó a llorar. No sabía cuántas lágrimas había derramado ya en los últimos días, pero, seguramente, más que en toda su vida anterior.

–Iría a buscarte, pero no puedo. Aquí hay veinte niños alborotando y no puedo dejarlos solos con mi madre y la tuya.

–No –corroboró Hannah, y la embargó el sentimiento de culpa. Porque realmente tenía cosas mejores que hacer que quedarse sentada en aquel banco, desamparada y bajo el aguanieve. Y si no eran mejores, al menos eran distintas–. Mira –dijo–, me quedo media hora más y luego voy a La Pandilla y te ayudo a recoger, ¿de acuerdo?

–¡Eso estaría bien! Luego podríamos ir a cenar.

–Mmm...

–O vamos al piso de Simon y pedimos una pizza. Y una buena botella de vino.

Hannah sonrió.

–¡Eres un encanto!

–Tú también.

A las cinco menos cuarto, Hannah cumplió su promesa y se levantó del banco. Realmente, en la última media hora no había pasado nadie por allí. Estaba agarrotada y, al intentar ponerse en marcha, le dio la sensación de que tenía las mismas agujetas que habría tenido después de correr una maratón sin haber entrenado antes.

Sopesó la idea de llamar a un taxi que la llevara a La Pandilla, pero esa mañana no solo no había caído en coger el bolso, sino que también se había olvidado de coger dinero. Por lo tanto, aunque hubiera querido, no se habría podido tomar ni un café en el Red Dog. Ahora bien, si no podía pagar un taxi y tenía que ir a pie, por el camino podría enseñar el cartel a las personas con las que se cruzara.

–No hay mal que por bien no venga –murmuró con energía, y se puso en marcha hacia el Harvestehuder Weg.

Si iba directamente a La Pandilla, tardaría veinte minutos en llegar. Si se paraba porque se topaba con alguien, tardaría treinta minutos. Tiempo suficiente para pillar una pulmonía. Hannah tosió.

Diez minutos después, había recorrido más de la mitad del trayecto, porque corría más que andaba y porque en las calles no se veía un alma, aparte de un ciclista y de un hombre que, cuando lo abordó, la miró extrañado y siguió su camino sin decir nada.

¿Qué les pasaba a los habitantes de Hamburgo? ¡Era increíble que un poco de aguanieve los asustara y los acorralara en el sofá de casa! Un verdadero hanseático estaba hecho a prueba de tormentas y tenía como mínimo tres chubasqueros y un gorro impermeable en el armario de casa.

Al llegar al Innocentiapark, avanzó a toda prisa por el pavimento cubierto de nieve, al abrigo de las mansiones que lo rodeaban. A esas alturas, Hannah tiritaba de frío y casi daba por hecho que acabaría con una pulmonía. Tendría que haber pedido un taxi; Lisa le habría prestado el dinero para pagarlo en cuanto hubiera llegado a La Pandilla, pero su cabezonería se había impuesto una vez más a la sensatez. Y ahora ya no valía la pena llamar a la central de taxis.

Le pareció ver, a unos treinta metros de distancia, una pequeña silueta que se recortaba a la luz de la entrada de una casa de la que acababa de salir. ¿Un niño? Aceleró el paso; aunque fuera un niño, quería enseñarle el cartel. De ese modo, la caminata sobre la nieve quizá habría valido la pena.

Al acercarse, Hannah se dio cuenta de que no era un niño, sino una pequeña anciana que sacaba a pasear un caniche. Llevaba puesto un chubasquero y un gorrito de plástico. El perro también iba abrigado.

–¡Hola! –la llamó Hannah, y echó a correr hacia la mujer, que se sobresaltó–. ¡No tenga miedo, solo quiero preguntarle una cosa!

En vez de contestar, la anciana dio media vuelta y volvió a la entrada de su casa a una velocidad sorprendente, tirando al pobre perro de la correa.

–¡Hola! –volvió a llamarla Hannah, que levantó el cartel, completamente empapado, dio una zancada hacia la propietaria del perro y le puso la mano en el hombro–. ¡Espere!

–¡Suélteme! –La mujer no solo se movía con una rapidez extraordinaria, sino que tenía unas cuerdas vocales aún más extraordinarias, y su voz le llegó a Hannah hasta los tuétanos. Se estremeció y apartó la mano. La anciana se dio la vuelta y la miró muy enfadada. Enfadada, pero también asustada, y eso le partió el alma a Hannah–. ¡Déjeme en paz!

–Perdone, yo solo quería... –Hannah dio un paso hacia ella, con la intención de mostrarse conciliadora, y le tendió la mano derecha.

–¡Socorro! –gritó la mujer, y luego una orden muy curiosa, teniendo en cuenta cómo era el perrito–: *Daphne,* ¡ataca!

El chucho no enseñó los dientes ni gruñó, pero empezó a ladrar muy nervioso y Hannah, preocupada por si aquella mosca cojonera le saltaba a las piernas, retrocedió con cautela.

–Se equivoca –dijo, esforzándose por pronunciar las palabras en tono tranquilizador y, a la vez, levantando las manos con recelo–. Yo... Yo...

–¿Qué pasa ahí?

Las dos mujeres giraron la cabeza al mismo tiempo hacia el lugar de donde procedía la voz masculina. En la oscuridad de la entrada de la casa vecina se recortaban dos siluetas que las observaban.

–¿Está bien, señora Fahrenkrog? –preguntó el mismo hombre.

–¡Perfectamente! –exclamó Hannah antes de que la propietaria del chucho se pusiera a dar gritos–. ¡Solo ha sido un malentendido!

Luego, se fue de allí tan deprisa como pudo, pero intentando mantener la dignidad, y se dirigió a la Brahmsallee. Oía los ladridos de *Daphne* a sus espaldas, pero al menos la anciana ya no chillaba y daba la impresión de que las personas de la casa contigua no la perseguían.

Estuvo a punto de echarse a reír. Había estado bien que no la denunciaran por agresión. Pero ella solo quería preguntar por Simon. ¿Por qué se había asustado la anciana? ¿Acaso pensaba que quería venderle una suscripción a un periódico? Finalmente, a pesar de que su situación en general era cualquier cosa menos divertida, Hannah se echó a reír.

33

Jonathan

4 de enero, jueves, 16.56 horas

—¡Me quito el sombrero, Bode! –Jonathan estaba repantingado en un sillón de cuero de la sala de estar. Después del partido de tenis, había invitado a su director ejecutivo a tomar «la última», un té con hielo refrescante, en su casa. Estaba cansado, pero sonreía de oreja a oreja porque a la vez se sentía casi eufórico. Se lo había pasado en grande jugado al tenis con Markus Bode, aunque había fallado casi todas las bolas y le dolía el cuerpo como si lo hubiera atropellado un camión–. ¡No creía que fuera tan bueno con la raqueta!

–¿Por qué no? –Markus Bode sonrió con orgullo.

–Ni idea –contestó Jonathan, encogiéndose de hombros–. Simplemente, no me lo imaginaba.

–Yo tampoco pensaba que usted fuera tan malo –replicó el director ejecutivo, con una sonrisa aún más amplia–. Como fue usted el que lo propuso, supuse que sabía jugar.

Jonathan se echó a reír.

–¡Porque no sabía que era el doble de John MacEnroe!

–Gracias por no compararme con Boris Becker. –Markus Bode sonrió satisfecho–. Pero ha ido mejorando minuto a minuto, de verdad.

–No hace falta que me dore la píldora porque sea su jefe.

–Lo decía en serio. Se notaba que no era la primera vez que jugaba, pero estaba un poco oxidado. ¿Cuánto hacía que no echaba un partido?

–No puedo hablar de «partidos» –contestó Jonathan–. De niño, a veces daba unos golpes con mi madre en el jardín, pero nunca pasé de ahí.

Bode enarcó las cejas y le dirigió una mirada interrogativa.

–¿Y por qué se le ha ocurrido hoy la idea?

–Bueno... –replicó Jonathan, evasivo. La posibilidad de explicarle al director que se guiaba por una misteriosa agenda quedaba descartada–. No sé. Este año quiero hacer cosas nuevas, darle un nuevo ímpetu a mi vida. Y he pensado que podía probar con el tenis.

–Entiendo. –Bode asintió pensativo y fijó la mirada en su vaso de té con hielo, que ya estaba medio vacío–. El nuevo año nos ha traído cambios a los dos, ¿verdad?

–Eso parece –corroboró Jonathan–. ¿Cómo van las cosas? –preguntó, puesto que se sintió implícitamente obligado a interesarse por el asunto.

–Van. Mi mujer y yo estamos en «conversaciones», como suele decirse.

–¿Sí? ¡Eso suena muy bien!

–Depende del tema de conversación. Si he de serle sincero, en nuestro caso los únicos que mantienen conversaciones son los abogados, sobre todo para fijar la cuantía de la manutención y la frecuencia con que podré ver a mis hijos en el futuro.

–Oh. –Jonathan lo miró, un poco abochornado–. Eso no suena tan bien, por supuesto.

–No, la verdad es que no.

–Bien, Bode. –Jonathan se dio cuenta de que había vuelto a patinar y que había adoptado un tono jovial inapropiado, por lo que tenía que decir algo inteligente–. Yo he pasado por lo mismo y le aseguro que se supera.

–Ya, sí –asintió el director–. Pero no tiene hijos.

–Cierto –admitió Jonathan.

–Y, por lo que sé, su exmujer se portó muy bien y no le exigió nada en concepto de manutención.

–¿Y cómo lo sabe? –preguntó sorprendido Jonathan. Sorprendido y sofocado.

–Por si no lo recuerda, hace dieciséis años que trabajo en Griefson & Books, y ocupo el puesto de director ejecutivo desde que se retiró su padre.

–Sí, ya lo sé. Pero ¿eso qué tiene que ver?

–Digamos que una parte de mi trabajo consiste en estar informado de cualquier cosa que afecte a los intereses de la editorial.

–No sabía que mi fracaso matrimonial entraba en los «intereses de la editorial» –dijo Jonathan, que no pudo disimular su indignación.

–¡No, claro que no! –se apresuró a asegurarle Markus Bode, sonrojado–. Lo siento, no quería...

–No pasa nada –replicó Jonathan–. Da igual.

–De verdad que lo siento –insistió el director–. Pero es usted el director editorial y el centro de atención. Y, claro, la gente habla.

–¿La gente? –A Jonathan volvió a darle un sofoco–. ¿Qué gente?

–Bueno, los empleados y los colaboradores se interesan por el jefe.

–Ajá.

La idea de que su vida privada fuera tema de conversación entre sus empleados le resultó muy desagradable. Nunca se lo había planteado. De hecho, siempre había supuesto que, como editor, era una figura carismática imprecisa o, quizá, una figura a secas, que de vez en cuando aparecía por la editorial, y ahí acababa el interés por él. Enterarse ahora por Bode de que no era así...

–No tiene por qué preocuparle –dijo Markus Bode, arrancando a Jonathan de sus pensamientos–. Es normal. Para mucha gente, los cotilleos son una necesidad básica. Casi como ver series de televisión o leer una buena novela de entretenimiento.

–¿Ahora compara mi vida con una serie de televisión?

–¡Oh, vamos! Ya lo dijo el gran Oscar Wilde: «Que hablen mal de ti es espantoso. Pero hay una cosa peor: que no hablen de ti».

–Él debía de saberlo –comentó Jonathan, seco–. Por lo que sé, nuestro querido míster Wilde pasó sus últimos años en prisión en condiciones indignas y murió completamente solo y arruinado poco después de que lo soltaran.

–Aun así, sus palabras eran sabias.

–A él no le sirvieron de nada.

–Pero sí a la posteridad.

–No creo que eso a Wilde le sirva de consuelo.

–Vale. –Markus Bode extendió los brazos en señal de rendición–. Pero ¿acaso no es eso lo que nosotros intentamos cada día? ¿Dejar un legado de buena literatura para la posteridad?

–Yo preferiría que la apreciaran y la honraran en «este» mundo.

Markus Bode se puso firme de inmediato.

–¿Hablamos de negocios?

–Ejem... –¡Mierda! ¡Mierda, mierda, mierda! Sin querer, Jonathan se había metido él solo en un aprieto, su intención era eludir el tema tanto como pudiera. ¡Genial! No se le ocurrió ninguna excusa y se dio por vencido. Y decidió pasar al ataque–. Con mucho gusto –dijo–. Pero, ya que ha aludido a sus años de experiencia en la editorial, en primer lugar me gustaría saber qué propone.

–A mí me ocurre lo contrario –replicó Bode–. Me gustaría oír su opinión, como editor, de los resultados que, por desgracia, se muestran tan claramente en los documentos.

–Usted primero, por favor.

–No, no, le cedo el puesto con mucho gusto.

Jonathan carraspeó. ¿De qué iba aquello? ¿Estaban en un programa de cámara oculta? ¿Por qué Markus Bode rehusaba compartir con él sus puntos de vista? ¿Acaso tenía... miedo?

¿De él, de Jonathan N. Grief? Imposible, él no era su padre. Aunque él también tenía miedo.

¿Era eso cierto?

–Seamos sinceros, Bode –dijo Jonathan, esforzándose por utilizar un tono autoritario–, es el responsable de las operaciones comerciales, conoce las cuentas y los resultados mejor que nadie y tiene una excelente visión de conjunto del mercado.

Por lo tanto, sería una tontería por mi parte no escuchar primero la opinión del experto.

–¿Lo dice en serio?

–Por supuesto.

–¿Quiere que le dé mi opinión abiertamente y con toda franqueza?

–¡Se lo ruego!

Markus Bode titubeó un momento. Luego dejó el vaso en la mesa de centro, se sentó en el borde de la butaca, cruzó las piernas y entrelazó las manos.

–Sinceramente, creo que no podemos continuar con la estrategia que ha mantenido la editorial desde que se fundó. Si lo hacemos, pronto dejaremos de ser competitivos.

–¿Podría ser más concreto?

–Griefson & Books apuesta por la alta literatura, pero vende muy pocos libros. Si quiere que le diga la verdad, tendríamos que empezar cuanto antes a publicar literatura más popular.

–¿Más popular? –Jonathan escupió las palabras como si le provocaran mal sabor de boca.

Markus Bode asintió.

–¿Qué quiere decir? –preguntó Jonathan.

–Necesitamos con urgencia unos cuantos títulos de literatura de entretenimiento: novela romántica, policíaca y de suspense, histórica...

–¡De ninguna manera!

–Sabía que reaccionaría así. Pero no veo ninguna otra posibilidad.

–¡Griefson & Books no apostará por eso!

–Si las cosas continúan como hasta ahora, pronto no podrá apostar por nada.

–No importa –insistió Jonathan–. El que tiene una fábrica de tornillos no puede decidir de un día para otro que se pondrá a vender tacos porque ese negocio funciona mejor.

Jonathan entendió que Markus Bode lo mirara perplejo. Él tampoco sabía de qué parte de su cerebro había salido la idea de los tornillos. A lo mejor, sus palabras eran producto de un acto irreflexivo a causa del pánico; incluso a él le parecían un disparate.

–No. –A pesar de todo, el director le dio la razón–. Solo hay que vender otro tipo de tornillos. De lo contrario, tendrá que cerrar la fábrica porque no funciona.

–¡La situación no puede ser tan dramática!

–¿Les ha echado un vistazo a las cuentas?

–¡Por supuesto!

–Entonces comprenderá que es dramática.

–Pero... –Jonathan buscó las palabras adecuadas. No se le ocurrió nada con mucho sentido y se limitó a insistir con obcecación–. ¡Nosotros no participaremos en el aborregamiento del mundo para obtener beneficios!

–¿De dónde proviene su rechazo casi patológico a todo lo que huela a entretenimiento? –preguntó Bode.

–¡No es eso! –replicó Jonathan en tono respondón, al tiempo que calibraba si estaba discutiendo con su director ejecutivo. Porque eso es lo que parecía.

–¿No?

–Creía que los dos defendíamos la misma línea y que usted apoyaba el catálogo de la editorial.

–¡Y lo hago! Pero no se trata de mis gustos personales ni de los suyos, sino de lo que se vende. Griefson & Books también es una empresa y se debe a sus trabajadores.

–Ante todo es una empresa basada en una larga tradición familiar. Y yo también me debo a esa tradición.

–Y lo entiendo –replicó Markus Bode en tono conciliador–. No propongo que a partir de ahora publiquemos novelas del Oeste. Solo que de vez en cuando saquemos un título que nos asegure unas buenas cifras de ventas y nos permita financiar el catálogo principal.

–¡Eso sería de hipócritas!

–O de personas inteligentes.

–Está claro que no opinamos lo mismo.

Se miraron fijamente en silencio. Sin parpadear. Un duelo como en *Solo ante el peligro* en el Innocentiapark.

Jonathan estaba a punto de carraspear y, para rebajar la tensión, comentar que seguramente los dos se habían acalorado, cuando se oyeron unos gritos estridentes en la calle.

–¡Suélteme!

Jonathan se levantó de un brinco, como si le hubiera picado una tarántula, y Markus Bode lo imitó. Los dos hombres cruzaron a toda prisa el pasillo para alcanzar la puerta de la calle.

–¡Socorro! –gritó la misma voz–. *Daphne,* ¡ataca!

–¡Es mi vecina, la señora Fahrenkrog! –exclamó Jonathan, que abrió la puerta y echó un vistazo al exterior.

Vio a la anciana en la acera, delante de su casa, a pocos metros. Estaba en la penumbra y discutía con una mujer.

–¿Está bien, señora Fahrenkrog? –preguntó Jonathan, dispuesto a salir corriendo hacia ella.

–¡Perfectamente! –exclamó la desconocida–. ¡Solo ha sido un malentendido!

La voz de aquella mujer sonó tranquilizadora y, por un momento, Jonathan la creyó. Sin embargo, luego la vio marcharse a paso rápido y pensó en seguirla y darle alcance. Pero antes quería hablar con la vecina.

–¿Se encuentra bien? –le preguntó al llegar a su altura.

–Sí, gracias. –La anciana señora temblaba como un flan–. Estoy bien.

Daphne lo corroboró lanzando un bufido beligerante.

–¿Qué quería esa mujer?

–No lo sé –dijo en tono lastimero–. Me ha atacado de repente, así, sin más.

–¿Quiere que avise a la Policía?

Hertha Fahrenkrog esbozó una sonrisa temblorosa.

–No hace falta, señor Grief. Gracias a usted, no me ha pasado nada.

–¿Está segura?

La anciana asintió.

–Ahora entraré en casa y me prepararé una buena taza de té.

–Muy bien –replicó Jonathan–. Y, si necesita cualquier cosa, ya sabe que me tiene aquí al lado.

Otra sonrisa, ahora más distendida.

–Está bien saberlo.

La anciana se despidió de él con un gesto, tiró de la correa de *Daphne* y se dirigió con paso vacilante a la entrada de su finca.

Jonathan se dispuso a dar media vuelta para regresar también al calor del hogar, pero entonces se le ocurrió una cosa.

–¿Señora Fahrenkrog? –la llamó.

La anciana se dio la vuelta.

–¿Sí?

–¿Cuándo es su cumpleaños?

–En mayo. ¿Por qué?

–¿El dieciséis?

–No –contestó, mirándolo con perplejidad–. El siete de mayo. Seguro. No estoy tan gagá como para no saberlo.

–Por supuesto –replicó él–. ¡Espero que pase una buena tarde!

Jonathan volvió a su casa. En la entrada lo esperaba Markus Bode.

–¿Qué pasaba? –preguntó, en cuanto estuvieron los dos en el vestíbulo.

–A mi vecina la ha atacado una desconocida.

–¿En este barrio? –El director sacudió la cabeza en un gesto de asombro–. ¡Quién lo diría!

–Sí, a mí también me ha sorprendido.

–¿Una paciente del psiquiátrico?

–Es posible. Aunque hablaba con normalidad.

Markus Bode asintió.

–Esos son los peores.

–¿Entramos?

–Me gustaría, pero tengo que irme. –Bode le echó un vistazo al reloj de pulsera–. He quedado con el abogado, ya sabe. Tendremos que seguir otro día con la... discusión.

–Lástima –dijo Jonathan, mientras pensaba exactamente lo contrario: ¡Hurra!

34

Hannah

5 de enero, viernes, 06.53 horas

A las siete. ¿Por qué demonios el panadero de la esquina abría a las siete? ¿Acaso no había gente que a esa hora tenía que estar en el trabajo? ¿O que llevaba horas trabajando? ¿Qué pasaba con esas personas? ¿Se quedaban sin panecillos ni café?

Mientras esperaba delante de la puerta cerrada de la panadería, dando saltitos para combatir el frío, Hannah pensó si no sería más rápido ir en coche a la gasolinera de Horner Kreisel. Abrían las veinticuatro horas y seguro que encontraría un ejemplar del *Hamburger Nachrichten*.

De hecho, a las tres de la madrugada ya quería salir de casa para hacerse con la última edición del periódico, pero se había bebido una botella de vino tinto con Lisa, y su amiga le impidió ponerse al volante del Twingo. Y lo hizo de manera muy contundente, arrebatándole las llaves de la mano y abroncándola con severidad: «¡Ahora tienes que dormir como mínimo seis horas!».

Mientras Lisa dormía el sueño de los justos en el sofá de la sala, Hannah dio vueltas en la cama hasta las seis y media, ofuscada por los pensamientos más lúgubres en torno a Simon. A esa hora se levantó y, sin lavarse ni peinarse, se fue pitando a la panadería.

Y allí estaba ahora, desgreñada como un gato callejero y resistiéndose a la tentación de golpear la persiana bajada y exigir a grito pelado que la dejaran entrar.

Las 06.56 horas. ¿A la gasolinera? No, incluso ella comprendía que, por cuatro minutos, no valía la pena. Además, si ahora abandonaba su posición delante de la puerta, tardaría aún más en tener un ejemplar del *Hamburger Nachrichten* en las manos. Esperaba que los periódicos le hubieran llegado ya al panadero. De lo contrario, le daría un ataque de histeria y de llanto.

A las 06.59 oyó el anhelado sonido de una llave que giraba por dentro y, al cabo de unos segundos, subieron la persiana. La mujer mayor que apareció al otro lado de la puerta puso cara de contrariedad al ver que Hannah se precipitaba hacia el interior y, sin siquiera saludar, pedía el *Hamburger Nachrichten* mientras corría hacia el expositor de vidrio y cogía un ejemplar de una pila.

–¡El cambio! –gritó la dependienta, a pesar de todo, cuando le puso en la mano un billete de cinco euros. Pero Hannah ya estaba en la calle.

Jadeando, desplegó a toda prisa el periódico. Y comprobó con alivio que la redacción había cumplido su palabra. La noticia sobre Simon estaba en la parte inferior de la primera página, con lo que era casi imposible no verla. Además, habían incluido una fotografía de su novio y también una imagen de la agenda. Si alguien había visto a Simon en el Alster la mañana de Año Nuevo o alguien tenía la agenda, el artículo ayudaría a encontrarlos. Seguro. Lo contrario era inimaginable.

35

Jonathan

5 de enero, viernes, 06.15 horas

Como todas las mañanas, Jonathan se sobresaltó al oír que sonaba el despertador. Tardó tres segundos en comprender que no tenía motivos para inquietarse. Al contrario, había llegado la hora de desconectar, puesto que ir a correr al amanecer formaba parte del pasado. A partir de ese momento, lo sustituiría el tenis.

Jonathan paró la radio despertador de un manotazo certero y se dejó caer de nuevo sobre la almohada, tiró del cubrecama para arroparse y se tapó hasta la nariz. ¡Magnífico! Se quedaría así todo el tiempo que le apeteciera.

Y le apetecía. Le apetecía mucho porque, aparte de la preocupante situación económica de la editorial, y de la sospecha de que Markus Bode insistiría, se sentía mejor que nunca. No sabía por qué, ya que no había ocurrido nada, pero así estaban las cosas.

A las ocho y media se despertó por segunda vez. Jonathan N. Grief sonrió audazmente después de mirar de reojo el despertador. Las ocho y media era una buena hora para que un hombre de mundo, un conocedor de la vida, que era lo que él se consideraría a partir de ahora, se levantara entre semana. Ya podía tirar el despertador porque no tenía ningún motivo para saltar de la cama cada mañana a horas intempestivas.

Se sentó en la cama, se puso las zapatillas de fieltro, se acercó al balancín y cogió el batín para echárselo por encima. Ahora, una buena taza de café, un cruasán recién horneado y el periódico, así empezaría el día.

Mientras bajaba las escaleras para ir a la cocina, le costó creer que, hasta entonces, siempre hubiera dado esos primeros pasos vestido con ropa deportiva, generalmente cansado y de mal humor. ¿Qué lo había empujado a hacerlo durante años? ¿Por qué demonios salía a correr a las tantas de la noche aunque no tuviera motivos para semejante locura?

Seguramente, por la fuerza de la costumbre. Cuando empezó a estudiar en la universidad, se acostumbró a salir a correr a primera hora de la mañana y, con el tiempo, interiorizó tanto ese ritual que nunca se lo cuestionó. Le dio las gracias a la agenda, puesto que sin ese estímulo probablemente habría seguido torturándose, mañana tras mañana, en el Alster, incluso cuando ya solo pudiera ir acompañado por un enfermero que empujara su silla de ruedas.

Jonathan puso la cafetera en marcha y metió un cruasán en la bandeja del horno, recogió el *Hamburger Nachrichten* del buzón que estaba junto a la puerta de entrada y lo dejó bien doblado en la mesa del comedor. Luego volvió a la cocina para buscar el desayuno. El café todavía no estaba listo y decidió subir al despacho a por la Filofax. Empezaría con ella, antes de leer el periódico.

La lectura de la entrada correspondiente a la fecha del día se convertiría en su nuevo ritual matutino. Y, por mucho que se sintiera tentado, no leería más páginas. Sí, ya había ojeado algunas entradas, pero eso no contaba porque lo había hecho con otro propósito, el de averiguar quién era el propietario.

Sin embargo, a partir de ahora, la Filofax, que nadie parecía echar en falta o que el destino, sí, ¡el destino!, le había entregado, sería para él una especie de calendario de Adviento, en el que solo se podía abrir la puertecita del día o, de lo contrario, uno se ganaba un cachete en los nudillos. De ese modo, empezaría todos los días con una sorpresa agradable. Con una bolsita sorpresa, con un oráculo matutino, con... Sí, con un programa de entretenimiento personal secreto.

Al cabo de diez minutos, Jonathan estaba sentado a la gran mesa del comedor, sintiéndose en paz consigo mismo y con el mundo. Le dio un bocado al cruasán calentito, abrió la agenda por la página del 5 de enero y se concentró en la lectura.

¡Haz dieta de medios!

¿Dieta de medios? ¿A qué se refería? Continuó leyendo con curiosidad.

Nuestra energía se concentra en las cosas en las que ponemos nuestra atención. Por lo tanto, evita las malas noticias. Nada de periódicos ni de televisión ni de radio (no para siempre, solo por un tiempo). Ya sabes que los medios normalmente solo informan de sucesos negativos, ¡ni te acerques!

Así pues, tu tarea consiste en lo siguiente: ¡piensa cómo te gustaría que fuese tu vida! Escribe una lista con las pequeñas y las grandes cosas que deseas: éxito, dinero, amor, un nuevo hobby, diez hijos... Busca imágenes en revistas, recórtalas y pégalas en una cartulina. Después, cuelga la cartulina en un sitio donde puedas verla bien, ¡será tu panel de visión! Pon tus huellas en el futuro, las imágenes ayudarán a tu subconsciente a hacer realidad tus sueños. Porque: «Cuando no sabemos a qué puerto nos dirigimos, ningún viento nos es favorable» (Séneca). Y otro: «Nuestros deseos son presentimientos de las cualidades que yacen en nosotros, anuncios de lo que seremos capaces de hacer» (Johann Wolfgang Goethe).

Ajá. Trabajos manuales. Eso le quedaba todavía más lejos que jugar al tenis. La última vez que utilizó tijeras y cartulina fue en el colegio. Pero, si tenía que ser, sería, y la actividad parecía divertida. Por supuesto, la cita de Goethe también le había gustado, aunque la persona quc la había anotado se había saltado descaradamente el «von». Cogió un lápiz para intercalar una «V» entre «Wolfgang» y «Goethe». Al fin y al cabo, el emperador José II había ascendido a la nobleza al escritor en el año 1782, ¡valía la pena tomarse la molestia!

Panel de visión. Naturalmente, Jonathan intuyó por dónde iban los tiros. No era tonto; no, realmente no lo era. Saltaba a la vista que ese ejercicio servía para aguzar la percepción de las cosas que a uno le importaban. Y para recordarlas constantemente con la ayuda de las imágenes, para tenerlas siempre en el punto de mira.

Sabido era que, tan pronto como alguien se preocupaba de un tema, de repente se topaba con él en todas partes. Como les ocurría a las mujeres embarazadas, que de pronto veían cochecitos y bebés continuamente. Él no había estado nunca embarazado, claro, pero tenía capacidad de abstracción.

Ese era, ni más ni menos, el sentido y la finalidad del panel. De eso estaba seguro.

Sin querer pensó en el otro Wolfgang, en su padre. ¿Cómo sofocaba siempre Wolfgang Grief las ocasionales muestras de rebeldía de los colaboradores que exigían «una nueva visión» para la editorial? Con la célebre cita del Helmut Schmidt: «Quien tenga visiones que vaya a la consulta del médico». Eso era lo que solía decir, generalmente en público y delante de un grupo de hombres. Después se reía con aires de suficiencia y amenazantes.

Cuando eso ocurría en su presencia, Jonathan siempre se enfrentaba a un dilema. Se encontraba atrapado entre el profundo respeto que sentía por su omnipotente padre y un sentimiento de vergüenza disimulada porque su padre se comportaba como el macho alfa de la manada.

Jonathan se estremeció un instante al recordarlo. Él no había heredado ese carácter. Al contrario, como solía afirmar su progenitor, él no tenía «garra». Lo decía para ofenderlo, pero Jonathan no podía cambiar. Le faltaba el gen Alfa de la familia Grief; por sus venas corría sangre italiana. Al menos, eso suponía, aunque no podía asegurarlo porque no tenía una imagen real de cómo era verdaderamente su familia italiana.

¿Qué diría su padre si se enterara de la propuesta de Markus Bode de publicar literatura «más popular»? No era difícil imaginarlo. Y por eso mismo no tenía sentido malgastar el tiempo pensando en un nuevo enfoque editorial. La gente podía decir y pensar de su padre lo que quisiera en el terreno personal, pero ¡sabía cómo dirigir con éxito una editorial! Y aunque ahora Jonathan fuera oficialmente el director editorial y su padre no estuviera en plena posesión de sus facultades mentales, él se veía en la obligación de dirigir la empresa siguiendo la acreditada tradición familiar.

Nada más lejos de su intención que dudar de la capacidad de Markus Bode. De hecho, la valoraba mucho. Sin embargo... Un pensamiento rebelde lo asaltó. Su padre se había equivocado al menos una vez, con *Harry Potter*. El pequeño aprendiz de mago seguramente había empujado a más lectores jóvenes al hábito de la lectura que los libros, tan pedagógicos como deficitarios, de la colección de literatura infantil de Griefson & Books, que había tenido que cerrar por consejo de Bode. Además, su padre no fue el descubridor de su apreciado Hubertus Krull, sino la abuela Emilie. Y si Jonathan hacía un ejercicio sincero de introspección, tenía que admitir que la propuesta del director ejecutivo no le parecía tan desacertada.

Jonathan dio un respingo. Estaba..., estaba... ¡Estaba cometiendo un parricidio mental! ¿Cómo iba a responsabilizarse él de la editorial? ¿Podía? ¿Le estaba permitido? ¿No sería mejor dejarlo todo tal cual? Tomar una decisión tan drástica como la de poner patas arriba el catálogo de Griefson & Books no era coser y cantar.

Para evitar el riesgo de enredarse aún más en cuestiones tan poco edificantes, Jonathan resolvió darse una ducha y vestirse. Después se centraría en la tarea que prescribía la agenda para ese día. Montaría un panel de visión, aunque no con papel y tijeras. ¡Él no era tan anticuado! Crearía un documento muy profesional con el ordenador. Un pdf con imágenes de las cosas que soñaba y deseaba.

Por ejemplo... ¡Una buena raqueta de tenis! ¡Sí! Ya tenía el primer tema. ¡Estaba chupado! Y seguro que en la red encontraría una foto del club de tenis de la Rothenbaumchaussee, donde el día anterior había jugado un partido con Markus

Bode. Tendría que hacerse socio o, al menos, reservar unas horas con un entrenador. ¡Así se ponían huellas en el futuro! Y, puestos a hacer, se borraría del club de golf. Llevaba años pagando las cuotas y no se dejaba ver nunca por allí. Y no tenía por qué decírselo a su padre.

Jonathan se levantó contento de la silla, las ganas de pasar a la acción lo arrollaban como una apisonadora. Cuando se disponía a cruzar la puerta para ir al piso de arriba, dio media vuelta y cogió el *Hamburger Nachrichten*. Lo tiraría al cubo del papel sin leerlo; después de todo, tenía que hacer dieta de medios. Además, había cosas más emocionantes que alterarse por el trabajo de escritorzuelos incompetentes y proponer mejoras que nunca atendían.

Al cabo de cuatro horas escasas, Jonathan N. Grief contemplaba su obra. Admirado y sorprendido consigo mismo. Y un poco avergonzado. No pensaba colgar el *collage* que había hecho con fotos de internet que luego había impreso. Al menos, no lo colgaría en un sitio en el que pudiera verlo nadie que no fuera él. Ni siquiera Henriette Jansen, por mucho que su asistenta estuviera por encima de cualquier sospecha. ¿Lo estaba?

En el transcurso del «trabajo», se había desbocado un poco. De lo contrario, no se explicaba lo que veía ahora, negro sobre blanco o, mejor dicho, a todo color, encima del escritorio. A la raqueta y el logo del club de tenis, se habían sumado imágenes que incluso para él eran un misterio. Era como si las hubiera seleccionado por control remoto.

El cantante ante un micrófono tenía una explicación, puesto que ya había reconocido que cantar era una pasión que había enterrado. Lo mismo ocurría con la foto del viejo Ford Mustang. Aunque hacía años que conducía exclusivamente vehículos de la marca Saab que, en su opinión, eran los más fiables junto con los Volvo, siempre que veía uno de esos cochazos americanos se imaginaba lo que se sentiría al recorrer la Ruta 66 con la capota bajada y un poco de swing. Y alojarse en moteles destartalados para poder sentarse en el porche con una Budweiser fría en la mano y observar las idas y venidas de los demás clientes.

El día que le propuso a Tina que hicieran juntos ese viaje, ella le recordó que él detestaba la cerveza, esa «bebida de proletarios», y que no daría abasto escribiendo cartas de reclamación a los directores de todos los moteles para quejarse de las cucarachas que seguramente les esperaban en cada establecimiento de la Ruta 66. Tina lo ofendió con sus palabras, aunque quizá no fueron más que un pequeño acto de venganza por el comentario grosero de si «estaba viviendo una segunda adolescencia» que él le había soltado cuando vio su dormitorio terminado. Sin embargo, lo cierto era que había dado en el clavo. Y la propuesta no pasó de la teoría porque Tina tenía razón con sus objeciones.

Lo siguiente que observó en el *collage* fue una casa solitaria a orillas del mar, detrás de unas dunas y un cañaveral. Esa imagen tampoco se incluía entre las seleccionadas «por control remoto», puesto que, si no tuviera obligaciones en la editorial y su vida en Hamburgo, se imaginaba en un lugar como aquel: aislado en plena naturaleza, sin un alma que lo molestara en kilómetros a la redonda. En la costa del mar del Norte, lejos del mundanal ruido, quizá incluso en una isla o un islote; en el mejor de los mundos, sin internet ni cobertura para el móvil. No podía decirse que recibiera una gran cantidad de llamadas ni de correos, pero de vez en cuando casi anhelaba disfrutar de un aislamiento monacal.

Quizá por eso le resultaba tan chocante la foto de dos niños pequeños que había colocado debajo por puro capricho. ¡No pegaban ni con cola! Tampoco encajaba la pareja que paseaba cogida de la mano por la playa al ponerse el sol.

Lo único en común que tenían las imágenes era que la pareja también estaba junto al mar y que los niños jugaban en la arena; nada más. Si a eso se le añadía la fotografía de un grupo de personas sentadas a una gran mesa en un jardín, frente a un almuerzo, solo cabía una conclusión posible: esquizofrenia. El *collage* mostraba cierto grado de esquizofrenia.

En fin, así eran las cosas. Por un lado, Jonathan disfrutaba de la tranquilidad, incluso de la soledad, porque era capaz de entretenerse solo; pero, por otro, la cena con Leopold y el partido de tenis con Markus Bode le habían encantado. Y el hecho de que no tuviera hijos no significaba que no quisiera tenerlos.

Mientras estuvo casado, más de una vez pensó en tener descendencia, aunque solo fuera porque era lo que tocaba. Cuando Tina se fue, la idea languideció, pero parecía evidente que el tema aún le preocupaba, por mucho que, en apariencia, lo hubiera dado por zanjado.

Pasó las manos por el panel de visión, como si esperara descubrir de ese modo qué imagen era la que más lo llamaba. Probablemente tendría que eliminar alguna, puesto que no se podía tener todo en la vida.

¿Quién lo decía?

¿Quién había proclamado que no se podía tener todo en la vida? ¿Acaso se trataba de una ley irrefutable? Evidentemente, la máxima se ajustaba al sentido común, pero ¿la convertía eso en verdad?

Jonathan N. Grief se levantó para bajar a la cocina a prepararse otro café. Tendría que meditar largo y tendido sobre la cuestión.

36

Hannah

10 de enero, miércoles, 23.51 horas

Nada. Nada, nada, nada. Absolutamente nada desde hacía cinco días. El artículo había resultado inútil, era como si no lo hubiera leído nadie.

Hannah había renovado dos veces los carteles que había colgado en el Alster, pero lo único que le habían reportado era una llamada al móvil. De un hombre que solo quería decirle que le había parecido reconocer la foto de Simon y creía que habían ido al mismo colegio.

Hannah estuvo tentada de abroncarlo, de gritarle que estaba loco, que a quién se le ocurría llamar por semejante tontería y que su llamada había estado a punto de provocarle un infarto. No obstante, se limitó a darle las gracias en voz baja y colgar.

La Policía tampoco avanzaba en su investigación y la agente con la que Hannah estaba en contacto ya no parecía tan optimista como en los inicios de la búsqueda. No le decía directamente que cabía suponer que no lo encontrarían, pero el tono suave y tranquilizador de su voz lo dejaba muy claro. Esa manera cautelosa con que las autoridades intentaban comunicar con mucha prudencia que se agotaban las esperanzas.

No podía ser verdad, ¡de ninguna manera! ¿Dónde estaba Simon? ¿Dónde estaba? Hannah no paraba de darle vueltas a esa pregunta. Incluso ahora, tumbada en la cama de su novio como tantas otras veces, no podía pensar en nada más. Arropada con el edredón, respiraba el olor que todavía impregnaba las sábanas, el último rastro de Simon.

Hannah sollozaba. Lloraba como una criatura. Se sentía vacía y débil, sola y desamparada, y tenía la impresión de que nunca más podría levantarse de esa cama. Se quedaría allí hasta el final de sus días. O hasta que Simon regresara con ella.

–Dios –murmuró–, por favor, Dios, haz que esté vivo. Haz que vuelva. O que al menos esté disfrutando de un cóctel en el Caribe. Cualquier cosa es mejor que esta pesadilla. ¡Ayúdame, Dios mío! Por favor, ¡ayúdame!

37

Jonathan

14 de enero, domingo, 09.11 horas

Jonathan N. Grief estaba contento. Como todas las mañanas desde hacía diez días, se sentó en batín a la mesa del comedor, con un café recién hecho y un cruasán caliente, y cogió emocionado la agenda. ¿Qué sorpresa le depararía para ese domingo?

Desde que se regía por las propuestas escritas en la Filofax, había aprendido un montón de cosas interesantes. Por ejemplo, no echaba de menos leer el periódico mientras desayunaba y lo tiraba al cubo de papel nada más recogerlo. El mundo seguía girando sin que Jonathan se enterara de lo que ocurría en él.

Echaba tan poco de menos la lectura de la prensa que empezaba a sopesar la idea de anular la suscripción. Y tampoco podía decirse que sus sugerencias a la redacción o a la tal Gunda o Gundel, o lo que fuera, del servicio de atención al lector hubieran despertado mucho entusiasmo. Por lo tanto, ninguna de las partes sufriría una gran pérdida si dejaba de leer el periódico.

Jonathan también seguía el consejo de anotar todas las mañanas y todas las noches tres cosas por las que estaba agradecido, y cada vez le costaba menos encontrarlas.

Por ejemplo, su creciente entusiasmo por el tenis. En la última semana y media, había quedado tres veces con Markus Bode para jugar un partido. Lo que era malo para unos era bueno para otros, y para Jonathan era una suerte que, al salir del trabajo, el director ejecutivo no tuviera otra cosa que hacer que encerrarse en una habitación de hotel. O golpear una pelota con él.

Su juego mejoraba rápidamente, sobre todo su derecha. Él mismo se puso en secreto el apodo, un poco infantil, de Boom Boom Jonathan, y el viernes anterior se había comprado una raqueta profesional y ropa de deporte selecta. ¡Jonathan N. Grief había arrasado las tiendas de deporte de Hamburgo y estaba preparado!

No había vuelto a hablar con Bode de cómo proceder con la editorial, hasta entonces había conseguido eludir el tema con elegancia, incluso en su cabeza. Le dio largas al director con la excusa vaga de que quería esperar hasta ver los resultados definitivos del ejercicio contable, con la esperanza de que las cosas se arreglaran por sí solas. Quizá el escritor Hubertus Krull experimentaba una recuperación sorprendente y tecleaba un incendiario panfleto detrás de otro en el ordenador. O las críticas tan entusiastas que había recibido *La soledad de la Vía Láctea* incidían al final positivamente en las cifras de ventas.

Para darle un empujoncito al tema, Jonathan retocó su panel de visión y añadió un fotomontaje: imprimió la lista de las cien editoriales más exitosas y puso el logo de Griefson & Books en el primer puesto. Luego escaneó la página y colocó la imagen en el centro del *collage*.

Todos los días abría varias veces las puertas de su armario, donde había puesto el panel, justo detrás de las camisas, y contemplaba sus objetivos y visiones de futuro. Si realmente era cierto que de esa manera se programaba al subconsciente para que se cumplieran sus deseos, ¡su subconsciente demostraría de lo que era capaz!

Además, cumplía las tareas que le dictaba la agenda como un alumno aplicado. Un día sonrió alegremente a todas las personas con las que se cruzó, y sus reacciones fueron positivas. Excepto un anciano que le preguntó si se encontraba bien o necesitaba ayuda, y unas adolescentes que lo ignoraron entre risitas, los demás le devolvieron la sonrisa. También había empezado a meditar unos minutos todos los días y, una vez superadas las dificultades iniciales, descubrió que le sentaba muy bien acomodarse en su butaca y concentrarse tranquilamente en no pensar en nada, en estar allí sin más.

Asimismo, a raíz de que un día la agenda le aconsejó que hiciera algo que le apeteciera, fue dos veces al mar y pasó tres horas paseando por la playa con un viento gélido. Y también cultivaba el placer de cantar a pleno pulmón, aunque solo lo hacía bajo la ducha o en el coche.

Un día, con la esperanza de que nadie lo viera, incluso se abrazó a un árbol en el Innocentiapark, pero luego clasificó la experiencia en el apartado de «tonterías». Lo único que le había reportado era una mancha de resina en la chaqueta de piel de borrego.

En cambio, le gustó muchísimo ir a un mercadillo para comprar «algo especial», como prescribía la agenda. Se había acercado hacia al Flohschanze para cumplir esa tarea. Jonathan no lo conocía porque que no le veía ningún sentido a comprar objetos de segunda mano, y quizá por eso se entusiasmó todavía más al descubrir una verdadera joya entre los incontables puestos que ofrecían todos los trastos imaginables: un volumen de poemas de Joseph Freiherr von Eichendorff, ¡del año 1837! Además, el libro estaba en muy buen estado y lo compró por ciento veinte euros, aunque seguramente valía diez veces más. No era culpa suya que la gente no tuviera ni idea de lo que vendía a precio de saldo. Ahora, el librito estaba en la librería de la sala de lectura y, cada vez que su mirada se posaba en él, se llevaba una alegría.

Jonathan le dio un bocado al cruasán y abrió la agenda por la página correspondiente a ese domingo, ansioso por saber qué le depararía el programa.

Tu escritor favorito estará hoy en el espacio cultural de Kampnagel, ¡y tú lo verás! Tienes dos entradas en la taquilla, una para ti y otra para un acompañante. Pide la reserva número 137. El recital empieza a las 19.00 horas. ¡Diviértete!

P. D. Si no sabes a quién invitar, se me ocurre alguien. ☺

Jonathan se sintió exultante. ¡Un recital!

Él no era muy aficionado a ese tipo de espectáculos, en los que un escritor pálido con jersey de cuello alto negro murmuraba sus textos con los ojos clavados en un vaso de agua. La mayoría lo aburrían soberanamente; además, él siempre había defendido la opinión de que los escritores tenían que dedicarse a escribir y no a dar recitales. Por otro lado, si ya había tenido varias veces la impresión de que la agenda estaba relacionada de un modo enigmático con él, ahora la sospecha se avivó. Después de todo, no dejaba de ser curioso que invitaran a un editora ir a un recital.

Sin embargo, aún habría sido más curioso que el escritor que esa tarde recitaría sus obras en fuera realmente su escritor favorito. Porque ese era Thomas Mann y hacía años que había muerto.

38

Hannah

14 de enero, domingo, 17.14 horas

—¿Cuánto hace que no comes?

Lisa estaba en la puerta del piso de Simon y parecía conmocionada. Había ido a buscar a Hannah para acompañarla al recital de Sebastian Fitzek.

—¿Qué? —preguntó Hannah, distraída, mientras se toqueteaba el abrigo con manos temblorosas. Quería abrochárselo, pero los dedos le temblaban tanto que no conseguía meter los botones en aquellos ojales tan estrechos. Se sentía sin fuerzas, baja de azúcar, como si estuviera a punto de desmayarse. Pero no lo haría, tenía que ir con Lisa al Kampnagel porque ese era el último rayo de esperanza que le quedaba—. Estoy bien —murmuró—, ya podemos irnos.

—¡Hannah! —Lisa la agarró por los hombros y la miró con preocupación—. Tienes muy mala cara, pareces un fantasma.

—Estoy bien —repitió Hannah—, de verdad.

—No me lo creo —dijo Lisa, y suspiró—. Si llego a saber que pensabas declararte en huelga de hambre, te habría llevado a mi casa y te habría dado de comer yo misma.

—¡Ya he comido!

—¿Hace una semana?

—¡Da igual! Vámonos o llegaremos tarde.

—Tenemos tiempo de sobra —replicó Lisa, resolutiva; la agarró del brazo y la empujó suavemente para que volviera a entrar en el piso—. Antes te prepararé un bocadillo.

—Será difícil —dijo Hannah—. El frigorífico está vacío.

–De acuerdo, comeremos algo por el camino.

–¡Tardaremos mucho! Lisa, ¡por favor! ¡Tengo que estar en la taquilla cuando abra! Si alguien va a buscar las entradas, no puedo dejarlo escapar.

Su amiga le dio la mano y tiró de ella hacia la puerta.

–No te preocupes, llegaremos a tiempo. Pero tienes que comer algo, aunque sea un panecillo de la gasolinera. ¡Y sin rechistar!

–De acuerdo –contestó cohibida Hannah, y la siguió, dócil. Se encontraba fatal, pero era agradable ponerse en manos de alguien que la trataba con cariño.

Sabía que estaba al borde del colapso, que la última semana y media, durante la que, aparte de bajar de vez en cuando al Alster para revisar los carteles, lo único que había hecho era quedarse tumbada en la cama de Simon, llorar y comprobar si el móvil funcionaba, la había llevado al límite de sus fuerzas. Sabía que, si continuaba así, se moriría; y también sabía que perder la vida no serviría para que Simon apareciera.

Mientras bajaba las escaleras a trompicones detrás de Lisa, sus pensamientos ya estaban en Kampnagel. ¿Serían atendidas por fin sus oraciones? Si Simon no aparecía, ¿lo haría al menos el hombre que tenía su agenda? ¿Y podría contarle lo que le había pasado a su novio?

Lo dudaba mucho, pero, aun así, se concentró con todas sus fuerzas en imaginarse delante de un hombre que afirmaba saber dónde estaba Simon. Y le decía que el tema del suicidio no era más que un terrible malentendido porque su novio gozaba de muy buena salud.

Sin embargo, le faltaba la energía necesaria para adivinar en qué podía consistir ese malentendido y para hacerse una imagen del desconocido, para dibujarla de manera tangible. Y le haría falta más que un panecillo para reavivar su fe inquebrantable en que realmente no hay mal que por bien no venga.

39

Jonathan

14 de enero, domingo, 18.23 horas

Jonathan no había ido nunca a un concierto de rock, pero lo imaginaba exactamente así: una cola larguísima, que iba desde la entrada hasta el aparcamiento y estaba formada principalmente por chicas que no paraban de cuchichear y soltar risitas.

Estaba perplejo. ¿No se habría equivocado de sitio? ¿O de hora? Sacó la agenda de la bolsa de mano y la abrió por la página del día. Sí, ahí ponía «domingo, 14 de enero, a las 19.00 horas en Kampnagel».

Pero ¿por qué había tanta gente? ¡Era imposible que todas esas personas quisieran ir a un recital! Él había asistido a muchos y siempre había encontrado un público atento. Tan atento que las lecturas de los autores que publicaba Griefson & Books solían presentar la misma alegría y el mismo volumen de voces que un funeral. Y eso casaba muy bien con el discreto ruidito de pañuelos y el promedio de edad de los asistentes, que siempre se situaba por encima de los setenta, independientemente de quién fuera el autor.

Sin embargo, aquello encajaba más con un concierto de los Rolling Stones, aunque el público era demasiado joven: Jonathan estaba rodeado de adolescentes. ¡Era imposible! ¿Gente alegre y joven? ¡Eso no pegaba con un acto cultural!

–Perdonad –les dijo a las dos chicas que iban delante de él en la cola–, ¿de quién es el recital?

Las dos lo miraron con los ojos muy abiertos, como si les acabara de preguntar si la Tierra era plana.

–¡Sebastian Fitzek! –exclamó emocionada la de la izquierda.

–¿Fitzek?

–Sí –asintió la de la derecha–. Está de gira –añadió, y lo miró como si creyera que el pobre no estaba en sus cabales.

–¡Gracias!

Las chicas giraron la cabeza de nuevo y siguieron contándose secretos entre risitas, mientras Jonathan volvía a contemplar la multitud.

¿A tanta gente atraía Fitzek? Evidentemente, Jonathan sabía que era un autor con mucho éxito, pero ni en sus sueños más estrambóticos habría imaginado semejante magnitud.

Entonces se dio cuenta de que muchos iban con varios libros del autor debajo del brazo y algunos incluso llevaban grandes fotos del escritor, Jonathan supuso que para pedirle un autógrafo. De vez en cuando, una chica sacaba el móvil y se hacía *selfies* con sus amigas para captar ese momento, al parecer tan importante, y luego compartirlo en las redes sociales.

Asombroso, era asombroso. A Jonathan no se le habría ocurrido nunca asistir a un recital de Sebastian Fitzek. Y ahora sentía mucha curiosidad por conocer a ese «ídolo de masas», puesto que todo aquello no tenía otro nombre. Al mismo tiempo, le extrañaba que en la Filofax se incluyera esa actividad. Unos días antes, en la agenda se prescribía una «dieta de medios» para evitar las noticias negativas. Sin embargo, por lo que él sabía, los libros de Fitzek era *thrillers* brutales. Le gustaría preguntarle al autor de la agenda cómo explicaba esa contradicción.

Tardó un cuarto de hora en llegar a la taquilla. Menos mal que, como de costumbre, había ido con tiempo aunque no contara con que habría tanto barullo.

Cuando estaba a punto de decirle el número de reserva de las entradas al hombre de la taquilla, alguien chocó con él y lo hizo tambalear. La causante, una mujer que hablaba a gritos por teléfono, ni siquiera se dio cuenta y, seguida por una amiga, se dirigió a la salida abriéndose paso a empujones entre la gente que hacía cola.

¡Por Dios, qué peligro! Era más que dudoso que semejante multitud cumpliera las disposiciones del reglamento de protección contra incendios. Si se producía un ataque de pánico, ¡lo tenían todos muy crudo!

Jonathan se quedó mirando a las dos mujeres, pero la chica que iba detrás de él le dio un empujón brusco en la espalda y para que no siguiera colapsando el avance de la cola, exclamó:

–¡A ver si aligeramos!

–Buenas tardes –le dijo Jonathan al hombre de la taquilla–. Tengo dos entradas, con el número de reserva 137. Pero solo necesito una.

–Un momento –contestó el hombre, que empezó a buscar en una caja en la que había unos cuantos sobres blancos–. Aquí tiene. –Sacó uno de los sobres–. Número 137.

–Ya le he dicho que solo necesito una.

El hombre se encogió de hombros.

–Están pagadas. Regálese a alguien. El recital es en la nave K6.

–Gracias –contestó Jonathan, y cogió el sobre.

En ese mismo instante notó que alguien le ponía una mano en el hombro. Cuando estaba a punto de volverse para gritarle a la pesada de la chica que ya se iba, oyó una voz:

–Ya me quedo yo la otra.

Jonathan se estremeció. No contaba con eso. Se dio la vuelta pensando que se encontraría cara a cara con el propietario de la agenda.

40

Hannah

14 de enero, domingo, 18.48 horas

Después de tomarse un bocadillo y medio litro de zumo de naranja, Hannah se encontró mejor físicamente. Sin embargo, ahora que hacía guardia con Lisa al lado de la taquilla, observando con cien ojos a todos los que se acercaban, sufría un verdadero tormento psicológico. Su amiga había cumplido su palabra y llegaron al Kampnagel cuando aún no habían abierto las puertas, de modo que pudieron ocupar sus puestos, en cuanto las abrieron.

Lisa la agarraba de la mano y se la apretaba mientras vigilaban a las personas que iban a buscar sus entradas. La mayoría eran chicas adolescentes, solo de vez en cuando se presentaban grupos de chicos o de mujeres y hombres de más edad. Puesto que sabía por Sarasvati que la agenda la había encontrado un hombre, Hannah contenía el aliento cada vez que llegaba uno a la taquilla.

Sin embargo, hasta entonces todo habían sido decepciones, ninguno había pronunciado el número 137. Hannah se sentía como si estuviera en un sorteo de la lotería o en el bingo y esperara que saliera un número de vital importancia para ella, pero no había manera.

–¡No vendrá! –se lamentó, después de que otro hombre dijera el número que no tocaba–. ¡No va a venir!

–Tranquila –dijo Lisa, y le estrechó de nuevo la mano con fuerza–. Queda mucha gente en la cola, ¡todavía puede presentarse!

–Eso espero –murmuró Hannah, y se mordió el labio con nerviosismo–. ¡Con toda mi alma!

En ese momento oyó un leve sonido y notó una vibración en el bolsillo trasero del pantalón, donde había puesto el móvil. Por un momento pensó que sería mejor ignorarlo, no quería perderse lo que pasaba en la taquilla. Sin embargo, al final lo sacó y echó un vistazo a la pantalla.

Se llevó la mano a la boca, espantada. Conocía el número, lo había marcado muchas veces en los últimos días. Era la agente que le había dicho que la llamara siempre que quisiera.

A Lisa no se le escapó la reacción de su amiga y le dirigió una mirada interrogativa.

–¿Quién es?

–La Policía –dijo Hannah con voz temblorosa. Respondió la llamada y cerró los ojos–. ¿Sí?

–Hola, señora Marx. –Era ella, la agente de policía–. ¿Dónde está?

–En el Kampnagel –contestó.

–¿Está sola?

–No, estoy con una amiga.

–Bien. –La agente hizo una pausa–. ¿Podría venir con ella un momento? La comisaría de Wiesendamm está en la esquina.

–¿Ha pasado algo? –A Hannah le falló la voz.

–Venga y lo hablamos.

–¡No! –gritó–. ¡Dígame ahora mismo qué pasa!

La policía contestó algo que Hannah no entendió porque en ese momento dos chicas se echaron a reír a carcajadas.

–¡Un segundo! –vociferó–. ¡No la oigo, voy a salir un momento!

Se abrió paso entre la gente que hacía cola para llegar a la salida por el camino más recto, ignorando las quejas malhumoradas de las personas con las que chocaba. Lisa la seguía pisándole los talones.

–¿Qué me decía? –preguntó Hannah en cuanto cruzó la puerta de salida.

–Que haga el favor de venir a la comisaría –repitió la agente.

–No –insistió Hannah–. Dígame ahora mismo qué pasa o no me moveré de aquí ni un centímetro. ¿Han encontrado a Simon?

Silencio al otro lado del teléfono.

–¿Me oye? –gritó Hannah, al borde de un ataque de nervios–. ¿Lo han encontrado?

–Sí –contestó la policía con voz queda–. Lo tenemos.

Hannah cerró los ojos de nuevo, le costaba respirar y tuvo la sensación de que le fallarían las piernas en cualquier momento.

–¿Está bien? –preguntó, aunque ya conocía la respuesta.

–No –le confirmó la policía–. Lo siento mucho, señora Marx. Simon Klamm está muerto. Unos transeúntes han encontrado el cadáver hace una hora.

–¿Están seguros? ¿Están seguros de que es él?

–Me temo que sí. Hemos podido identificarlo porque iba documentado. No obstante, para estar totalmente seguros tenemos que esperar el informe del forense.

–Entonces, ¿es posible que se trate de una confusión?

–Señora Marx, por favor, le ruego que venga a la comisaría.

–¡Antes dígame si hay alguna posibilidad de que se trate de una confusión!

La agente suspiró.

–Teóricamente, sí, pero damos por sentado que es él.

–¿Dónde? –gritó Hannah–. ¿Dónde lo han encontrado?

–En un terraplén, junto al estanque de Mühlen. Todo apunta a que murió ahogado.

A Hannah se le cortó la respiración y se derrumbó. Lisa consiguió sujetarla en el último momento.

–De acuerdo –dijo con voz ronca–. Ahora vamos.

41

Jonathan

14 de enero, domingo, 18.50 horas

—Vaya, vaya, ¿usted en un recital de Fitzek? ¡Menuda sorpresa!

No era un extraño ni nadie que quisiera que le devolvieran la agenda, sino Markus Bode. Y con una sonrisa de oreja a oreja.

–Bueno –Jonathan soltó una risa forzada–, se me ha ocurrido venir a echar un vistazo. A investigar, si prefiere que lo diga así, para hacerme una idea general de cómo está el mercado.

Tenía la desagradable sensación de que lo habían pillado con las manos en la masa, puesto que unos días antes le había asegurado al director ejecutivo que los libros como los que escribía Fitzek prácticamente representaban el ocaso de la cultura occidental. Se sentía casi como si lo hubieran sorprendido en un club de intercambio de parejas o en un *sex-shop*. Aunque, en ese caso, los dos habrían estado en la misma posición y se habría producido un empate, que sería embarazoso para los dos o para ninguno. Sin embargo, aquella situación era distinta, puesto que Bode había admitido que, teniendo en cuenta la situación económica, últimamente se interesaba por la promiscuidad, por la literatura de entretenimiento.

–No hace falta que me dé explicaciones –dijo Bode, con cierto aire de superioridad–. Al contrario, ¡qué feliz coincidencia! Las entradas anticipadas están agotadas y tenía la esperanza de poder conseguir una en la taquilla. Y, por lo visto, he tenido suerte. –Sonrió satisfecho–. Si no le importa aceptar mi compañía, claro.

–No, sí –replicó Jonathan–, ¡qué casualidad! Y por supuesto que puede quedarse la otra entrada. –Abrió el sobre, sacó las dos entradas y le dio una.

–¡Gracias! –exclamó Markus Bode y, moviendo la cabeza en señal de agradecimiento, la cogió–. ¿Qué le debo?

–¡Por favor! –se indignó Jonathan–. ¡Está invitado! –Aunque no por mí, pensó.

–Gracias otra vez –replicó el director ejecutivo–. ¿Entramos?

Se sumaron a la riada de gente parlanchina que se dirigía a la nave K6, hicieron cola de nuevo y, finalmente, le enseñaron las entradas al hombre que controlaba el acceso. Este las rasgó y los dejó entrar en la sala donde iba a tener lugar la lectura.

–¡Guau! –exclamó Bode, y se quedó petrificado.

Una descripción muy acertada de la situación; aquello se merecía claramente un «¡guau!». Y no tenía nada que ver con las lecturas a las que Jonathan había asistido antes.

Habían montado un escenario en el lado derecho de la nave, en el que había suficiente sitio para que actuara una banda de rock formada por diez músicos. Encima había varios micrófonos, dispuestos alrededor de una batería que estaba en el centro y que iluminaban unos focos de colores que no paraban de girar. Del techo, justo por encima, colgaba una gran pantalla en la que se proyectaba la cubierta de la última novela de Fitzek. ¿Batería? ¿Pantalla? ¿Qué les tenían preparado?

Al parecer, mucho, porque entre el público solo se veían caras de euforia. ¡Cientos de espectadores en las gradas! Sí, en las gradas, nada de unas cuantas hileras de sillas, sino ¡gradas! Y un ambientazo similar al que se vivió en la final del Mundial de Fútbol entre Alemania y Brasil, aunque sin vuvuzelas ni hinchas ondeando banderas. Ningún septuagenario sonándose a la vista y unas cuantas chicas guapas vendiendo helados y bebidas. Al parecer, también palomitas, porque Jonathan oyó crujidos a sus pies mientras, acompañado por Bode, se abría paso entre las filas para llegar a sus asientos.

Se sentaron en un sector de la parte delantera, con buena visibilidad sobre el escenario; el donante anónimo había elegido unas entradas excelentes. Jonathan echó un vistazo al reloj, solo faltaba un cuarto de hora para las siete y media; el espectáculo estaba a punto de empezar.

¡Y vaya espectáculo! A las siete y media en punto se apagaron las luces, empezó a sonar la música a todo volumen y en la pantalla apareció una imagen de Sebastian Fitzeka tamaño natural, seguida por el tráiler, de montaje vertiginoso, de su última novela. El público gritaba y aplaudía, cada vez con más clamor, y acabó pataleando a rabiar cuando el autor salió al escenario y exclamó en su micrófono inalámbrico:

–¡Buenas tardes, Hamburgo! ¡Bienvenidos! ¡Soy Sebastian Fitzek!

Un griterío de entusiasmo y espectadores levantándose de sus asientos en pleno delirio, ¡Alemania acababa de marcar el uno a cero! ¡Menuda entrada en escena! Si Jonathan no estuviera allí, viéndolo con sus propios ojos, no se lo creería. ¡Qué barbaridad!

–Bueno –dijo Markus Bode cuando, después del recital, se sentaron en una taberna cercana para comentarlo mientras tomaban una copa. Y no añadió nada más.

–Bueno –dijo también Jonathan.

Se miraron en silencio, aún impactados. Sebastian Fitzek había arrasado con un espectáculo de traca que había durado dos horas.

Había dirigido la representación de forma magistral; había leído pasajes fascinantes de su último *thriller* y había explicado el trasfondo de la historia mediante una presentación en Power Point. Se había entrevistado a sí mismo, había pedido a algunos espectadores que subieran al escenario y no había parado de bromear. Después salió un grupo a tocar la «banda musical» del libro; Fitzek cogió las baquetas y se puso a tocar la batería. El público alucinaba. Nadie tiró prendas de ropa interior al escenario, pero a Jonathan no le habría extrañado que alguien lo hiciera.

Al terminar el recital, el escritor se sentó detrás de una mesa llena de libros que habían instalado en el vestíbulo, y una muchedumbre de espectadores inició la peregrinación para que les dedicara un ejemplar, les firmara un autógrafo o se hiciera una foto con ellos. Con tanta concurrencia, Fitzek probablemente seguiría allí sentado hasta la mañana siguiente. En conjunto, aquello parecía una romería para venerar a un santo.

–Bueno –repitió Markus Bode, arrancando a Jonathan de sus pensamientos–. ¿Ahora entiende a qué me refería al decir que Griefson & Books haría bien contratando a un escritor como Fitzek? Un solo autor del mismo calibre... y podremos permitirnos publicar otros diez libros de autores laureados.

–Hasta veinte –replicó Jonathan, asintiendo–. Sí, lo entiendo perfectamente.

No solo lo entendía, sino que también admitía para sus adentros una cosa que no pensaba revelarle a Bode: se había divertido mucho y se le había pasado la tarde volando.

Ni punto de comparación con los recitales a los que él solía asistir. Esos tenían siempre un aire de angustia y, mientras el escritor, plenamente consciente de su propia importancia, leía fragmentos de su obra, el tiempo se hacía interminable, se alargaba hasta el infinito como un chicle que aún se mastica cuando ya resulta insípido.

–¿Tenemos...? –preguntó tímidamente–. ¿Nos han ofrecido algún manuscrito que se ciña a esa corriente tan popular?

–Hasta ahora, no. Y no recibiremos ninguno porque, como usted mismo dijo, Griefson & Books no publica ese tipo de literatura. Habrá que buscarlos. –Bode lo miró, esperanzado–. ¿Quiere que me ocupe yo? Podría llamar a unas cuantas agencias literarias para pedirles que también nos envíen ese tipo de títulos.

–Déjeme pensarlo con calma –lo frenó Jonathan–. No puedo decidirlo tan deprisa.

Además, antes quería hablar con su padre. Confiaba en que Wolfgang Grief tuviera la cabeza clara, al menos unos minutos, para mantener con él esa importante conversación. De lo contrario, Jonathan tendría que tomar la decisión solo y eso...

Al día siguiente por la mañana le haría una visita a su padre en la residencia de Sonnenhof.

42

Hannah

15 de enero, lunes, 08.05 horas

«A veces ocurren cosas tan terribles que nos negamos a creerlas, pero eso no quita que sean verdad.»

A Hannah no se le iba esa frase de la cabeza. Esa frase espantosa que Lisa había pronunciado hacía unas semanas. Y había acertado. Era terrible. Y también era verdad. Simon se había suicidado, lo había hecho realmente.

No había visto el cadáver, que una pareja de ancianos había descubierto durante su paseo vespertino por el estanque de Mühlen, pero la Policía estaba segura de que el hombre muerto era Simon.

Los agentes afirmaron que no era necesario que Hannah lo identificara; incluso le aconsejaron encarecidamente que no lo viera. Los resultados de la autopsia, que el fiscal había ordenado para que se determinara la causa exacta de la muerte, también confirmarían la identidad.

Suponían que se había ahogado, que se había quitado la vida en las aguas heladas del Alster, puesto que eso era lo que indicaban tanto la carta de despedida como la circunstancia de que en las primeras investigaciones se hubiera descartado la intervención de terceros. Pero querían asegurarse. La agente le explicó a Hannah que, al no haber testigos del suicidio, tenían que corroborar los indicios con pruebas inequívocas.

A Hannah no le hacía falta que se lo corroboraran. En el fondo de su corazón, lo había sabido todo el tiempo, aunque no hubiera querido admitirlo: la mañana de Año Nuevo, mientras ella dormía sin sospechar nada en la cama de Simon y, al despertarse, pensaba que había acertado con la agenda y había conseguido renovar sus esperanzas, precisamente esa mañana, su novio se había suicidado. Había tomado la decisión él solo y la había abandonado sin concederle la oportunidad de hablar con él y buscar una salida. Y había elegido la solución más definitiva, la última que tomaría.

Hannah estaba en la cocina de Simon, sentada en una de sus sillas Charles Eames, y se sentía paralizada. Había enviado a Lisa a su casa hacía una hora, después de que su amiga pasara con ella media noche en la comisaría y la otra media en el piso de Simon. Lisa estaba desconcertada. Sin habla. Exceptuando su típico «lo siento», le faltaban las palabras. Pero ¿qué más podía decir alguien, excepto que lo sentía?

Por Simon. Por Hannah. Por todo lo que podría haber sido y que, de repente, ya nunca sería. Se acabó. Fuera. Para siempre.

–¿Estás segura de que te las arreglarás sola? Puedo llamar a tus padres –le propuso Lisa cuando Hannah le dijo que se fuera, que quería estar sola para poder pensar.

–No quiero ver a nadie. Pero estaría bien que llamaras a mis padres y les contaras lo que ha ocurrido, yo no puedo –replicó ella, y se sorprendió a sí misma por la tranquilidad con la que hablaba. En la comisaría también se había mostrado extrañamente contenida, como aturdida, como si le hubieran administrado una medicación muy fuerte. El derrumbamiento que ella misma y todos esperaban no se produjo, reaccionó como si estuviera en estado de *shock*–. No te preocupes, me las arreglaré. Y tú tienes que ir a La Pandilla dentro de un rato.

–¡No pienses en eso! Ahora no importa.

–Sí que importa –replicó Hannah–. Es lo único que me queda. En cuanto me encuentre un poco mejor, volveré al trabajo; solo necesito unos días.

–Tómate todo el tiempo del mundo, yo estaré al pie del cañón, y cuento con la ayuda de nuestras madres.

–¿Para qué? –preguntó Hannah–. ¿Para qué voy a tomarme todo el tiempo del mundo? ¿Para quedarme aquí sentada, pensando que Simon está realmente muerto? ¿Que no va a volver? ¿Que no podré abrazarlo ni besarlo nunca más?

Por fin asomaron las lágrimas reconfortantes, que pronto empezaron a salir a raudales. Lloró a todo pulmón, y el llanto incontenible le sacudió el cuerpo entero.

–¡Chist! –Lisa la estrechó y la meció entre sus brazos–. Está bien, tranquila, está bien.

Pero no estaba bien. Nada estaba bien y nada volvería a estar bien nunca. En ese preciso instante, mientras estaba sola en la cocina de Simon, Hannah lo comprendió con una claridad meridiana. Y de repente se sintió extraña en aquel lugar, en el piso de un muerto.

¿Qué hacía allí? Las cosas que la rodeaban no eran suyas y el verdadero dueño ya no las necesitaba. A Simon no le hacían falta las sillas de Charles Eames que tanto le gustaban, ni la estupenda cafetera expreso italiana. Tampoco los platos ni los cubiertos del armario, ni la absurda taza de loza con la inscripción de «Jefe». No necesitaba la ropa que seguía en la secadora ni la gran cantidad de libros que había en la librería de la sala. Tampoco la bicicleta de carreras, que estaba colgada en la pared del pasillo. Y aún menos las horrorosas zapatillas de la marca Birkenstock que provocaron que Hannah, al verlas por primera vez en los pies de Simon, le dijera que eran motivo de divorcio con efecto inmediato.

Nada, nada, nada. Simon no necesitaba nada de todo eso. ¡Solo eran cosas! Objetos inanimados y muertos, totalmente inútiles sin su propietario.

Hannah se levantó bruscamente y empezó a pasear desconcertada por el piso. Después de las lágrimas llegó la rabia. Una rabia inconmensurable y desenfrenada contra Simon por haber sido un cobarde.

¡Cobarde, cobarde, cobarde!

¡El suicidio era una solución desconsiderada y cobarde! Tirarlo todo por la borda sin malgastar un solo instante en pensar en los que se dejaba atrás. Simplemente, «yo me largo y a los demás, que les den»; eso era egoísta, era infame, ¡era inhumano! Sí, el que se iba lo tenía fácil, después no se enteraba de nada y todo le daba igual. Y los demás ya se las compondrían para superarlo, para recoger los escombros, para volver de algún modo a la vida y seguir adelante.

¡Paf! Hannah tiró de la encimera la cafetera expreso, que se estampó estrepitosamente contra el suelo y partió dos baldosas. Y le sentó bien, muy bien.

Abrió las puertas de los armarios altos, vació los estantes y vio cómo los platos, las tazas y los vasos se rompían; y notó que, con cada pieza que se hacía añicos, también se reventaban todas las fibras que cruzaban su corazón. Luego les tocó el turno a los paquetes de pasta, las latas de conserva, los tarros de mermelada, las cajitas de té, el azúcar, la sal, la harina; lo arrojó todo al suelo con furia, hasta que la cocina pareció un campo de batalla.

Salió al pasillo y prosiguió su obra en la sala de estar. Volcó el televisor, tiró de la mesa un jarrón con flores, descolgó de las paredes las fotografías y las destrozó golpeándolas contra una esquina del alféizar de la ventana; arrancó las cortinas y arrojó los CD por todas partes.

–¡Cabrón! –gritó mientras cogía de la cómoda que estaba junto al sofá una foto enmarcada, en la que salían ella y Simon, y la estampaba con furia contra la pared–. ¡Capullo imbécil! ¿Cómo has podido hacerme esto?

Pataleó y volvió a gritar «¡cabrón!», esta vez tan fuerte que pensó que en cualquier momento llamaría al timbre un vecino. Sí, ¿cómo podía haberle hecho Simon algo así? Por mucho miedo que tuviera, por muy preocupado que estuviera por sufrir el mismo destino que sus padres, ¡lo que había hecho no era justo!

No lo era porque le había negado la posibilidad de despedirse de él. De estrecharle otra vez la mano, de abrazarlo y decirle todo lo que habría querido decirle. Simon había cortado por lo sano y la había dejado sin habla, con una ridícula carta en la que afirmaba que el amor que sentía por ella no bastaba para seguir intentándolo. ¡Argggggggggg!

La mirada de Hannah se posó en las llaves del coche, que estaban encima de la cómoda, al lado de la documentación. El Mustang de Simon. Su objeto sagrado.

Cogió las llaves, salió a toda prisa del apartamento y, al cabo de dos minutos, se plantó junto al coche. En un primer momento, su intención era destrozarlo, romper los faros a pedradas, retorcer los limpiaparabrisas, arrancar los retrovisores y rayar la chapa roja con la llave para dejarle unos profundos arañazos al son de un chirrido. Tan profundos y marcados como los rasguños que tenía en el alma.

Sin embargo, al final cambió de parecer. Mientras se calmaba, se quedó delante del Mustang, jadeando. El ataque de ira y rabia le había procurado el desahogo necesario. En vez de pulverizar el coche, se sentó al volante y puso en marcha el motor.

Tenía otros planes para el tesoro de Simon.

43

Jonathan

15 de enero, lunes, 08.33 horas

Era asombroso. La noche anterior había tomado la decisión de hablar con su padre y, ahora, la misteriosa agenda lo reafirmaba en sus planes.

«Los problemas no se pueden resolver en el mismo nivel de conciencia en el que fueron creados.»
Albert Einstein

La entrada de ese día empezaba con esa cita y, al leerla, Jonathan se mostró de acuerdo asintiendo con la cabeza. El resto del texto también le gustó:

Haz exactamente lo contrario de lo que sueles hacer. Y fíjate en lo que ocurre. Los cambios vienen de hacer las cosas de otra manera porque esa es la única forma de tener nuevas experiencias que quizá te sorprendan. Rompe con tus hábitos, ponte a prueba, ¡ensancha tu horizonte! Habla por teléfono sujetándolo con la mano izquierda si siempre lo haces con la derecha. Compra productos de otra marca en otro supermercado, usa el autobús en vez del coche, sé muy amable con las personas que normalmente te alteran, pide en un restaurante algo que nunca comas, observa el mundo que te rodea como si fueras otra persona y con otros ojos. ¡Diviértete!

P. D. Puesto que el querido señor Einstein dijo muchas cosas sabias sobre el tema, te copio otra cita del viejo teórico de la relatividad: «La definición de la locura es hacer la misma cosa una y otra vez esperando obtener diferentes resultados».

Jonathan meneó la cabeza y se echó a reír. Él nunca lo había visto de ese modo, pero reconoció que la cita daba en el clavo. ¡Eso era la locura!

La mayoría de la gente hacía siempre lo mismo, seguía su rutina, y al final se sorprendía de que el resultado siempre fuera igual. Y él no era una excepción, ni mucho menos. Su vida no había incluido experiencias inusuales hasta que encontró la agenda.

Sarasvati, Leopold, jugar al tenis con Markus Bode y, cómo no, el recital de Sebastian Fitzek, al que nunca habría asistido en circunstancias normales. Por lo tanto, aunque él no hubiera sido consciente, llevaba un tiempo haciendo lo que la Filofax le recomendaba.

Y, luego, la conversación con su padre. Si hasta ese momento había notado un leve dolor de barriga al pensar que tenía que explicarle a su anciano padre que la situación de Griefson & Books no pintaba muy bien y había que buscar soluciones, ahora la agenda le corroboraba que valía la pena intentarlo.

¿Qué podía pasar? Probablemente, Wolfgang Grief sería incapaz de seguir sus explicaciones y Jonathan no saldría de la reunión más espabilado que antes, pero tampoco más tonto.

Después de desayunar, se duchó y se vistió, cogió la bolsa de mano con la agenda dentro y la llave del coche para ir a la residencia de Sonnenhof, en la Elbchaussee.

Al llegar a la rampa de entrada, accionó el mando de cierre centralizado para abrir las puertas del Saab y, cuando se disponía a sentarse al volante, se detuvo. La agenda le recomendaba que utilizara el transporte público. Si subía al coche, se saltaría esas indicaciones. Así pues, metió la llave en el bolsillo del abrigo y se fue a pie.

Después de recorrer unos metros cayó en la cuenta de que no tenía ni idea de adónde tenía que ir porque no había viajado en autobús ni en metro desde la infancia. ¿Para qué? Tenía coche y, por lo tanto, ningún motivo para utilizar esos medios de transporte.

No sabía cómo ir desde el Innocentiapark hasta la Elbschaussee en transporte público. Solo sabía que el trayecto era bastante largo; en coche tardaba una media hora. ¿Cuánto tardaría en llegar de puerta a puerta en autobús? Seguramente una hora, como mínimo. Eso sería despilfarrar el tiempo, ¿no? Y Jonathan era alérgico al despilfarro en todos los ámbitos de la vida.

Volvió al coche. En este caso, no seguiría el consejo de la agenda porque no quería desperdiciar su tiempo.

Accionó de nuevo el cierre automático de las puertas..., y de nuevo se detuvo. No le parecía bien. Tenía la sensación de estar haciendo algo prohibido. Como si estuviera a punto de ponerse al volante con el permiso de conducir retirado, cosa que él nunca haría, jamás de los jamases, aunque no se le ocurría ningún motivo por el que algún día pudieran retirárselo. Cerró las puertas, clic, dio media vuelta y se fue calle abajo.

Pero ¿hacia dónde?

Dio otra vez media vuelta y se dirigió a la entrada de su casa.

Poco antes de llegar, volvió a dar media vuelta.

¿Y si adoptaba una solución intermedia y pedía un taxi? Sacó el móvil para llamarlo, pero lo dejó correr.

No, no podía engañarse a sí mismo; ir en taxi equivaldría a firmar un acuerdo en falso y también sería un autoengaño. Al fin y al cabo, se trataba de vivir nuevas experiencias, de ampliar horizontes... ¿Cómo iba a conseguirlo en un taxi? A no ser que, casualmente, diera con un taxista que le proporcionara nuevas experiencias. No, un viaje en taxi equivaldría a hacer trampas.

–¡Buenos días, señor Grief!

Una voz a sus espaldas lo obligó a darse la vuelta. Hertha Fahrenkrog se le acercaba en compañía de su caniche, como era habitual.

–¿Qué hace ahí plantado?

–¿Cómo dice?

–Bueno –la anciana sonrió–, le he visto desde la ventana de la cocina y me he fijado en que parecía confuso. Va de un lado a otro como si no supiera adónde quiere ir.

–Sí, sí, lo sé –replico Jonathan–. Voy a ver a mi padre. Pero no sé cómo.

–¿Se le ha averiado el coche?

–No, pero quería ir en transporte público.

–¿Y eso? –La vecina lo miró con cara de perplejidad–. Quiero decir que, si no tiene ninguna avería, ¿por qué no va en coche?

–Sí, bueno, yo... –¿Cómo se lo explicaba? ¿Un viaje en autobús a modo de viaje iniciático para encontrarse con uno mismo? Dudaba de que Hertha Fahrenkrog tuviese el nivel de conciencia necesario para entenderlo–. Después tengo una cita con el oftalmólogo –mintió, esperando no ponerse rojo como un tomate. Normalmente era imposible que saliera de sus labios la más pequeña mentirijilla sin que se le notara al instante. Su padre solía burlarse de él por eso, pero su madre lo consideraba una señal de honradez–. Tienen que hacerme unas pruebas –prosiguió el hombre honrado– y me pondrán unas gotas. Y luego no podré conducir.

–Oh, vaya –la anciana asintió, comprensiva–. ¿Cataratas? Mi Heinzi también tenía cataratas –dijo, y suspiró–. Dios lo tenga en su gloria. Al final, casi no veía nada. –Se inclinó hacia la perrita–. ¿Verdad, *Daphne,* que al final casi no nos reconocía?

–Mmm, bueno... –balbuceó Jonathan.

–Pero a estas edades ya se sabe –añadió la vecina sonriendo–. Todos tenemos achaques.

–En efecto –corroboró Jonathan.

Entonces recordó que, mientras desayunaba, había leído que haría bien siendo amable con las personas que normalmente lo alteraban. De modo que sería amable con la señora Fahrenkrog, incluso muy amable. Tanto, que renunció a aclararle que él solo tenía cuarenta y dos años y, por lo tanto, a diferencia de su difunto marido, no nació en la época del Imperio alemán. No había tenido el placer de conocer personalmente al querido «Heinzi», pero teniendo en cuenta la circunstancia de que la querida señora Fahrenkrog estaba a un paso de cumplir cien años, cabía suponer que...

–¿Por qué no llama a un taxi? –intervino la vecina, antes de que Jonathan se enredara todavía más formulando mentalmente frases enrevesadas.

–¡Buena pregunta!

–¿Y por qué no lo llama?

–Porque... Porque... Porque hoy quiero ir en autobús.

¿Por qué no podía decir la verdad? ¡Con lo fácil que era!

–¡¿En autobús?! –exclamó la anciana, y *Daphne* gimió–. ¿Usted?

–¿Por qué no?

–Bueno, usted puede permitirse de sobra un taxi.

–¡Que pueda permitírmelo no significa que tenga que tirar el dinero por la ventana!

Hertha Fahrenkrog soltó una risita.

–¿De qué se ríe?

–De nada –contestó la anciana–. Es que no me lo imagino en un autobús.

–Eso tendrá que explicármelo.

–Bueno, el autobús es más bien para la gente corriente.

–¿Y yo no soy una persona corriente?

–En absoluto.

–Creo que eso no ha sonado precisamente a cumplido.

–Eso es cosa suya.

–¿Qué es cosa mía?

–Lo que cree oír en mis palabras.

La anciana le sonrió con alegría y Jonathan se quedó perplejo al constatar que la cabeza de la viejecita funcionaba al ritmo veloz de una máquina de coser. ¡Asombroso! ¿Le recetaba medicamentos su médico de cabecera? ¿O era *Daphne* la que la mantenía mentalmente en forma? Porque, de ser así, se plantearía comprarse un perro, más que nada por si al final resultaba que la demencia de su padre era hereditaria.

–Bueno –replicó Jonathan–. El caso es que he decidido ir en autobús y en metro hasta la Elbschaussee.

–¿Como Günter Wallraff? –preguntó la vecina, lanzándole una nueva pulla.

Sin embargo, Jonathan supo pararla.

–¡Exacto! «Jonathan N. Grief, cabeza de turco» –dijo, citando libremente el título del libro con el que Wallraff se hizo famoso en los años ochenta como periodista de investigación que trabajaba infiltrado. Por lo que él sabía, había sido un auténtico best seller, de los que Griefson & Books quizá necesitaría pronto. De una forma o de otra, Jonathan siempre volvía al tema; el panel de visión parecía cumplir su trabajo–. Pues nada.

Se despidió con un gesto de la mano y se fue.

–¿Adónde va?–preguntó la señora Fahrenkrog a sus espaldas.

Jonathan se dio la vuelta.

–A la parada de autobús –contestó.

–Si yo fuera usted, iría en la otra dirección –dijo la anciana–. Por ahí no pasa ningún autobús.

–Sí, claro –replicó Jonathan, y tomó la dirección que le indicaban.

–Si quiere ir a la Elbchaussee, tendrá que ir en el metro.

Jonathan se detuvo de nuevo. Y se dio por vencido. Era absurdo hacer ver que sabía adónde iba. Le preguntaría a la anciana centenaria cómo podía llegar a su destino en transporte público.

Veinte minutos después, Jonathan constató que la comparación con Wallraff no iba tan desencaminada. Se había subido al metro en la estación de Hoheluftchaussee, en la línea 3, en dirección a Sankt Pauli. Una vez allí, según lo había instruido su vecina, tomaría el autobús número 36 en dirección a Blankenese. Al sentarse en el vagón descubrió que algunas personas consideraban que la cerveza era la bebida adecuada para el desayuno.

Desde la esquina del banco donde se había apretujado, observaba atemorizado a dos hombres que, no muy lejos de él, se tambaleaban en mitad del pasillo con una lata de cerveza Astra en la mano y discutían a voces, tan fuerte que parecían a punto de llegar a las manos.

Jonathan tenía un poco de miedo a que los dos empezaran a pegarse en cualquier momento y lo implicaran en la pelea. Apartó la mirada para no provocar sin querer a los dos bebedores de cerveza y observó a los demás viajeros.

La mayoría leían, pero no estaban absortos en la lectura de un periódico o de un libro, sino que tecleaban el móvil o una *tablet*. Interesante. Y horroroso.

Aún se acordaba de una discusión en la editorial, hacía unos años, sobre el tema de los «libros electrónicos». Su padre la cortó de raíz con contundencia: «Los libros electrónicos son una moda pasajera y nosotros no nos apuntaremos. Griefson & Books publica en papel, ¡y punto!». No obstante, Bode insistió en comprar dispositivos para leer libros electrónicos para el personal porque, como afirmó tímidamente, la lectura de originales era mucho más eficiente con esos aparatos y el personal no quería renunciar por más tiempo a tener uno. Ahora, sentado en el metro, Jonathan constató que los colaboradores de la editorial no eran los únicos que preferían los libros electrónicos.

Cuando llegó a la estación de Sankt Pauli, se bajó del metro, aunque, al ver que los dos cerveceros también se bajaban allí, estuvo a punto de seguir el viaje. En el panel de información que había justo en la salida de la estación, también se indicaba que en ese barrio estaban totalmente prohibidas las armas y las botellas de vidrio, y Jonathan sintió la necesidad imperiosa de no permanecer más tiempo del que hiciera falta en aquel lugar.

Comprobó con alivio que la parada de la línea 36 estaba a pocos metros de distancia, con lo que no tendría que ir de un lado a otro por la calle Reeperbahn y no correría el riesgo de toparse con personajes siniestros de los que no se tomaban al pie de la letra la prohibición de portar armas.

Se dirigió a la parada y esperó el autobús. Según el horario, solo tardaría unos minutos en llegar.

Un coche de color rojo oscuro pasó por delante y atrajo su atención: era un viejo Ford Mustang, un modelo precioso y bien conservado. El automóvil se detuvo en el semáforo de Millerntor y Jonathan pudo ver que lo conducía una pelirroja.

Entonces sonrió, y no solo porque tenía delante una parte flamante de su panel de visión, sino también porque acababa de sorprenderse pensando un topicazo. En ese barrio, él habría esperado que la mujer fuera en el asiento del acompañante y que el conductor fuera un chulo. Pero seguramente se debía a que, de niño y de adolescente, sus padres le contaron muchas historias truculentas de Reeperbahn, con la única intención de mantenerlo alejado de la milla del pecado de Hamburgo.

Y había que reconocer que lo habían conseguido. Jonathan no había salido nunca de fiesta por el barrio de Kiez, ni siquiera de adulto. ¿Por qué no? ¿Acaso no era una tradición que todos los hamburgueses fueran al menos una vez de juerga a Reeperbahn? Desde el sábado por la noche hasta el domingo por la mañana y, al final, para rematar una noche redonda, ir a la lonja a comer un bocadillo con gambas.

Mientras esperaba el autobús y contemplaba con aire soñador el Mustang, le entraron ganas de hacerlo, aunque saltándose el bocadillo, por supuesto, porque odiaba a muerte esos bichos. Pero el resto del plan le parecía muy tentador. ¿Sería Markus Bode el compañero adecuado para salir de copas por Kiez? Cualquier alternativa a pasar una noche solitaria en un hotel debería de tener una acogida entusiasta, ¿no?

El semáforo se puso en verde, la mujer del Mustang pisó el acelerador y desapareció rápidamente de su vista. Jonathan suspiró y miró hacia otro lado, casi con tristeza. Aquel coche era realmente precioso.

44

Hannah

15 de enero, lunes, 09.59 horas

Hannah no estaba para canciones cuando llegó con el coche de Simon a los edificios altos de Millerntor, que señalaban la entrada al barrio de Kiez. Aun así, en una especie de muestra de alegría lúgubre marcada por el humor negro, tarareó la canción que Udo Lindenberg compuso en homenaje a la «cojonuda» calle Reeperbahn.

Durante la hora y media que pasó tomando curvas por la zona, la asaltaron los escrúpulos: ¿debía llevar a la práctica lo que había planeado o exageraba por culpa de la rabia? Al final decidió que tenía derecho a exagerar y que debía hacer algo para que la pena, el dolor y también la furia que sentía encontraran una válvula de escape.

Y para enviar una señal de alarma. Una señal ruidosa, atronadora, que expulsara bruscamente a Simon de su nube o de dondequiera que estuviese. Así pues, finalmente puso rumbo al Kiez. Esa le parecía la única respuesta lógica a la «traición» que su novio había consumado contra ella.

A esas horas de la mañana, la calle de la marcha no provocaba la ambigua fascinación que ejercía de noche en la gente que peregrinaba hacia ella para que la «machacaran». No había luces de colores ni carteles de neón encendidos; tampoco mujeres vestidas a la última ni música a todo volumen en los bares a ambos lados de la calle. Solo había basura y más basura por todas partes, y una tristeza gris. Sankt Pauli había puesto a ventilar su precioso vestido de noche. En la acera había varios grupos de punkis, sentados en el suelo en compañía de grandes perros; aquí y allá, delante de los salones recreativos y bares cerrados, se veían sacos de dormir en los que dormían la mona los sin techo.

Al llegar a la altura del McDonald's, Hannah divisó un aparcamiento lo bastante grande para meter el Mustang sin tener que maniobrar ni correr el riesgo de abollarlo. Puso el intermitente y giró el volante. En el cartel decía que a partir de las ocho de la tarde estaba reservado exclusivamente para taxis, pero, si todo iba como ella imaginaba, a esa hora haría mucho que el Mustang ya no estaría allí.

Paró el motor y dejó la llave en el contacto. Después colocó la documentación del vehículo en el asiento de al lado, de manera que cualquiera pudiera verla desde la acera a través de la ventanilla.

Se bajó del coche. Cerró la puerta y, silbando, se dirigió a la estación de metro.

45

Jonathan

15 de enero, lunes, 12.30 horas

Jonathan llegó a Sonnenhof poco antes de las doce, después de vivir una pequeña odisea: la mujer del Mustang lo había despistado tanto que se equivocó de bus y se subió al 37, aunque no se dio cuenta hasta que llegó a la última parada, en Schenefeld. Ahora, al entrar en la habitación de su padre, vio a Wolfgang Grief de pie, mirando por la ventana. Una imagen poco usual. Y también esperanzadora. Saltaba a la vista que lo encontraba en uno de sus días buenos.

–¡Hola, papá! –lo saludó.

Wolfgang Grief volvió la cabeza para mirarlo y le sonrió.

–¡Hola, hijo! –exclamó, y señaló fuera con la cabeza–. Hoy hace un día espléndido, ¿verdad?

–Sí –admitió Jonathan.

El cielo estaba nublado y hacía un día gris, pero al menos no llovía. Teniendo en cuenta el clima típico de Hamburgo y que estaban en enero, con un poco de buena voluntad cabía calificarlo de «espléndido».

–¿Cómo está tu madre? –le preguntó su padre mientras se sentaba en su sillón de orejas.

Jonathan se desanimó. Wolfgang Grief no tenía un buen día. A aquellas alturas, él ya se había despedido de la posibilidad de que Sofía estuviera en la ciudad y le hubiera regalado la agenda. Lo descartaba sobre todo porque su madre nunca había dominado el alemán y nunca habría puesto las comas en su sitio. No, ella no había escrito la Filofax y si él había acariciado la idea al principio había sido por deseo.

–¿Te refieres a Sofía? –preguntó.

Quizá su padre hablaba de otra mujer, aunque no se le ocurría quién podría ser.

Wolfgang Grief se echó a reír.

–¿Tienes más de una madre?

–No –contestó Jonathan–. Claro que no.

–Pues ¿entonces? Dime, ¿cómo está? ¿Va a venir también hoy?

–Papá... –se interrumpió. ¿Qué podía contestar? Decidió seguirle el juego, aunque no fuera realmente un juego–. Creo que sí –afirmó.

–¡Qué bien! –se alegró su padre–. Después podríamos ir los tres juntos al Hirschpark. Me apetece tomarme un café y un trozo de tarta en el restaurante Witthüs. –Wolfgang Grief se pasó la lengua con placer por los labios–. Sí, ¡un buen pedazo de tarta de cerezas!

–Es una buena idea, papá –dijo Jonathan, reprimiendo un suspiro–. Eso haremos.

–Esperemos que tu madre no tarde mucho en llegar.

–Mmm.

Jonathan se sentó. Si hacía unos instantes estaba contento por haber logrado llegar a la residencia, ahora tenía la impresión de que ya podía irse. Eso sí, esta vez, en taxi.

Sin embargo, no quería ser injusto. Ver a su padre de buen humor ya era mucho. No obstante, lo entristecía el hecho de que su buen humor aumentara de forma proporcional a su grado de enajenación mental. Al parecer, sus dos únicas opciones eran un padre gruñón en sus cabales o un padre que desprendía una alegría ingenua, como si fuera un niño pequeño.

–¿Qué te cuentas? –preguntó Wolfgang Grief.

Jonathan titubeó un momento. ¿Valía la pena? Aunque tenía muy claro que el resultado sería desesperante, había que intentarlo.

–Me gustaría hablar de la editorial contigo –dijo.

–Pues adelante, hijo. ¿Va todo bien?

–Sinceramente, no mucho.

El padre lo miró perplejo, como si acabara de hablarle en un idioma extranjero.

–¿A qué te refieres?

–Tenemos algunos problemas con las cifras de ventas.

Wolfgang Grief entornó los ojos.

–¡Define «algunos problemas»!

–Bueno, las novedades se venden muy poco.

–Tradúcemelo en cifras.

Asombroso. Era verdaderamente asombroso. Como si, a pesar del estado de ofuscamiento mental en que se encontraba, alguien acabara de encender una bombilla en la cabeza de su padre. De repente parecía tener la mente muy clara, frunció el ceño y clavó su mirada acerada de pupilas azules en su hijo, con la misma expresión que Jonathan había temido toda su vida.

–Probablemente una caída del treinta por ciento...

–¿Del treinta por ciento? –lo increpó el padre–. ¡Enséñame las cuentas!

–No las he traído, pero...

–¿Cómo se te ocurre venir aquí con esa información y no traer ningún documento? –lo abroncó.

–Papá, es...

–¿Eres consciente de lo que estás haciendo? ¿Qué clase de hombre de negocios eres?

–Bueno, yo...

–Bah, no sé por qué me enfado. –El anciano meneó la cabeza–. Era obvio que no tenías madera de empresario. ¡No tendría que haberme retirado nunca de la dirección!

–Bueno, eso es...

–¿Qué dice Markus Bode? –lo interrumpió su padre.

–Esa es la cuestión –contestó Jonathan–. Bode cree que deberíamos incluir unos cuantos títulos de literatura popular en el catálogo. Ayer, por ejemplo, fuimos a un recital de lectura de Sebastian Fitzek...

–¿Fitzek? ¿Has dicho Fitzek?

–Sí, eso he dicho. –Jonathan enderezó los hombros, no permitiría que su padre demente lo tratara como a un niño, ¡él era un hombre hecho y derecho!–. Y si tú también hubieras ido, ahora tendrías otra opinión de él. En cualquier caso, la idea de incluir unos cuantos títulos de ese estilo en el catálogo no me parece...

–¡Jonathan! –lo interrumpió el anciano–. ¡Haz el favor! No vas a discutir conmigo si Griefson & Books va a hundirse en el abismo de la literatura de entretenimiento. ¡Es absurdo!

–A mí no me lo parece –replicó Jonathan.

Y era cierto, ya no le parecía absurdo. Especialmente porque lo primero que había hecho su padre era preguntarle por las cifras y eso demostraba que era un comerciante de la cabeza a los pies. Pero ¿y si su reacción se debía únicamente a que se negaba a aceptar que los tiempos habían cambiado y que cada vez había menos gente dispuesta a gastarse el dinero en libros de alta literatura? ¿Acaso Jonathan no tendría el deber, la obligación, de explicárselo...?

–No, hijo mío, no hablaremos más del tema. Tráeme las cuentas y ya veremos cómo hay que proceder.

–Pero yo creo que...

–Y yo creo que no –lo cortó su padre.

–Papá, yo...

Llamaron a la puerta y, al cabo de un instante, Renate Krug entró en la habitación.

–¡Oh, hola! –los saludó–. ¿Molesto?

En el semblante de Wolfgang Grief se dibujó inmediatamente una gran sonrisa.

–¡Sofía! –exclamó, y se acercó ágilmente a su antigua secretaria para abrazarla–. ¡Qué bien que hayas venido! ¡Claro que no molestas! Acababa de decirle a Jonathan que me gustaría mucho ir de excursión con vosotros dos.

–¡Pues claro, cariño! –dijo Renate Krug, y se echó a reír como si fuera lo más normal del mundo que Wolfgang Grief a) la confundiera con su esposa ausente y b) quisiera hacer algo con su hijo y con ella en plan familiar.

–Eh... –Jonathan miró desconcertado a la señora Krug, que respondió a su mirada haciendo un gesto conspirativo con la cabeza que probablemente significaba: «Deje que su padre crea lo que quiera».

Jonathan suspiró. Bueno, ahora resultaba que tenía que ir de excursión con su padre y su «madre».

46

Hannah

15 de enero, lunes, 13.19 horas

—Pero ¿qué has hecho? ¿Estás loca? –Lisa miraba horrorizada a Hannah–. Oh, perdona –añadió rápidamente, un poquito más horrorizada–. No quería decir eso. Se me ha escapado. Lo de que estás loca, claro.

–No te preocupes –contestó Hannah con voz serena–. Puede que sea una locura. Seguramente lo es. Pero me ha sentado de maravilla.

–¡No puedes dejar el coche de Simon en el Kiez con la llave puesta y toda la documentación!

–Tranquila. –Hannah soltó una risita y a ella misma le dio la impresión de que sonaba un poquito histérica–. Estoy casi segura de que el Mustang ya no está en el Kiez. Se lo habrá llevado alguien. –Alargó la mano hacia la encimera de la cocina de La Pandilla, en la que había una bolsita abierta de caramelos, alcanzó uno, se lo metió en la boca, lo masticó con placer y le dedicó una sonrisa despreocupada a su amiga.

–¡Vamos! –exclamó Lisa, que cogió el abrigo del guardarropa y se lo puso.

–¿Adónde?

–A Reeperbahn, ¡a buscar el coche! Quizá aún esté allí.

–No –dijo Hannah, resolutiva–. No vamos a ir. Ahora nos prepararemos tranquilamente para recibir a los niños esta tarde y seguiremos con lo nuestro.

–Pero ¡es una locura! No puedes... El coche de Simon es... Bueno, no tengo ni idea, pero ¡seguro que vale mucho dinero!

–Apuesto que unos diez mil –replicó Hannah, impasible–. Está en muy buen estado y es una auténtica joya de coleccionista. Sí –asintió–, Simon siempre decía que valía unos diez mil euros.

–Estás como una cabra. –Lisa meneó la cabeza en señal de contrariedad–. ¿Cómo has podido dejarlo aparcado en el Kiez? ¿Has pensado en lo que podríamos hacer con tanto dinero? ¿Aquí, en La Pandilla? Podríamos instalar un supercastillo en el patio. ¡Y quién sabe cuántas cosas más!

Hannah se estremeció y se sintió culpable durante una milésima de segundo. Después meneó la cabeza lentamente, pero con energía.

–Es posible que tengas razón –admitió–. Pero, de todos modos, no invertiría el dinero en La Pandilla. Quiero decir que si compráramos algo, cada vez que lo viera pensaría que el dinero procedía del Mustang de Simon. Y eso sería... Uf, no sé... Sería como... profanar un cadáver.

–¿Profanar un cadáver? –repitió Lisa, perpleja–. Pero si él mismo te dejó por escrito que invirtieras su dinero en el local...

–¡Lisa, por favor! –la interrumpió Hannah–. Lo he decidido así, y así será.

–Estás en estado de *shock* –dijo la amiga, mirándola con ojos compasivos–. Mañana lo lamentarás.

–No, no lo lamentaré. Y no estoy en estado de *shock,* hacía mucho que no tenía las ideas tan claras. –Antes de acabar la frase, se echó a llorar.

–Hannah. –Lisa la abrazó. La estrechó con fuerza y le acarició el pelo–. Tranquila, está bien que te desahogues.

–Yo..., yo..., yo... –balbuceó Hannah, y se aferró a su amiga como si fuera su único punto de apoyo. Un punto de apoyo al que sujetarse en una época en la que le daba la impresión de que el mundo se hundía a sus pies.

–Lo sé, lo sé...

–¿Cómo voy a salir a adelante? –sollozó Hannah–. ¿Cómo voy a hacerlo? –Se limpió la nariz con la mano–. ¡Es una pesadilla! ¡No puede ser verdad! No dejo de pensar que me despertaré en cualquier momento. ¿Cómo voy a salir adelante, cómo voy a hacerlo?

–Pasito a pasito y día a día, no queda más remedio. –Apartó un momento a Hannah y le dirigió una mirada de ánimo–. Nadie recibe más carga de la que puede soportar.

Hannah observó a su amiga a través de un velo de lágrimas.

–¿Lo crees de verdad?

Lisa lo meditó un momento y, acto seguido, negó con la cabeza.

–No. Hablando en plata, es una solemne tontería. Una de esas frasecitas para gente que no tiene ni idea. Por desgracia, hay cargas que son excesivas. Por lo tanto, retiro lo dicho y afirmo lo contrario.

A pesar suyo, Hannah se echó a reír.

–Aun así, gracias por el intento.

–¡De nada!

–Vamos –dijo Hannah, que se pasó la mano por la cara para secarse las lágrimas–. Pongamos manos a la obra. Creo que el trabajo me distraerá.

–¿Seguro que no quieres ir a buscar el coche?

–No, se lo he entregado al universo. –Hannah suspiró–. Me horroriza pensar que tengo que vaciar el piso de Simon y ocuparme de todo. –La sacudió un escalofrío–. El entierro...

–No te preocupes. He hablado con tus padres y hemos acordado que nosotros nos encargamos de organizar el funeral y nos ocuparemos de todo. Si quieres, también de vaciar el piso de Simon.

–Eres muy amable, pero al menos eso quiero hacerlo yo sola. Me parece más correcto que dejar entrar a extraños... –se interrumpió–. Perdona, no quería decir eso.

–¡Ya lo sé! Pero recuerda que, si quieres, te ayudo en lo que sea. Lo conseguiremos, no será tan grave.

–Gracias –dijo Hannah–. No sabría qué hacer sin ti, en serio.

–Para eso estamos, por descontado.

–No –replicó Hannah, y se echó a llorar de nuevo–, no hay que darlo por descontado, ¡y te lo agradezco de todo corazón!

47

Jonathan

15 de enero, lunes, 18.08 horas

—Bueno, señora Krug, tengo muchísimo interés en saber una cosa.

Jonathan N. Grief iba en los asientos de atrás de un taxi con su secretaria y trataba de poner las ideas en orden. Había pasado una tarde agradable, pero también absurda.

Los tres habían ido de excursión al Elba y, a la vuelta, se habían tomado un café y un pedazo de tarta en el Witthüs. Como una familia normal en una tarde normal. Pero no eran una familia, y, todavía menos, normal, con un «papi» demente y una «mami» que no era de su misma sangre.

Para acabarlo de rematar, Wolfgang Grief insistía en llamar «Sofía» a Renate Krug y ella ni siquiera intentaba aclararle la confusión.

Absurdo y extraño, ¡como si participaran en un programa de cámara oculta!

–¿Desde cuándo la toma mi padre por mi madre?

–Eh... –La mujer se escudriñó las uñas con la mirada, como para saber cuándo le tocaba hacerse la manicura–. Diría que desde hace unos seis meses.

–¿Y no ha visto el momento de contármelo? ¿Ni siquiera cuándo le pregunté directamente por el asunto?

–Cierto, eso fue un error por mi parte –admitió, pero enseguida se deslizó en su semblante una expresión de terquedad–. De todos modos, da igual lo que crea su padre. Y si él es feliz imaginando que soy su mujer... ¿A quién puede molestarle?

–Eh... –replicó Jonathan–, ¿a mí, por ejemplo?
–¿Por qué?
–¡Porque usted no es mi madre! –exclamó. Carraspeó y añadió–: No puede actuar como si lo fuera.
–No creo que haya ninguna razón que lo prohíba.
–Solo si prescindimos de las normas de la decencia.
–¡Ah, la decencia! –La señora Krug hizo un gesto de rechazo con la mano–. Está sobrevalorada. Su padre está muy enfermo y lo que cuenta es que se sienta a gusto.
–Entiendo. Y por eso está bien tratarlo como si fuera idiota.
La señora Krug no contestó, pero Jonathan sabía lo que pensaba. Porque, en el fondo, él también lo pensaba. Su padre estaba gagá, en su cabeza reinaba el caos. Un caos que lo llevaba a confundir a su antigua secretaria con su esposa.
–Lo que no entiendo es por qué le ha dado por ahí a mi padre –dijo finalmente Jonathan–. Mi madre no ha significado nada para él durante años, ¿a qué se debe ese cambio repentino?
–Ya se lo dije: las personas que sufren demencia senil viven principalmente en el pasado. Y dan rienda suelta a los sentimientos, deseos y anhelos reprimidos.
–¿Insinúa que mi padre reprimía el deseo de que mi madre regresara?
–Eso parece. Por lo visto, todavía no lo ha superado.
–Ya me lo imagino. ¿Cómo vas a superar que la persona a la que amas desaparezca de tu vida de un día para otro?
–Sí. –Renate Krug suspiró–. Es complicado.
–A pesar de todo –objetó Jonathan–, me da mala espina reforzar a mi padre en su locura.
–No creo que eso le perjudique ni empeore su situación.
Jonathan lo pensó un momento y asintió.
–Cierto –dijo–. Probablemente no. Pero me entristece ver cómo un hombre brillante se desmorona.
–Eso depende.
–¿De qué?
–¿No cree que la enfermedad de su padre también tiene ventajas?

–¿A qué se refiere?

–Bueno, es mucho más afable que antes.

–Me extraña que lo diga usted. Creía que se entendía muy bien con él.

Renate Krug se rio a carcajadas.

–¡Su padre era un tirano!

–¿También con usted? –Jamás habría dicho que la leal secretaria fuera tan crítica con su padre.

–Casi afirmaría que especialmente conmigo. Siempre descargaba sobre mí su mal humor, su descontento.

–¿Y por qué se quedó con él? Seguro que habría encontrado trabajo en otro sitio.

La mujer bajó la vista.

–Porque también era un gran hombre. Todo un carácter que sabía lo que quería. No hay mucha gente así.

–Mmm –replicó Jonathan–. Lo que usted considera «carácter» para muchos sería «cabezonería».

–¿Lo dice por los nuevos planes que tiene usted para la editorial? –Jonathan la miró con cara de sorpresa y ella le devolvió una mirada tímida–. Cuando estaba al otro lado de la puerta, no he podido evitar... –se interrumpió.

–Nos espiaba –afirmó Jonathan.

–Yo no lo diría así. Simplemente, no quería molestar y he oído algo.

–Ajá. –Jonathan sonrió con ironía–. En tal caso, me interesa conocer su opinión sobre lo que «ha oído».

–¿Mi opinión? –La señora Krug parecía sorprendida.

–¡Por supuesto!

–Ah –hizo un gesto de rechazo con la mano y se ruborizó levemente–. Yo no tengo ni idea de esos temas y prefiero mantenerme al margen.

–Señora Krug –insistió él–, no espero de usted una opinión experta ni muy elaborada. Solo quiero saber qué le parecería que Griefson & Books también publicara en el futuro literatura de entretenimiento.

–No sé...

–¡Vamos! –la interrumpió Jonathan–. ¿Qué lee usted?

Renate Krug se ruborizó un poco más.

–Eh... Me resulta embarazoso contestar a esa pregunta.

–¿Tan malo es? –bromeó Jonathan.

Ella asintió. Después trasteó en la cremallera del bolso, lo abrió torpemente y buscó dentro.

–Esto, por ejemplo –dijo, y le dio un librito muy manoseado.

Jonathan le echó un vistazo.

Reprimió un grito de sorpresa y, procurando mantener la compostura, se limitó a decir:

–Oh.

Renate Krug volvió a guardarlo inmediatamente en el bolso.

Prosiguieron el viaje en silencio y no hablaron más del tema. Jonathan contuvo una carcajada y no le dio rienda suelta a la risa hasta que llegaron al barrio de Eimsbüttel, donde ella vivía, y la secretaria bajó del taxi.

Quince minutos después, cuando el taxi se detuvo delante de su casa, Jonathan todavía se reía. A carcajadas y contento. Ese día, Renate Krug lo había sorprendido en más de un sentido, pero que leyera novelas con títulos tan excitantes como *El ardor de la pasión*... Bueno, eso era la guinda del pastel.

¿Qué podía decir él? Y, sobre todo, ¿qué diría su padre?

48

Hannah

24 de enero, miércoles, 12.03 horas

—Y mi alma desplegaba de par en par sus alas, volaba a través de los campos dormidos como si volara hacia su hogar.

Hannah murmuró en silencio las palabras que el pastor pronunciaba junto a la tumba de Simon para concluir el sepelio. Eran unos versos de Joseph Freiherr von Eichendorff que le gustaban mucho a Simon, y por eso los había elegido para la ceremonia.

Y allí estaba ella, junto a la tumba del hombre con el que, no hacía mucho, creía que pasaría el resto de su vida. Polvo somos y en polvo nos convertiremos.

Lisa estaba a su lado y le estrechaba la mano. Había cumplido su palabra y, en los últimos días, no se habían separado, había resistido con ella. Lisa y los padres de Hannah la habían acompañado a hablar con la directora de la funeraria y con el pastor, le habían ayudado a elegir una parcela en el cementerio de Ohlsdorfer y las dos amigas habían creado los recordatorios y los habían enviado.

Más de doscientas personas acudieron a rendir su último tributo a Simon: una representación numerosa de la redacción del *Hamburger Nachrichten* y, naturalmente, todos sus amigos y la poca familia que le quedaba, reducida a un tío y una prima.

Los asistentes formaron una cola interminable para darle el pésame y Hannah estrechó una mano tras otra, soportó condolencia tras condolencia y se preguntó cuánto duraría aquello, cuánto faltaba para poder estar de nuevo sola en casa y derrumbarse otra vez.

Se sentía como si fuera a desmayarse en cualquier momento, a languidecer como un globo pinchado. Se había mantenido bastante firme hasta la tarde del día anterior. Pero la amable policía que le había dado su número de teléfono fue a verla a casa para comunicarle confidencialmente a ella, la «prometida» de Simon, el resultado de la autopsia.

Simon se había ahogado, de eso no cabía la menor duda. Y el forense también había constatado, sin lugar a dudas, que no habría vivido mucho más tiempo; a lo sumo, unos meses. El cáncer estaba muy avanzado y habría sido imposible curarlo.

La reacción de Hannah asustó a la agente: estalló en carcajadas histéricas y tardó unos minutos en calmarse. Ni ella misma se entendía. Cualquiera habría pensado que esa información la reconciliaría en cierto modo con Simon. Al fin y al cabo, ahora había pruebas que demostraban que su novio tenía razón al suponer que moriría pronto y, por lo tanto, había hecho bien en anticiparse con una muerte rápida a un sufrimiento largo y angustioso. Porque, en esos casos, todo el mundo tenía derecho a suicidarse, al menos eso creía Hannah hasta entonces.

Y, a pesar de todo, esa noticia la destrozó porque, de repente, el regalo que le había hecho a Simon, y que ahora había que contemplar como un regalo de despedida, todavía parecía más cínicoy repugnante.

¿Quién era ella, Hannah Marx, la mujer que había sido tan arrogante como para creer que lo sabía todo? Esa presunción la había llevado a barrer de un plumazo los miedos y las preocupaciones de Simon, y a pensar realmente que podía negar la evidencia con una ridícula agenda: «¡Sácale partido a la diversión!».

Se avergonzaba de sí misma. Sí, esa era la mejor manera de describir el sentimiento que la corroía desde la visita de la agente: una vergüenza espantosa y profunda.

Ahora, mientras estrechaba las manos de los que le daban el pésame, ese sentimiento no la abandonaba, y Hannah se veía como una hipócrita, como si no mereciera estar allí, llorando la muerte de Simon en calidad de «viuda». Incluso había dado a entender que era su prometida para que la Policía la mantuviera informada, para tener derecho a estar al corriente de las investigaciones en curso.

La prometida de Simon. Hannah cerró los ojos y reprimió de nuevo el llanto. Tenía que ocurrir el próximo 11 de mayo, la fecha en que se cumplía el aniversario del día que se conocieron. ¡Habría sido tan bonito! Ella había elegido y reservado dos anillos de compromiso de plata repujada en una pequeña joyería de la Eppendorfer Landstrasse y le había dicho a la propietaria que iría otra persona a buscar las joyas.

Hannah confiaba en que Simon aceptaría comprar los anillos, por eso puso un sobre con quinientos euros en un bolsillo de la agenda. El romántico plan conmovió a la joyera, que casi gritó de alegría cuando Hannah la instruyó para que, si el «comprador» se los quedaba, le diera un sobre en el que había más instrucciones: Simon tenía que presentarse esa misma tarde a las ocho en Da Riccardo, donde Hannah había reservado «su» mesa. Y, en cuanto apareciera, le pediría que se casara con ella.

«La vida es lo que te va sucediendo mientras te empeñas en hacer otros planes.» John Lennon tenía razón. No habría ninguna petición de mano, al menos por parte de Hannah con Simon. Alguien compraría los anillos y otra pareja se prometería amor y fidelidad eternos con ellos.

Hannah sabía que tenía que avisar a la joyera de que nadie iría a recogerlos y de que podía ponerlos de nuevo en la vitrina, puesto que el compromiso se había roto antes de que se produjera. Pero era incapaz de llamar a la joyería. Eso significaría romper su promesa de matrimonio y a ella le parecía una nueva traición, como si pisoteara el recuerdo de Simon. Se tranquilizó pensando que el 11 de mayo llegaría y que la joyera, al ver que no se presentaba nadie a recogerlos, los volvería a poner a la venta. ¿Qué importancia tenían unas semanas? Ninguna. Comparadas con la eternidad en la que Simon había entrado sin Hannah, no significaban nada.

–No me hago a la idea. –Sören, el mejor amigo de Simon, estaba delante de Hannah y le tendía la mano. Se notaba cómo se sentía; tenía los ojos hinchados y enrojecidos, y profundas ojeras.

–Yo tampoco –dijo Hannah con voz queda–, yo tampoco.

–¿Cómo lo llevas? –preguntó Sören.

Hannah se encogió de hombros.

–No lo sé. De algún modo habrá que salir adelante.

–Si necesitas cualquier cosa, me lo dices, ¿de acuerdo?

–Sí, claro.

–¿Qué harás con el piso de Simon? ¿Quieres que te ayude a vaciarlo?

–No –contestó ella–, hay tiempo. El alquiler lo cargan a su cuenta, no hay prisa.

–¿No sería mejor que lo hicieras cuanto antes?

–Yo... –Hannah tragó saliva con dificultad. Pensó en la devastación que había provocado en el piso. Lo limpiaría, por supuesto, recogería las cosas de su novio y le devolvería las llaves al propietario. Algún día lo haría, pero en su actual estado de ánimo se conformaba con poder respirar–. Todavía no me siento capaz.

–Lo entiendo –dijo Sören–. Cuando llegue el momento, me llamas, ¿de acuerdo?

–Lo haré.

Se dieron un abrazo y Hannah se giró hacia el siguiente de la fila.

Al cabo de una hora escasa, Lisa dejó a Hannah en su casa, en Lokstedt. No habían organizado un convite para después del funeral; a Hannah, la sola idea de ofrecer café y tarta de mantequilla en honor a Simon le revolvía el estómago. Después de saludar a la última persona que hacía cola para darle el pésame, lo único que le apetecía era irse a casa. Se refugiaría en la cama, se taparía hasta la cabeza y esperaría a que el dolor se calmara. No obstante, no imaginaba que ese momento pudiera llegar.

–Acuéstate un rato –le dijo Lisa, a la que Hannah había comentado que no quería más compañía.

–Eso haré –replicó.

Las dos amigas se miraron unos instantes en silencio. Luego, Lisa se inclinó hacia ella, le dio un abrazo y la estrechó con fuerza.

–Lo siento mucho –dijo en voz baja–. Ojalá no tuvieras que pasar por esto.

–Sí, ojalá.

49

Jonathan

16 de marzo, viernes, 14.23 horas

—*La professoressa è nell'aula. Anche nell'aula sono gli studenti.*

Jonathan se concentró en pronunciar las frases. No tenía ni idea de si algún día se le presentaría la ocasión de decirle a un italiano que en la clase no solo estaba la profesora, sino, ¡oh, sorpresa!, también los alumnos. Pero ¿quién podía asegurarlo? Además, los autores del curso de italiano que se había descargado en el móvil lo habrían hecho por algo. Aunque solo fuera para que, con ayuda de la profesora, sus alumnos y su clase, Jonathan se machacara practicando preposiciones. *Nel, sul, dal, nella, sulla, dalla...* A Jonathan le bullía la cabeza mientras intentaba pronunciar las frases correctamente. Al mismo tiempo, se preguntaba si no habría sido mejor apuntarse a un centro de formación de adultos. Sin embargo, la idea de compartir aula con amas de casa de barrio, aunque eso fuera un topicazo, le provocaba cierta desconfianza. Por eso, cuando la Filofax le prescribió que aprendiera cosas nuevas, se decidió por la versión electrónica.

No se le daba mal, él mismo se sorprendió al ver que avanzaba rápidamente. Ahora ya era capaz de pedir una habitación con ducha *(una camera con doccia),* agua sin gas y sin hielo *(acqua liscia senza ghiaccio)* y, aunque no fumaba, un cenicero *(un portacenere).* También sabía presentarse *(Mi chiamo Jonathan Grief)* y decir de dónde era *(Sono di Amburgo, in Germania).*

El hecho de haber estudiado latín quizá le facilitaba el aprendizaje del idioma, exceptuando las preposiciones, que carecían de toda lógica. Y a lo mejor su origen también ayudaba. A veces recordaba frases de su infancia, aunque su madre casi siempre le hablaba en alemán, porque su padre no era partidario de la educación bilingüe y sostenía que el «niño» tenía que aprender «alemán como es debido». Era más que discutible que el alemán de Sofía, que había aprendido el idioma siendo adulta, fuera «como es debido», pero, aun así, cumplió las instrucciones de su marido.

Solo de noche, cuando lo acostaba, la madre se quedaba unos minutos con él, sentada en la cama, y le cantaba canciones de su país. Jonathan recordaba su voz cálida entonando «*Se sei felice, tu lo sai, batti le mani*». «Si eres feliz, ya sabes, da palmas.»

Y ahora Jonathan era en cierto modo feliz. No para dar saltos y gritos de alegría, eso no. Pero si pensaba en cómo se había sentido los años posteriores a la separación de Tina y, bien mirado, también durante su matrimonio, ahora estaba mucho mejor. Más contento. Más equilibrado. En paz consigo mismo.

O casi, porque todavía no había dado ningún paso en el tema de la editorial. No sabía qué camino debía seguir Griefson & Books. Por mucho que contrastara los argumentos a favor y en contra de un catálogo más popular, el dilema siempre acababa en tablas.

Es decir, él, Jonathan, no se decidía. No se trataba solo de la fama y la tradición de la editorial, sino también de su rentabilidad. Y no estaba seguro de que unos cuantos títulos de literatura de masas bastaran para sacarlos del apuro económico.

El tiro podía salirles por la culata si los libreros y los lectores no aceptaban la nueva línea editorial. Si se reían de ellos y les gritaban: «¡Zapatero a tus zapatos!». Solo había que imaginar lo que ocurriría si la magnífica Filarmónica de Berlín decidiera tocar de repente un repertorio formado por canciones de los Cuarenta Principales: los gritos de indignación coparían la escena cultural, ¡y con toda la razón del mundo! Si eso ocurría, Jonathan dudaba de que en el futuro volvieran a obtener cifras de ventas similares a las actuales en los proyectos más exigentes.

En ese sentido, Markus Bode le propuso crear un nuevo sello editorial para publicar las novelas más ligeras. Y borró de un plumazo la objeción de Jonathan de que esa jugada sería un acto de hipocresía, con estas palabras: «Bah, ¡pero si es lo que hacen todos!». También dijo que sería útil hacer una prospección de mercado para averiguar cómo había que proceder.

El director ejecutivo puso manos a la obra con mucho empeño y, aunque su jefe aún no le había dado el visto bueno, empezó a pedir títulos a distintas agencias literarias. Uno de los agentes llamó a Jonathan y le preguntó si el pedido del director era correcto, puesto que incluía unas cuantas «novelas de *love & landscape, happy tears, urban fantasy* y *cosy crime»*, y quería asegurarse de que...

–¡Oh, habrá sido un error! –lo interrumpió instintivamente Jonathan, puesto que se avergonzaba con solo oír el nombre de esos géneros literarios. *¿Cosy-Crime?* ¿Policíaca «suave»? ¡Por favor!

–Entonces, ¿no les envío ningún original? –preguntó el agente.

–Mmm, no. Bueno, sí –se retractó Jonathan, confundido.

–Entonces, ¿se los envío?

–Sí, por favor.

–¿Va todo bien?

–Sí, ¡muy bien! –Jonathan carraspeó–. Solo estamos probando... algo... nuevo. Una especie de... experimento literario.

–Ajá–. El agente hizo una pausa debido a su perplejidad–. De acuerdo, dentro de unos días les enviaré, a usted y al señor Bode, unos cuantos proyectos.

Los «proyectos» estaban en el escritorio de Jonathan, que aún no los había tocado: diez originales gruesos con títulos tan prometedores como *En las ascuas doradas de la estepa* o *El complot de la primadonna.* Esos títulos no podían contener nada bueno, ¡ni siquiera si hubieran salido de la pluma de Hubertus Krull!

Por si no bastara con eso, Markus Bode se había dejado llevar por la euforia y había comprado todas las novelas que ocupaban las listas de los veinte libros más vendidos, en edición de tapa dura y también de bolsillo. Y por duplicado, para que los dos pudieran obtener una visión general del tema. Eso le explicó tres semanas antes, cuando le llevó dos grandes cajas de cartón llenas de libros. Jonathan protestó débilmente, afirmando que continuaba opinando que había que esperar al cierre del ejercicio contable para juzgar con fundamento cómo evolucionaba la situación de la editorial, pero Bode frenó las objeciones con estas palabras: «No perdemos nada por leerlos; de ese modo nos pondremos al día, por si acaso».

Acto seguido, sacó un libro de una caja y se lo dio, sonriendo.

–Se lo recomiendo de todo corazón; es una historia maravillosa y emotiva sobre un parapléjico que quiere suicidarse, pero conoce a una cuidadora joven y un poco torpe que consigue que recupere las ganas de vivir.

–Ah, sí, maravillosa y conmovedora –replicó Jonathan, no sin ironía y preguntándose, asombrado, qué mosca le había picado al director.

Hasta entonces, siempre habían coincidido en las cuestiones relativas a la «calidad literaria», pero la separación de su mujer parecía haberle afectado más de lo que aparentaba. Aunque por fuera pareciera el mismo de siempre, el hecho de que utilizara expresiones como «maravillosa y conmovedora» era motivo de preocupación.

Jonathan ahuyentó de su cabeza la vida privada del director ejecutivo y se concentró en las frases que oía a través de los auriculares. Se había marcado el ambicioso objetivo de acabar el primer módulo a finales de mes, aunque estuviera previsto que durara medio año. Después empezaría con las lecciones para alumnos de nivel avanzado. No sabía para qué le serviría aprender su lengua materna; nunca había hecho planes para viajar a Italia porque, desde la separación de sus padres, ese país estaba en cierto modo... Sí, «contaminado emocionalmente», no podía definirlo de otra manera. Con todo, fue lo primero que se le ocurrió cuando leyó en la agenda que tenía que aprender algo nuevo y, simplemente, lo llevó a cabo.

Cuando la voz que le hablaba al oído le pidió que buscara las preposiciones correctas, un timbre melódico interrumpió el ejercicio. Jonathan echó un vistazo al móvil y vio que eran las 14.45 horas. La alarma le recordaba que tenía planes para ese día. A las tres de la tarde quería estar en el café Lütt, en la Haynstrasse, para comer tarta hasta reventar. O, al menos, una ración.

Cerró la aplicación, se levantó de la butaca, bajó las escaleras y cogió la chaqueta. La cafetería estaba a diez minutos a pie, con lo que llegaría puntualmente a las tres. En realidad, no tenía por qué ser puntual, puesto que en la agenda solo ponía «por la tarde». Pero en su opinión, y suponía que esa era la opinión general, la tarde empezaba a las tres, de modo que decidió que a esa hora se tomaría un descanso de las clases de italiano. Hacía tiempo que no contaba con encontrar al propietario de la agenda; de hecho, ya no quería localizarlo. Sin embargo, cumplir las indicaciones de la Filofax se había convertido en una especie de manía. Y ¿por qué no? No hacía nada malo y se divertía.

Abrió la puerta, contento. No solía tomar café ni comer tarta por la tarde, sobre todo para no poner en peligro su índice de masa corporal, pero le apetecía dar un pequeño paseo bajo el sol de primavera y comerse un pedazo de tarta. ¿Tendrían tarta de grosella y merengue en el Lütt? A Jonathan le encantaba desde su más tierna infancia porque su abuela Emilie no solo tenía muy buena mano para la literatura, sino también para la tarta de grosella, que hacía con un merengue que sabía a gloria.

Después de cerrar la puerta con dos vueltas de llave y de activar la alarma, como siempre, se dio la vuelta sonriendo y se quedó boquiabierto.

–¡Hola, Jonathan!

–¿Tú por aquí? ¡Qué sorpresa!

50

Hannah

16 de marzo, viernes, 14.17 horas

—¡Cumpleaños feliz, te deseamos todos, cumpleaños feliz! ¡Porque es una chica excelente, porque es una chica excelente, porque es una chica excelente y siempre lo será, y siempre lo será! ¡Vamos, sal de la cama ahora mismo!

–¿Qué pasa? –Hannah, confusa y agotada, se revolvió por debajo de la colcha y echó un vistazo a la luz del día con los ojos llorosos–. ¿A qué viene tanto jaleo?

–¡Sal de ahí ahora mismo! –insistió Lisa, que le dirigió una sonrisa traviesa desde los pies de la cama.

–¡Vete, Lisa, por favor! –exclamó malhumorada Hannah, que agarró la colcha y se tapó otra vez hasta la cabeza.

–Lo siento –replicó Lisa, y Hannah oyó su voz amortiguada–, pero no pienso irme.

–¡Lárgate! –refunfuñó Hannah entre las sábanas, y pataleó inconscientemente–. ¡Y devuélveme las llaves!

–¡Ni hablar! –exclamó su amiga con tono alegre. Al cabo de un segundo, un buen tirón, y Hannah perdió la envoltura que la protegía.

–¡Déjame en paz! –la increpó Hannah, incorporada en la cama.

Fue un error, porque la cabeza estuvo a punto de estallarle de dolor. Se había movido demasiado deprisa.

–¿Resaca? –preguntó Lisa señalando la botella de vino vacía que estaba a los pies de la cama.

–Mucha –contestó Hannah, que suspiró y se rascó la cabeza.

–Eso te pasa por celebrar tu cumpleaños sola. ¡Y más todavía si cumples treinta! –Se inclinó y fingió poner cara de conspiración–. Eso trae mala suerte. Y dolor de cabeza.

–No puede decirse que anoche lo «celebrara» –contestó Hannah gimiendo, y se llevó una mano a la frente–. Más bien entré en coma.

–Pues no lo parecía.

Hannah la miró aterrorizada.

–¿Hablamos por teléfono?

Lisa asintió.

–Sí, tres veces –dijo.

–¿De verdad?

–De verdad.

–No me acuerdo –admitió Hannah, y notó que el rubor le cubría las mejillas.

–No importa –le aseguró Lisa–. Solo decías lo mismo que dices siempre desde hace semanas. Bueno, si te soy sincera, más bien lo balbuceabas.

–¿Y qué era?

–Que no sabes cómo saldrás adelante sin Simon, que nada tiene sentido y que el capullo egoísta de Simon se suicidó sin pedirte permiso. Más o menos, por ahí iban los tiros.

–¡Mierda! –Hannah lanzó un profundo suspiro y se dejó caer de espaldas en la cama–. Tenía la esperanza de haberlo soñado y de que ahora por fin despertaría.

Lisa se sentó a su lado en la cama y le estrechó la mano.

–Lo siento, pero continúa siendo verdad.

–Mierda –repitió Hannah, al tiempo que se le saltaban las lágrimas.

Desde la muerte de Simon, todas las mañanas le ocurría lo mismo. Se despertaba un poco aturdida y confusa por lo que había soñado. Después, en cuanto empezaba a despejarse, la embargaba una terrible sensación de desesperanza y desesperación, que se aferraba a su pecho como si fuera una pinza de hierro y casi le impedía respirar. Y no cedía hasta que, bien entrada la noche, Hannah se iba a la cama, completamente agotada y tambaleándose.

Todos los días transcurrían del mismo modo desde hacía dos meses, y la situación no mejoraba. Si el tiempo realmente curaba todas las heridas, en su caso daba la impresión de que lo hacía a un ritmo tan lento que Hannah dudaba de que llegara a experimentar el menor alivio en vida. Al contrario, cuanto más tiempo pasaba desde la muerte de Simon, más parecía hundirse en aquel abismo oscuro de pena y rabia, y peores eran las pesadillas y el miedo que la perseguían.

El propósito de volver a trabajar en La Pandilla cuanto antes para ahuyentar los pensamientos lúgubres y recuperar la normalidad duró poco. Tuvo que abandonarlo a los diez minutos de empezar porque le entró un ataque repentino de pánico y la embargó la sensación de que el mundo se hundía bajo sus pies.

Estaba rodeada de niños ruidosos y, de pronto, notó que no podía moverse ni hablar. Se quedó paralizada, en estado de *shock,* incapaz de pensar con claridad en cualquier otra cosa que no fueran estas frases: «Todos moriremos algún día. También estos niños, estas pequeñas criaturas, dulces e inocentes, morirán algún día. Y también sus hijos y los hijos de sus hijos y... ¡No tiene sentido! ¡Nada tiene sentido! Solo vivimos para dirigirnos hacia la muerte, todos los días nos acercan un poco al final».

Hannah lloraba y temblaba, y su madre la llevó a casa. La metió en la cama y llamó al médico, que le diagnosticó estrés postraumático y le prescribió reposo absoluto. Hannah obedeció sus instrucciones, incluso en exceso, puesto que se aisló por completo. Solo salía de casa cuando no tenía más remedio y, gracias al servicio de entrega de unas cuantas pizzerías y del supermercado de la esquina, que le llevaban a casa lo que necesitaba, hacía mucho que eso no ocurría. Se encerró a cal y canto, quería estar sola con su pena y su dolor.

Y, naturalmente, la noche anterior fue horrorosa porque, en vez de salir a celebrar con Simon su trigésimo cumpleaños, se quedó en la cama llorando, cambiando sin ton ni son los canales del televisor que tenía en la habitación y vaciando una botella de vino tinto.

Ahora que tenía a Lisa a su lado, recordó vagamente que había hablado por teléfono con su amiga y que esta intentó camelársela para pasar por su casa al día siguiente. Hannah rechazó sin rodeos la propuesta, le dijo que no quería ver a nadie el día de su cumpleaños, pero saltaba a la vista que Lisa no le había hecho caso.

–Creo que ya es hora de que te levantes, te duches y salgas conmigo –constató Lisa, con voz suave, pero también decidida–. Y, por si te interesa, tus padres piensan lo mismo. Sybille va a hacer doble turno en La Pandilla para que yo tenga tiempo para estar contigo.

–¡No voy a salir!

–¡Pues claro que sí! Brilla el sol, hace un día espléndido.

–Es imposible que hoy sea un día espléndido –replicó tozudamente Hannah, y le dirigió una mirada de rebeldía–. Además, el médico dijo que necesito reposo absoluto.

–Puede –replicó su amiga–. Pero no creo que se refiriera a que empinaras el codo en casa y... –se inclinó hacia delante, metió la mano debajo de la cama y sacó dos cajas de pizza– te alimentaras de porquerías.

Lisa abrió una de las cajas y, al ver los restos secos de pizza, puso cara de asco.

–¡No lo hago! –gritó Hannah y le arrebató la caja a su amiga. El olor a embutido reseco penetró en su nariz y tuvo que reprimir un escalofrío. Tiró inmediatamente la caja al suelo, al lado de la botella de vino vacía.

–Va –propuso Lisa en tono lisonjero–, haz el favor de levantarte y darte una ducha. Hueles casi peor que esta pizza reseca. Yo te espero mientras tanto y luego nos vamos.

–Pero yo no quiero salir.

–Me da igual.

–No puedes obligarme.

–Claro que puedo –replicó Lisa.

–¿Y cómo piensas hacerlo?

–Muy fácil –dijo su amiga–. Me quedaré aquí sentada hasta que vengas conmigo.

–¡Que te diviertas! –exclamó Hannah, y se inclinó hacia delante para coger la colcha.

Lisa fue más rápida, se la arrebató de las manos y la tiró al suelo.

–¡Y cantaré! –añadió y, después de carraspear, entonó la misma canción que antes–: «Cumpleaños feliz, te deseamos todos, cumpleaños feliz. Porque es una chica excelente...».

–¡Por favor, Lisa! –gritó Hannah.

La amiga no se inmutó y continuó cantando:

–«... es una chica excelente y siempre lo será...»

–¡Basta! –le ordenó Hannah, y se tapó los oídos.

–«y siempre lo será...».

–Por favor, Lisa, ¡no me tortures más!

Lisa se calló al instante y puso cara de culpa.

–Lo siento, no era esa mi intención.

–No importa –replicó Hannah, y se sorprendió al darse cuenta de que tenía que reprimir la risa. Con todo, no quería darse por vencida tan fácilmente–. No pretendo abandonarme, ¿sabes? –dijo–. Es solo que todavía estoy de luto.

–Lo entiendo. Pero dos meses llorando las veinticuatro horas del día son suficientes.

–La gente habla de un año de luto. Por algo será.

–Cierto –admitió Lisa–. Pero muy pocos se encierran durante todo un año.

–Cada cual hace lo que le apetece.

–¡Mentira! No se trata solo de ti.

–Ah, ¿no?

–No –le confirmó Lisa–. Ya va siendo hora de que pienses en los demás. En tus padres, por ejemplo, que están preocupadísimos. Y yo también.

–Pero estoy bien, ya lo ves –dijo Hannah, en un último intento lastimoso de convencer a su amiga para que se fuera.

–¿Bien? –Lisa se echó a reír–. ¿Has dicho «bien»? –Abrió los brazos para abarcar ampliamente con un gesto la habitación–.

Te refugias en una habitación descuidada, que huele como una leonera, y cualquiera que te viera así diría que has pasado medio año en una celda de aislamiento. –Lisa meneó la cabeza irónicamente–. Lo siento, pero «bien» significa otra cosa.

–Al menos, todavía estoy viva –replicó Hannah de morros.

–Yo más bien diría que vegetas. Lo siento...

–No paras de repetirte.

–¿Qué?

–Bueno, lo de que lo sientes. Lo has dicho como mínimo quince veces.

Lisa sonrió.

–¡Vaya! En ese ser apestoso que se sienta delante de mí todavía queda un resto de Hannah. Escondido debajo de una gruesa capa de porquería, pero ahí está.

–¡Ja, ja!

–Exacto. –Lisa se levantó–. Saca tus huesos resacosos de la cama –la amenazó señalándola con el dedo índice– o empiezo a cantar otra vez.

–Pero el año de luto...

–Vístete con ropa negra –replicó Lisa, cortando de raíz las protestas.

–De acuerdo. –Hannah suspiró–. Ya veo que no tengo nada que hacer contigo.

–Así es –le confirmó su amiga.

–¿Y adónde vas a llevarme? –preguntó Hannah mientras se disponía a levantarse de la cama.

–Ya deberías saberlo.

–Pues no tengo ni idea.

–Tú misma lo planeaste –le recordó Lisa–. Vamos a comer tarta al café Lütt.

Hannah se detuvo bruscamente.

–No creo que sea una buena idea.

–¿Por qué no?

–Porque..., porque yo... –De nuevo le asomaron las lágrimas a los ojos–. Porque lo había planeado para ir con Simon, era nuestra cafetería favorita. Y porque...

–Por eso mismo –la cortó Lisa–. Ha llegado el momento de enfrentarse a los demonios. Por eso iremos juntas a esa cafetería.

–¿Estás segura? –Hannah notó que hablaba como una niña pequeña llorona.

–¡Totalmente!

–También podríamos ir a otro sitio.

–Podríamos –admitió Lisa–, pero no lo haremos.

51

Jonathan

16 de marzo, viernes, 14.51 horas

—Te has quedado boquiabierto, ¿eh? –Leopold lo miraba con una sonrisa de oreja a oreja. Era evidente que disfrutaba viendo a Jonathan tan desconcertado por su visita–. Pero ya puedes cerrar la boca, pareces tonto.

–¿Qué...? ¿Qué haces tú aquí?

–Vengo a saldar mi deuda.

–¿Deuda? ¿Qué deuda?

Leopold señaló la caja que tenía a los pies, llena de botellas.

–Tres de vino tinto, una de Riesling, whisky, ginebra y grapa –dijo. Torció el gesto en señal de disculpa y añadió–: Aunque no sé si eran de estas marcas. He pedido lo mejor que tenían en la sección de bebidas. –Se encogió de hombros–. Por desgracia, no me acuerdo de lo que me llevé aquella noche.

–¡Tú estás chiflado! –exclamó Jonathan.

Leopold bajó la mirada.

–Lo siento –murmuró–. Ya sé que metí la pata hasta el fondo.

–¡Tonterías! –Jonathan se echó a reír–. ¡Me alegro mucho de volver a verte! Pero no tenías que presentarte con un arsenal de botellas, no hacía falta.

–Sí. –Leopold lo miró de nuevo con una sonrisa tímida en los labios–. Sí –repitió–. Hacía falta. En realidad, hace falta mucho más, pero he pensado que empezaría por las botellas.

Se miraron sonriendo y dudaron un instante. Luego, Jonathan avanzó resuelto hacia Leo, le dio un abrazo y unas palmadas en el hombro. Nunca abrazaba a un adulto, pero en ese momento le salió del alma.

–¡Cuéntame! –le pidió Jonathan a su amigo «pródigo» en cuanto se deshicieron del abrazo–. ¿Cómo te ha ido? ¡Tienes buen aspecto!

Era cierto. Leopold vestía ropa limpia, vaqueros, una camiseta y una chaqueta; y llevaba la barba bien recortada y el pelo recogido en una trenza ceñida. Y despedía cierto aroma a jabón y a desodorante Old Spice.

–De acuerdo. Pero no en la calle –dijo Leo.

–Perdona –se apresuró a replicar Jonathan–, he perdido los buenos modales ¿Quieres entrar?

–¿Seguro que no molesto? Estabas a punto de irte, ¿no?

–No era nada importante –contestó Jonathan, pero se corrigió de inmediato–. Bueno, sí, lo era. Iba a un café. ¿Por qué no me acompañas y me cuentas tranquilamente lo que ha ocurrido desde que te esfumaste en plena noche?

–¡Con mucho gusto! –Leopold rio, contento–. ¡No te vas a creer lo que me ha pasado desde entonces!

52

Hannah

16 de marzo, viernes, 15.23 horas

—Se me hace muy cuesta arriba entrar ahí dentro.

Estaban en la puerta del Lütt. Hannah miraba con escepticismo a los numerosos clientes que, sentados al otro lado de los grandes cristales, charlaban mientras saboreaban un café y un pedazo de tarta.

–Es como cuando te arrancas un esparadrapo –dijo Lisa–. Cuanto más deprisa, mejor. O sea que, venga, abre la puerta y entra.

–No sé... –Hannah señaló un grupo de mujeres que se reían–. Cuando veo a esa gente, me siento como una extraterrestre. Como si viniera de otro planeta.

–Pues no los mires –dijo Lisa tajante, y se encogió de hombros.

–No se trata de eso –replicó Hannah–. ¡Me mirarán a mí! Mejor dicho, ¡me observarán fijamente!

–¡No eres tan atractiva!

–Pero tengo la sensación de que se nota a la legua que soy una especie de viuda de luto.

–Bobadas. ¡Estás estupenda!

Con esas palabras, Lisa alargó la mano hacia la puerta, la abrió y le dio un empujoncito a su amiga para que diera un paso adelante.

Sin embargo, Hannah se quedó paralizada justo al pisar el felpudo.

–¿Qué te pasa? –le preguntó Lisa, que tropezó con ella.

–Lo sabía –masculló Hannah por encima del hombro, y señaló con la barbilla hacia la derecha del café–. Mira, ese de ahí. ¡Me está observando!

Lisa siguió su mirada.

–¿Quién?

–Ese –cuchicheó Hannah, señalando de nuevo con la cabeza hacia el rincón de la derecha, en la que había dos hombres sentados a una mesa redonda, con un café y un pedazo de tarta delante.

Uno de los dos, visiblemente mayor y con el pelo blanco recogido en una trenza, le daba la espalda. Pero el otro, un hombre de unos cuarenta, moreno, delgado y atractivo, la miraba fijamente sin disimulos.

–Tonterías –dijo Lisa–, no te está mirando.

–¡Claro que sí! –insistió Hannah–. ¡Casi parece que haya visto una aparición!

–Será corto de vista –comentó su amiga, y le dio otro empujoncito.

Hannah se volvió hacia ella y la miró con ojos suplicantes.

–¡Por favor, Lisa! Vámonos, no estoy a gusto.

–Pero...

–¡Por favor! –repitió–. No es solo por ese hombre. Esto está lleno de recuerdos, venía mucho con Simon.

Su amiga suspiró.

–Si vas a evitar todos los sitios que están emocionalmente contaminados porque antes ibas con Simon, tendrás que cambiar de ciudad.

–Lo sé –replicó Hannah con tristeza–. Lo controlaré, te lo prometo. Pero hoy, no. Vamos a pasear un rato, ¿vale? Con eso basta para empezar.

–De acuerdo –aceptó Lisa–. Tampoco quiero torturarte.

–¡Gracias!

Hannah entreabrió la puerta de la cafetería y salió a toda prisa. Todavía notaba la mirada del desconocido en la espalda, pero no se volvió para comprobarlo. No tenía ni idea de por qué la observaba con tanta intensidad, pero le había resultado inquietante. A pesar de la distancia de varios metros que separaba la puerta de la mesa donde estaba sentado, Hannah se había fijado en sus ojos. Eran de un azul tan claro y penetrante que la turbaron, como si le escrutaran el fondo del alma con una sola mirada. Sacudió la cabeza para liberarse de aquella especie de hipnosis y, tan pronto como puso los pies en la acera, respiró profundamente.

–¿Estás bien? –le preguntó Lisa.

–Sí –contestó Hannah–. Todo bien.

–Genial. ¿Y adónde vamos ahora?

Hannah se quedó pensativa un momento.

–Podríamos ir a La Pandilla –propuso–. A tu madre y a la mía quizá les venga bien un poco de ayuda.

Lisa la miró con cara de sorpresa.

–¿Estás segura?

Hannah meditó un momento. Y asintió.

–Sí, estoy segura. Tengo muchas ganas de ver a unos cuantos mocosos.

Lisa sonrió, contenta.

–¡Me parece muy bien!

53

Jonathan

16 de marzo, viernes, 15.11 horas

—¡No es verdad! ¡Me estás contando una trola!

–¡Para nada! Ocurrió como te cuento. –Leopold se recostó en el asiento y removió el café. Se le veía satisfecho por la perplejidad que le causaba a Jonathan con su historia.

–Pero ¿quién hace algo así? –insistió Jonathan, que no podía creer lo que acababa de oír–. ¿Quién demonios aparca el coche en el Kiez y deja la llave puesta y la documentación en el asiento?

–No lo sé –contestó Leopold–. Ni me importa. Yo simplemente acepté ese regalo del destino y no me planteé ninguna pregunta. –Pinchó un trocito de tarta de fresa y se lo metió en la boca.

–¿Qué coche era?

–Un viejo Ford Mustang –contestó Leo con la boca llena–. Un clásico, y en muy buen estado.

–¿Un Mustang?

–Sí.

–¿De color rojo?

Leopold asintió, sorprendido.

–Sí, de un color rojo oscuro impresionante. ¿Por qué lo preguntas?

–Bueno, yo... –Jonathan intentó poner orden en el caos de sus pensamientos–. Es realmente curioso –dijo–. Hace unas semanas vi a una mujer conduciendo un Ford Mustang rojo en la calle Reeperbahn.

–Vaya –replicó Leopold–. Quizá era el alma caritativa que dejó el coche. ¿Quién sabe?

–¿Qué ponía en la documentación? Debería constar el nombre del propietario.

–No me acuerdo –contestó Leo.

–¿Cómo no vas a acordarte?

–No lo apunté. Pero estaba a nombre de un hombre. El apellido era Blank o algo por el estilo.

–¿Blank?

–Sí, algo así. Stefan Blank, creo.

–Mmm.

–Pero eso da igual.

–¿No intestaste dar con el propietario del coche?

Leopold lo miró con cara de perplejidad.

–¿Por qué iba a hacerlo?

–Bueno, creo que habría sido lo correcto. ¡No puedes quedarte con un coche que no es tuyo!

Jonathan pensó automáticamente en la agenda. Como siempre, la llevaba en la bolsa de mano, donde la guardaba como si fuera tesoro. Pero eso era completamente distinto; a fin de cuentas, una Filofax no era un vehículo caro. Además, él había hecho todo lo posible por encontrar a su propietario. Al menos, al principio.

–No me lo quedé –replicó Leopold, que ya no parecía tan relajado como al principio de la charla y fruncía un poco el ceño.

–No puedes vender un coche que no es tuyo.

–Si te lo sirven en bandeja de plata, sí.

–Pero...

–Escúchame bien, amigo –lo interrumpió Leo bruscamente–. Entiendo que alguien como tú crea que esas cosas no se hacen. Pero si tú hubieras estado en mi lugar, te habrías agarrado a cualquier clavo ardiente que tuvieras a mano. ¿O vas a decirme que no?

Avergonzado, Jonathan bajó los ojos y murmuró:

–Sí.

–Pues eso. Si alguien deja un coche con las llaves y la documentación a la vista, en mi opinión está invitando al primero que pase por allí a que se lo quede y haga con él lo que quiera. ¿No crees?

–Sí –dijo Jonathan, y volvió a mirarlo.

–Ya te digo.

–¿Le preguntaste a la Policía si era legal?

Leopold soltó una carcajada y se dio palmadas con las dos manos en los muslos.

–¿La Policía? ¿Estás loco? –dijo, y se tronchó de risa–. ¿Qué crees que le habrían hecho a un mendigo como yo? Me habrían acusado de robar el coche y me habrían fichado. –Meneó la cabeza y esbozó una sonrisa entre divertida y condescendiente–. No, claro que no fui a la Policía. Cogí el coche y procuré librarme de él lo antes posible.

–Ajá –replicó Jonathan–. ¿Y dónde se libra la gente de un coche, si me permites la pregunta?

–En un concesionario de la Ford, ya te digo yo que no –contestó Leopold–. Fui al barrio de Rothenburgsort, a la Billhorner Brückenstrasse. Es una zona enorme, con un negocio al lado de otro.

–No la conozco.

–No me extraña. Está llena de chavales que no son de fiar. Ya sabes, importación y exportación, esas chatarrerías que parecen un cementerio de coches, pero con banderines de colores en lo alto de la valla metálica.

–¿Valla metálica?

–Formulémoslo así: alguien como tú no compraría un coche en esos sitios.

–¿Y por qué lo llevaste allí?

Leopold puso los ojos en blanco, fingiendo estar con los nervios de punta.

–Porque era el sitio más fácil para venderlo. Nada de preguntas y pago en metálico.

–¿Cuánto te dieron?

Leopold sonrió de nuevo.

–Cinco mil euros. Y también les pagaron a los dos taxistas que me hicieron falta para que me llevaran en el coche y luego me devolvieron a la ciudad.

–¿Dos taxistas?

–Claro. En esas semanas, no estaba en condiciones de conducir –respondió Leopold–. Además, no tengo el carné.

–¿No?

–No –admitió Leopold–. Tendría que haberlo renovado, pero ¿con qué dinero? –Sonrió todavía más ampliamente–. Ahora vuelvo a ser un hombre rico.

–Entiendo.

–Ya –dijo Leopold–. A ti no te impresiona la cifra, pero a mí me basta. –Cogió otro bocado de tarta.

–Claro, claro –se apresuró a asegurar Jonathan–. Es solo que estoy totalmente... Bueno, la historia es increíble.

–Cierto. Al principio, yo tampoco me lo creía. Pero pasó. Y no importa lo que tú pienses: ese regalo inesperado me ha salvado el culo.

–¿Qué has hecho con el dinero?

–Invertirlo en acciones.

–¿De verdad? ¿De qué tipo?

Esta vez, Leopold soltó una carcajada tan fuerte y estruendosa que los clientes de la cafetería se volvieron hacia ellos y los miraron con recelo.

–¡Cómo voy a invertir en acciones! –dijo Leopold, bajando la voz–. Volví al Kiez porque no sabía adónde ir. Hablé del tema con unos colegas y me dijeron que, con esa pasta, podríamos colocarnos un tiempo. –Se puso serio–. Pero entonces, gracias a Dios, tuve un momento de lucidez. Me dije que el destino me ofrecía una segunda oportunidad y que no podía fastidiarla. –Hizo una pausa para comerse otro bocado de tarta.

A Jonathan lo asaltó la leve sospecha de que lo hacía con la intención de aumentar el suspense.

–¿Y luego? –preguntó, para contentar a su amigo.

–Me alojé cinco días en una pensión barata, hasta que recuperé la sobriedad –prosiguió–. No fue nada divertido pasar la abstinencia solo, pero no quería volver a ir a la clínica. La última vez que estuve ingresado me largué gritando que tardarían en verme por allí, y no quería volver arrastrándome.

–¿Funcionó?

–¡Mírame! –Leopold se tocó el cuello de la camisa limpia–. Hacía siglos que no estaba tan bien.

–Me alegro mucho, en serio. ¿Ahora recuperarás el permiso de conducir?

–No –negó–. No me urge. Busqué un pequeño estudio en Barmbek y, como podía pagar tres meses por adelantado, me lo alquilaron. –Suspiró–. De ese modo salí del círculo vicioso de los sin techo porque, al tener un domicilio fijo, pude optar a las ayudas públicas. Incluso me concedieron un subsidio para vivienda. La venta del Mustang ha servido para algo.

–¡Parásito social! –bromeó Jonathan.

–¡Ricachón! –replicó Leopold–. Ahora solo me falta encontrar trabajo. Y con eso, espero, habré superado mi época de crisis.

–¿Ya lo buscas?

–Sí, pero no es fácil, ni siquiera de cocinero. –Leopold torció el gesto–. Por desgracia, nadie espera con los brazos abiertos a hombre de cincuenta y cuatro años, y en mi currículum hay unos cuantos vacíos muy feos. No te lo creerás, pero haber sido miembro de una junta directiva no ayuda precisamente: nadie me cree cuando digo que tengo ganas de trabajar en los fogones.

–¿Has ido a la Oficina de Empleo?

–Ahora es un *job center* muy moderno –le explicó Leopold–. Y claro que he ido. Pero no tienen nada para mí. –Soltó una risita–. Bueno, sí, me ofrecieron un empleo.

–¿Y no lo aceptaste?

–Era en el bar de un club de fútbol, detrás de la barra. No me pareció muy adecuado ponerme a trabajar en los surtidores de cerveza.

–No, probablemente no –coincidió Jonathan, que también se rio–. Ojalá pudiera ayudarte –añadió–. Pero en la editorial no tenemos cantina. Y nos dedicamos a los libros, no al sector alimentario.

–Las ventas funcionan igual en todas partes –objetó Leopold.

–Eh... Hombre... –balbuceó Jonathan, que no sabía qué contestar. ¿Hablaba en serio su amigo?

–No te preocupes, no voy a pedirte trabajo. Me he dado cuenta de que no se me ha perdido nada en un trabajo competitivo, prefiero algo más tranquilo. Tengo tiempo para encontrar algo. De momento, con el subsidio y la ayuda para vivienda me las apaño.

–De todos modos, si me entero de algo, te lo digo.

–Hazlo –replicó Leopold, aunque con un tono de voz que parecía decir: «¿Dónde vas a enterarte tú de algo?»–. Pero yo ya me he enrollado bastante –dijo, cambiando de tema–. Ahora, cuéntame tú qué ha pasado en tu vida.

–Un montón de cosas –contestó Jonathan, con cierto orgullo–. He seguido al pie de la letra tu consejo y la mayor parte del tiempo me rijo por la agenda.

–¿Y qué tal te va?

–¡Genial! –Empezó a contar con los dedos–. He dejado de correr y ahora juego al tenis. Hago meditación todos los días y anoto todas las mañanas y todas las noches por qué estoy agradecido. En los últimos dos meses he ido más veces al mar que en los últimos cinco años. Disfruto cantando, aunque solo en el coche y debajo de la ducha, y hace poco empecé a estudiar italiano.

–¡Vaya! –exclamó Leopold con admiración–. Suena a lote completo.

–Realmente lo es. La mayoría de las cosas las hago sin darme cuenta.

–¿Y la editorial?

–Muy bien –contestó Jonathan, evasivo.

–¿Todo controlado?

–No exactamente. –Jonathan se metió un bocado grande de tarta en la boca.

–O sea que aún no has hecho cambios –dedujo Leopold.

–Estoy en ello.

–Mmm.

–¿Por qué dices «mmm»?

Leopold hizo un gesto de negación con la mano.

–Dejemos el tema antes de que vuelva a meterme donde no me llaman. Mejor pedimos otro trozo de tarta.

–¡Buena idea!

Cuando Jonathan se disponía a levantarse, su mirada se posó en la puerta, por la que en esos momentos entraban dos mujeres en la cafetería. Una era alta y delgada, y tenía una cabellera pelirroja rizada; la otra era un palmo más baja y tenía una figura muy femenina que contrastaba con su pelo corto y despeinado.

Jonathan N. Grief se sintió como si acabaran de noquearlo con una maza.

Como si tuviera cuatro años y acabara de encontrar, debajo del árbol de Navidad, el ansiado cochecito de carreras.

Como si su madre lo abrazara y le susurrara «Nicolino» al oído.

Por muy absurdo que pareciera, Jonathan N. Grief supo que se había enamorado. Y no tenía ni idea de quién era ella.

Porque la hermosísima mujer de los rizos pelirrojos se fue tan pronto como llegó, se escabulló por la puerta y desapareció de su vista. Jonathan se incorporó ligeramente de la silla, dispuesto a apartar a un lado la mesa y salir tras ella, pero la voz de Leopold lo devolvió a la realidad.

–¿Qué te pasa?

–¿Cómo?

–Da la impresión de que has visto a un fantasma.

–Eh... No... Eh... No es nada –balbuceó, con los ojos clavados en la puerta.

Leopold volvió la cabeza y miró en la misma dirección.

–¿Quién era?

–Nadie –se apresuró a contestar Jonathan–. Me ha parecido ver a un conocido.

–¿Y por eso te has puesto blanco como la cera?

–¿De verdad?

–Blanco como la nieve.

–Mmm...

Jonathan titubeó un momento. Luego, se levantó con tanto ímpetu que empujó la mesa y estuvo a punto de tirarla, y salió corriendo. Le daba igual si no se comportaba de un modo pertinente. En las últimas semanas había aprendido que había que decirle «sí» a la vida. Y por eso tenía que averiguar quién era la mujer que había entrado en la cafetería. Aunque hiciera el ridículo.

Llegó a la puerta bajo las miradas de asombro de los otros clientes, la abrió de golpe y se plantó de una zancada en la acera. Miró a la izquierda. Nada. A la derecha. Nada. El corazón le latía con fuerza mientras se acercaba a la esquina, pero ni rastro de la pelirroja con rizos. Lo intentó en la otra esquina, también sin éxito.

Regresó lentamente a la cafetería y se quedó fuera unos minutos, con la absurda esperanza de que la mujer quizá volvería.

No lo hizo.

Al cabo de un rato, la puerta se abrió a sus espaldas y se oyó la voz de Leopold.

–¿Vas a entrar? –preguntó–. ¿O piensas irte sin pagar? No hace falta, invito yo.

Aunque no estaba de humor, Jonathan se echó a reír.

–¿Vas a contarme lo que te pasa? –preguntó Leopold, cuando volvieron a sentarse a la mesa y Jonathan seguía carcajeándose disimuladamente–. Yo también quiero reírme.

–Es un disparate –replicó resoplando.

–¿A qué te refieres?

–Acabo de enamorarme.

–¿Te has enamorado?

–Sí –asintió Jonathan–. Perdidamente.

–Creo que no te entiendo. ¿Te has enamorado? ¿Ahora?

–Sí –repitió Jonathan–. Ha entrado una mujer. La he visto y el corazón me ha hecho bum.

–¿En serio?

–Sí, en serio. Bum, pam, pum.

–¿Quién es? –Leopold volvió la cabeza, alargó el cuello y paseó la mirada por el local.

–Ese es el problema –dijo Jonathan, que se echó a reír de nuevo–. Se ha ido enseguida y parece que se la haya tragado la tierra. No he podido dar con ella.

–Mierda.

–En efecto.

–¿Te ocurre muy a menudo?

–¿El qué?

–Enamorarte de buenas a primeras.

Jonathan estalló de nuevo en risas.

–No, ¡nunca! En realidad, no creo en el amor a primera vista. –Meneó la cabeza, burlándose de sí mismo–. Pero esa mujer tenía algo... Ah, no lo sé, es un disparate.

–Me gustan las historias disparatadas.

–A mí no. Hasta ahora... –se interrumpió y lo miró con cara de asombro.

–¿Qué pasa ahora?

–¡Sarasvati!

–¿Qué tiene que ver la adivina en todo esto?

–Consejera –lo corrigió Jonathan.

–Lo que sea, pero ¿por qué te has acordado de ella?

–Me predijo que este año conocería a una mujer y que quizá incluso me casaría.

–¿Y tú la crees? ¿Y crees que era esa mujer?

–Ni idea. –Jonathan se encogió de hombros–. Ya no sé qué creer. Pero es evidente que mi vida está patas arriba desde que encontré la agenda. –De repente se le iluminó la cara–. Espera, se me ha ocurrido algo.

–¿Y qué es?

–¡La agenda! ¿Eso es! Todo está relacionado con todo. La agenda, esta cafetería, la mujer que acabo de ver... ¡Todo está relacionado!

–No entiendo nada.

–De acuerdo, vayamos paso a paso y desde el principio: ¿por qué estamos aquí?

–Eh... –Leopold lo miró desconcertado–. ¿Porque hemos venido?

–¡No! –exclamó Jonathan.

–¿No?

–Estamos aquí porque lo ponía en la agenda. La persona que la escribió cumplía años hoy y quería celebrarlo en esta cafetería.

–Perdona, pero me parece que no lo capto. ¿Qué pretendes decirme?

–¡Es muy sencillo! –Jonathan se levantó de la silla–. Les preguntaré a todos los clientes si hoy es su cumpleaños.

–¿Y de qué te servirá?

–¡Método de exclusión! –exclamó Jonathan–. Si ninguno cumple años hoy, es posible que sea la mujer que acabo de ver.

–¿Que sea qué?

–La que cumple años hoy y la que se esconde tras la inicial «H.». Y, por lo tanto, la que escribió la agenda. –Jonathan estaba entusiasmado con su ocurrencia.

–¿Jonathan?

–¿Sí?

–No paras de decir disparates.

–No importa –contestó Jonathan, sonriendo–. Tanto da.

–A ver si lo he entendido bien: si aquí no hay nadie que cumpla años hoy, es posible que la mujer de la que te has enamorado de buenas a primeras sea la dueña de la agenda.

–¡Exacto!

–Pero, aunque lo sea, no sacarás nada en claro porque no conseguirás saber de quién es la agenda.

–Exacto –volvió a confirmarle Jonathan.

Leopold suspiró.

–Sigo sin entender cómo va a ayudarte eso a encontrarla.

–Yo tampoco lo sé –admitió Jonathan, que aún sonreía–. Ya lo pensaré cuando llegue el momento. Como suele decirse, no cruces el puente antes de llegar al río.

–Ajá.

54

Hannah

16 de marzo, viernes, 15.47 horas

—¡Hannah! ¡Hannah! ¡Hannah!

Cuando entró en La Pandilla, cuatro pequeñajos se abalanzaron hacia ella y se agarraron a sus piernas.

—¡Eh, no tan fuerte! ¡Vais a tirarme! –gritó Hannah, mientras luchaba de nuevo contra las lágrimas.

Sin contar con aquella vez que intentó ir a trabajar y tuvo que interrumpir la tentativa al cabo de pocos minutos, hacía tres meses que no ponía los pies allí. Para los niños, eso era una eternidad. A esas edades, ese tiempo equivalía a diez años. Y, a pesar de todo, la recibieron con mucho cariño, como si fuera la persona más importante del planeta.

Se emocionó y también sintió un poco de vergüenza. Había abandonado a aquellas criaturas, que en poco tiempo le habían cogido mucho cariño. Se había encerrado en su casa y se había entregado a la autocompasión. Y había olvidado lo que importaba en la vida. Por ejemplo, la alegría y la felicidad que los pequeños le daban todos los días, ¡y que ella les devolvía con mucho gusto! Sí, Simon se había ido, pero eso no le daba derecho a ella a hacer lo mismo con las personas que le importaban.

Antes de que pudiera continuar con los reproches a sí misma, dos brazos la rodearon por detrás y la sujetaron con fuerza. Hannah no pudo evitar que una lágrima le asomara en el ojo izquierdo. Supo quién era sin necesidad de volverse.

—¡Mamá! –exclamó, y se dio la vuelta.

–Cariño –dijo su madre con voz temblorosa. Luego, le puso cariñosamente la mano en la mejilla–. ¡Estoy tan contenta de que hayas venido!

–No os las arregláis muy bien sin mí, ¿verdad? –intentó bromear Hannah, pero se le quebró la voz y tuvo que controlarse para no romper a llorar a lágrima viva delante de los niños, que observaban la escena con curiosidad.

Se echaría a llorar sobre todo porque Sybille, que normalmente era un dechado de vitalidad y energía, tenía un aspecto muy desmejorado. Los rizos pelirrojos, que su hija había heredado, se veían ásperos, y a Hannah de le dio la impresión de que tenía más canas de las que recordaba. Estaba pálida y demacrada, y sus ojos verdes habían perdido el brillo. Hannah sufrió un nuevo ataque de vergüenza: ¿era aquello obra suya?

–Feliz cumpleaños –dijo su madre en voz baja, y volvió a abrazarla–. A partir de ahora, las cosas se arreglarán –le susurró al oído.

–Sí –replicó Hannah, también susurrando–. Se arreglarán. –Se separó de su madre y sonrió, valerosa–. Después de todo, ¡hoy es mi cumpleaños!

En ese momento decidió que así sería: ese día era su cumpleaños. Y su segunda fecha de nacimiento. Empezaba una nueva vida «después de Simon». No permitiría que fuera de otra manera.

55

Jonathan

16 de marzo, viernes, 17.33 horas

—Bueno –dijo Leopold al cabo de dos horas–. Parece que hemos llegado al río. ¿Cómo cruzamos al otro lado?

Él y Jonathan habían preguntado a todos los clientes del café Lütt si era su cumpleaños. También acribillaron a preguntas a los empleados y los interrogaron para averiguar si alguien había reservado una mesa para celebrar un aniversario. Después se apostaron en la puerta y asaltaron a todos los que entraban preguntándoles la fecha de su nacimiento. Nada, nada, nada. Siempre nada.

Al final, el dueño de la cafetería les pidió, primero educadamente y luego con mucha determinación, que dejaran de molestar a sus clientes. A cambio, los invitaba a lo que habían consumido. La cuestión era que se fueran. Jonathan protestó y aludió a sus derechos como ciudadano, pero Leopold le tiró de la manga y se lo llevó a rastras del local mientras mascullaba:

–Aquí lo que cuenta es el derecho del propietario, ¡idiota!

Ahora estaban sentados en un banco a orillas del Isebekkanal.

–Al menos sabemos que la pelirroja era probablemente la persona que hoy cumplía años y también la dueña de la agenda –dijo Jonathan.

–Genial –replicó Leopold–. Lo dicho: hemos llegado al río. Ya me dirás cómo lo cruzamos.

–Ni idea –reconoció Jonathan–. Pero ¡tengo que encontrarla!

–Dios mío, ¡pareces Romeo!

–Realmente me siento como si lo fuera.

–Pues ya sabes cómo acabará la historia. Por si no lo recuerdas, la obra de Shakespeare no tiene un final feliz. O sea que olvídate de la pelirroja y enamórate de otra.

–¡Tú no lo entiendes! –le gritó Jonathan.

Leopold hizo un gesto defensivo con las manos.

–¡Usted perdone, señor Grief! Un hombre como yo no tiene ni idea de lo que es el amor, claro. Total, no soy más que un viejo mendigo estúpido.

–No quería decir eso –replicó Jonathan, en tono conciliador–. Pero hace unas semanas estaba convencido de que el destino, la predestinación y todas esas mandangas eran una tontería...

–Y ahora crees que una mujer a la que has visto cinco segundos y desde lejos es tu media naranja –concluyó Leopold.

–No lo sé. –Jonathan suspiró–. Estoy confuso. Es como si los pensamientos jugaran al ping-pong en mi cabeza. Nunca me había sentido así.

–Tienes suerte. A mí me pasa casi todo el tiempo.

–¡Muy gracioso!

–Pero es la verdad.

–De hecho, cuando mi madre desapareció del mapa, también me sentí más o menos así. –Volvió a suspirar–. Por lo visto, las mujeres importantes de mi vida se esfuman.

–¡No exageres! Has tenido un flechazo, de acuerdo. Pero no puedes decir que sea una mujer «importante de tu vida».

–Tienes razón. –Jonathan clavó la vista en sus zapatos porque le daba reparo mirar a su amigo. Se sentía como un crío de doce años después de suspender un examen de matemáticas.

–¿Por qué se fue tu madre?

–Nunca se sintió a gusto en Hamburgo y quería volver a su país, a Italia.

–¡Eso no es motivo para abandonar a un hijo! –se acaloró Leopold.

–Puede, pero mi madre lo hizo.

–¿Y no volviste a verla ni a saber de ella?

–Al principio, sí. Los primeros años venía a verme y yo también fui unas cuantas veces a Italia. Pero luego...

–¿Qué pasó?

–Cuando tenía trece años, le escribí una estúpida postal para decirle que, por mí, podía perderse para siempre. Idioteces de adolescente iracundo.

–¿Y no supiste nada más de ella?

–Nada en absoluto –le confirmó Jonathan–. No volví a tener noticias suyas.

–Lo siento, pero no me imagino que una postal tonta de un adolescente todavía más tonto provocara esas consecuencias.

–Mmm. –Jonathan se encogió de hombros–. Yo también me lo cuestioné durante mucho tiempo. Pero llegó un punto en que me dio lo mismo.

–¿Y qué dijo tu padre?

–¿Mi padre? –Jonathan soltó una carcajada sarcástica–. Tú no lo conoces. No dijo absolutamente nada. Hasta hace poco, ni siquiera volvió a mencionar su nombre. Ahora que sufre demencia senil habla de ella. Incluso cree que su antigua secretaria es mi madre. –Levantó los ojos y le dirigió una sonrisa amarga a su amigo.

–Suena a familia disfuncional.

–¡Quién fue a hablar! –le espetó Jonathan–. ¿Qué pasa con tus hijos? ¿Estáis en contacto?

–Por desgracia, no. Pero no porque no quiera.

–Entonces, ¿por qué?

–Porque no puedo.

–Vaya.

–Mandato judicial. Otro resultado de mi carrera en el mundo del alcoholismo. A menudo me comportaba como un loco. –Leopold apretó los puños–. Pero te juro que, en cuanto vuelva a pisar en firme, lucharé por recuperar el derecho a ver a mis hijos para ser otra vez un buen padre para ellos.

–Perdona, pero hará tiempo que son mayores de edad, ¿no?

–No –contestó Leopold–. Tim tiene trece años y Sarah, quince. Y antes de que levantes las cejas hasta el cráneo: sí, los tuve mayor.

–Tú al menos los tienes.

–Y tú aún puedes tenerlos.

–Buf.

–Es verdad. ¿Quién va a querer a un solterón forrado de pasta, con una mansión en Innocentiapark y dueño de una editorial?

–¡Dejemos el tema de la editorial!

–De acuerdo –replicó Leopold–. Volvamos a las mujeres. ¿Qué pasa con tu ex?

–¿Qué quieres que pase?

–Bueno, antes has dicho que todas las mujeres importantes de tu vida se esfuman. ¿Ella también desapareció?

–¿Tina? No. Goza de muy buena salud al lado de su segundo marido y la hija que tienen en común. Incluso me envía postales para desearme feliz Año Nuevo.

–¡Qué maja!

–Sí que lo es. Si no tenemos en cuenta que Thomas, su segundo marido, era mi mejor amigo. Y que yo diría que sus «atenciones» conmigo son más bien una forma de compensar su mala conciencia.

–¿Y qué pasa con Tina?

–¿Qué quieres que pase?

–Bueno, si tengo que preguntarte por ella será que no la incluyes entre las mujeres «importantes» de tu vida.

–¡Claro que la incluyo!

–¿Sí?

–¡Me casé con ella!

–También diriges una editorial que no te interesa.

–¡Venga ya! –Jonathan se levantó bruscamente del banco, indignado–. ¡Te has pasado de la raya!

Leopold le dedicó una sonrisa inocente.

–Quien se pica ajos come.

–Yo..., yo..., yo... –Le faltaban las palabras.

–Vamos, siéntate de una vez, cabezota.

Jonathan N. Grief se sentó. Aunque no se explicaba por qué no se iba sin decir nada más.

–Ahora, con la mano en el corazón –prosiguió Leopold–, dime: ¿la amabas de verdad? ¿Con toda tu alma?

–¡Sí!

Leopold se limitó a mirarlo en silencio, con la misma sonrisa inocente y provocadora en los labios.

–En cualquier caso, me gustaba bastante.

–¿Te gustaba bastante? –Leopold se dio unas palmadas en los muslos–. ¿Has dicho que tu mujer te «gustaba bastante»? ¿Y te extraña que se largara con otro?

–Estábamos bien juntos.

–Por lo visto, no tanto como crees.

–Mmm. –Jonathan se quedó pensativo un momento–. Es posible –admitió al final, pero enseguida volvió a embargarlo la rabia–. ¡Aun así! Liarse precisamente con mi mejor amigo... ¡Eso no se hace! ¡Me rompió el corazón!

–¿Ah, sí? ¿Si se hubiera ido con otro no te habría dolido tanto?

–¡Claro que no!

–Entonces no es tan grave.

–¿Por qué lo dices?

–Por todo. Lo que tú tienes roto no es el corazón, sino el ego. Eso se cura con más facilidad. Solo hay que querer.

–¡Gracias por el diagnóstico, señor psicólogo!

–De nada, señor Grief.

–Tú lo has dicho: de nada.

Se quedaron un rato en silencio, sentados en el banco. Contemplando el agua. Y persistieron en su silencio. Por las aguas del Isebekkanal navegaba un viejo vapor de recreo. Jonathan y Leopold lo miraron en silencio. Después vieron pasar dos botes de remo de ocho, un kayak y un patín a pedales, y siguieron sin decir nada. Finalmente, Jonathan vio un cisne nadando junto a la orilla y carraspeó.

–Tienes razón –dijo con la boca pequeña–. Es probable que nunca la amara de verdad. Y seguramente se marchó por eso. Lo que más me afectó fue que se marchara con Thomas.

–¡Lo ves! –Leopold le dio una palmada en el hombro–. No era tan difícil.

–Al menos me ha salido más barato que mi *coach*.

–¿Cómo dices?

–Da igual. –Jonathan hizo un gesto con la mano para restarle importancia al asunto–. El caso es que si comparo lo que he sentido al ver a la desconocida con lo que sentí cuando conocí a Tina... La diferencia es abismal.

–De acuerdo. Entonces hay que encontrarla.

–Sería demasiado bonito para ser cierto.

–En mi opinión, existen dos posibilidades.

–¿Cuáles?

–La primera es hacer guardia en la puerta del café Lütt hasta que vuelva a aparecer por allí. Eso si antes no dictan una orden de alejamiento contra nosotros.

–¿Y la otra?

–Seguimos tu teoría de que todo está relacionado con la agenda. En ese caso, tendríamos que buscar pistas en las anotaciones.

–Me gusta mucho más la segunda.

–¿La tienes aquí?

–¡Por supuesto!

Jonathan abrió la bolsa de mano, que había colocado sobre sus piernas, y sacó la Filofax.

–Vamos a echarle un vistazo.

Leopold empezó a hojearla.

–¡Esto es genial! –exclamó, entusiasmado–. «Al atardecer iremos al Kiez, pasaremos toda la noche allí y, a las seis de la mañana, nos comeremos un bocadillo de gambas en la lonja.» ¡Una idea fantástica!

–Estupenda. Siempre he soñado con pasar una noche dando tumbos tranquilamente por la calle Reeperbahn, entre un millón de personas. Tú beberás agua mineral con una rodajita de limón y yo encontraré a la pelirroja con rizos en medio de todo el jaleo cuando lleguemos a la Hans-Albers-Platz. Por desgracia, al final vomitaré a sus pies porque lo que más odio en este mundo son los bocadillos de gambas. –Jonathan dirigió una mirada cargada de crítica a esa página de la agenda–. Además, amigo mío, estás en la entrada del veintidós de septiembre. Pasado mañana, vaya.

–¡No hay que perder el sentido del humor!

–Anda, busca otra cosa.

–Voy.

Leopold pasó las páginas hasta llegar a la fecha del día y los dos arrimaron el hombro para estudiar la agenda.

–Mira, esto te va como anillo al dedo: «Presta atención a tus pensamientos porque se convierten en palabras. Presta atención a tus palabras porque se convierten en acciones. Presta atención a tus acciones porque se convierten en costumbres. Presta atención a tus costumbres porque se convierten en tu carácter. Presta atención a tu carácter porque se convierte en tu destino». Aquí pone que es del Talmud.

–¿Y qué tiene que ver conmigo?

–¡Piensa un poco!

–Ya lo he hecho y no te sigo.

–¿Quién ha exclamado «buf» cuando le he comentado que todavía podía ser padre?

–¿Y quién era un mendigo que hace unas semanas se largó en plena noche de mi casa con un cargamento de botellas? –replicó Jonathan, enfadado.

–Tú lo has dicho: era.

–Sigamos buscando –replicó Jonathan, antes de volver a enzarzarse en una pelea.

Dejaron atrás el mes de abril, que contenía una instrucción especialmente morbosa en la entrada del día 1: escribir un discurso fúnebre para uno mismo. A Jonathan le pareció una broma de mal gusto y a Leopold, en cambio, una idea genial.

–Piensa lo que te gustaría que dijeran en tu funeral –dijo–. ¿Cómo te gustaría haber vivido? ¿Qué experiencias te gustaría haber tenido? ¿Qué lamentarías no haber hecho?

–Tirarte al agua en el Isebekkanal –contestó Jonathan apretando los dientes–. ¡Sigue pasando hojas!

Luego, por fin, encontraron lo que buscaban. ¡Por fin una instrucción concreta! El día 11 de mayo:

–«Ve a una tienda que está en la Eppendorfer Landstrasse, 28 c» –leyó Jonathan en voz alta, emocionado–. «Tienen algo reservado para ti. Si lo aceptas, también te darán otra cosa.»

–¿A qué se referirá?

–Pronto lo sabremos. Vamos para allá ahora mismo. Está aquí cerca.

–Pero ¡hoy no es once de mayo!

–¡Hablas como el viejo Jonathan!

–¿Qué?

–Al nuevo Jonathan eso le importa un comino.

Se levantó y se puso en marcha, decidido. Leopold fue tras él, y le costó seguirle el paso.

Al cabo de diez minutos llegaron a la Eppendorfer Landstrasse, 28 c. Se sorprendieron al comprobar que se trataba de una pequeña joyería. Y acto seguido constataron que cerraba a las seis. Habían llegado siete minutos tarde.

–¡Qué mala suerte! –dijo Jonathan, y buscó el timbre con la vista. Al no encontrarlo, llamó golpeando el escaparate.

–¿Qué haces?

–A lo mejor hay alguien dentro.

–Sí –replicó Leopold–, la alarma. Y saltará si continúas aporreando el cristal.

Jonathan bajó la mano.

–Vale, el nuevo Jonathan no llega al extremo de arriesgarse. Ya volveremos mañana.

–No servirá de nada –dijo Leopold, señalando el cartel que estaba colgado en la puerta–. Los sábados no abren. Está cerrada hasta el lunes a las diez de la mañana.

–¡Mierda!

–No te preocupes –contestó Leopold con contundencia–. Si es la mujer de tu vida, no viene de dos días.

–¡Ja, ja!

–De todos modos, me pregunto qué habrá aquí para ti. ¿Unos gemelos?

–Te olvidas de que lo que sea no lo han reservado para mí.

–Tienes razón. Entonces, ¿tal vez unos pendientes con circonitas? Te quedarían muy bien.

–Por el aspecto de la tienda, seguro que los venden.

Observaron las vitrinas, en las que había joyas de oro labrado y de plata repujada. Las etiquetas que había al lado indicaban que eran piezas únicas hechas a mano. Aunque Jonathan no entendía de joyas, le gustaron. Eran elegantes y discretas, nada que ver con los pedruscos ostentosos que se exponían en las joyerías caras del centro de la ciudad. No obstante, apretó los dientes al reconocer que, en otros tiempos, él solía comprarle pedruscos de esos a Tina. O le encargaba a Renate Krug que los comprase.

Cuando se separaron, Tina le devolvió todas las joyas, alegando que nunca le habían gustado mucho. Ahora, delante de la pequeña joyería, Jonathan pensó con cinismo que su ex se había librado de esas aberraciones de mal gusto. Seguro que Thomas la colmaba de alhajas que compraba en las máquinas de chicles.

«¡Eh!», se advirtió a sí mismo. Creía que había dejado el asunto atrás definitivamente, en el banco a orillas del Isebekkanal, y que había alcanzado el equilibrio y la serenidad porque, gracias a su nueva vida y a sus recientes experiencias, ahora sabía que la separación le había herido más el orgullo que el corazón. Bueno, quizá no debía exigirse tanto, de entrada.

–¿Qué hacemos? –preguntó Leopold, y lo arrancó de sus pensamientos.

–Propongo que nos vayamos a casa. El lunes estaré aquí sin falta a las diez en punto.

–¡Oh, qué tonto!

–¿Qué tonto?

–Yo no podré venir. A esa hora tengo que estar en el *job center*.

–Lástima.

–¡No seas irónico!

–Ya sabes que la ironía no es mi fuerte.

56

Hannah

19 de marzo, lunes, 08.17 horas

El lunes es el mejor día para empezar algo nuevo. Una dieta, por ejemplo. O un programa de entrenamiento. Y también es el día más adecuado para poner en orden la casa y arreglar asuntos pendientes. Incluso las separaciones son más llevaderas en lunes; empezar una semana impecable con la frescura que da el trabajo resuelto anima a cualquiera. En todo caso, Hannah estaba plenamente convencida de que así era. Y en el mejor de los mundos posibles, el primer día del mes caía en lunes, pero, puesto que no se encontraba en el mejor de los mundos posibles, tenía que conformarse con ese lunes fuera día 19.

Abrió la puerta del piso de Simon y respiró hondo antes de entrar. No había vuelto a poner los pies en el apartamento desde el día que perdió los nervios, y temía lo que la esperaba. Si el viernes anterior había sido incapaz de comerse un trozo de tarta en el café Lütt, ahora se enfrentaba a una tarea que no sabía si lograría superar. De todos modos, quería intentarlo. Siempre estaba a tiempo de rendirse.

Sus padres, Lisa y también Sören se habían ofrecido a ayudarle, pero ella se había negado. Por un lado, su madre y Lisa tenían que estar en La Pandilla mientras ella se ausentaba por última vez. Al menos, eso esperaba. Por otro, quería hacerlo sola, era su catarsis particular y a nadie se le había perdido nada en ella.

Hannah arrastró cuatro cajas de embalaje hacia el pasillo y empezó a desplegarlas y a montarlas. Calculaba que tardaría tres horas en recoger las cosas de Simon que quería conservar y que pensaba guardar en el trastero. A las doce llegarían los operarios de una empresa especializada en vaciar pisos y se llevarían los muebles, la ropa, los libros, los CD y todo lo demás, y dejarían la vivienda limpia y vacía. Al día siguiente, Hannah le devolvería las llaves al dueño y, con eso, el tema quedaría zanjado. Y la vida de Simon, rescindida y liquidada.

Respiró hondo de nuevo. La aguardaba un paso difícil, pero sabía que era necesario para continuar con su vida. No le quedaba más remedio que echarle valor y tirar para adelante.

Antes de empezar a mirar con lupa los cajones y los armarios, se puso a limpiar los restos del desastre. La cocina era lo peor. Barrió copos de avena, cereales, pasta, sal, azúcar, té y harina; fregó las manchas de mermelada del suelo y lo tiró todo en una bolsa grande de basura. La cafetera no había sobrevivido y también fue a parar a la basura, junto con dos baldosas rotas.

En la sala de estar, también recogió todo lo que había roto y, para su sorpresa, descubrió que el televisor había superado el ataque de vandalismo y estaba intacto. Vio el marco roto con la fotografía en la que salían Simon y ella, la recuperó y la guardó en el bolso: quería conservarla a toda costa.

Después de recoger el estropicio, fue a buscar una de las cajas y empezó por el dormitorio. Abrió el armario y observó los pantalones, las camisetas, los jerseys, las camisas y los trajes de Simon. Le llegó su olor y cerró los ojos un instante. Luego, cerró las puertas con energía. No necesitaba ninguna de esas cosas, no quería ninguna camiseta que le recordara a su novio, ninguna prenda a la que asirse de noche mientras lloraba, igual que un chiquillo se abraza a su muñeco de peluche. Eso solo serviría para abrir una y otra vez la herida. Además, el olor de Simon se disiparía rápidamente y la sola idea le parecía atroz.

Hannah escrutó la habitación con la mirada. Finalmente, no metió nada en la caja, ni siquiera su camisón, que estaba en el lado derecho del cajón superior de la cómoda. Tampoco se llevaría la gran fotografía que estaba colgada sobre el cabecero de la cama: una imagen de ellos dos, impresa sobre un lienzo. ¿Para qué la quería? Ya tenía la foto pequeña, y colgar un retrato a tamaño natural en su casa equivaldría a instalar un altar de recuerdos. Además, el lienzo podría servirle a alguien para pintar encima. O no. En el fondo, le daba lo mismo.

En el cuarto de baño, en la cocina y en la sala de estar, tampoco encontró nada que quisiera llevarse. No necesitaba un equipo estéreo de Bang & Olufsen ni sabría qué hacer con la extensa colección de CD de cantautores británicos, de los que Simon solía ponerle determinadas piezas. No, esa música le traía recuerdos tan dolorosos que le bastaba con ver las carátulas para que le entraran ganas de llorar de nuevo.

Ya solo le faltaba el despacho. Metió el portátil en la caja; quizá contenía archivos, fotos o correos electrónicos que necesitaría más adelante. Al recordar la contraseña de Simon, que le confió un día que no estaba muy sobrio, pero sí muy sentimental, no pudo evitar reírse y, luego, volver a llorar. AaHMh2099: «Amaré a Hannah Marx hasta 2099». Después de revelársela, le guiñó un ojo y añadió: «Como mínimo». Pero el amor no había durado tanto; por desgracia, en la vida de Simon había surgido un imprevisto o, mejor dicho, la muerte.

Hannah echó un vistazo al escritorio, ordenado como siempre de manera impecable. Encima solo había una grapadora, una perforadora de papel, cinco lápices, una bandeja para el correo recibido y otra para el correo pendiente de enviar. Hannah cogió toda la correspondencia y la metió en una de las cajas. Después la revisaría para saber si había alguna carta o algún documento importante que hicieran falta para resolver cualquier asunto. Luego abrió el cajón superior de la cajonera con ruedas que había debajo de la mesa. Contenía material de oficina: grapas, eddings, post-it, rotuladores fluorescentes y unas tijeras. Nada que quisiera quedarse.

Al abrir el siguiente cajón, descubrió un archivador grueso. Simon guardaba allí todos los artículos que había publicado, colocados pulcramente en portafolios de plástico transparente. Eran tantos que debajo había otro archivador. La obra de su vida. No quería tirarlos, de modo que los cogió y los metió en la misma caja que la correspondencia.

En el último cajón descubrió una cosa que le cortó la respiración. Una hoja de papel blanco con letras impresas en mayúsculas:

LA SONRISA DE HANNAH

Le tembló la mano al intentar coger el papel. Pronto se dio cuenta de que solo era la primera hoja de algo más grande. Necesitó las dos manos para sacarlo del cajón. Luego puso los papeles encima de la mesa y se sentó en la silla del escritorio.

Al leer el texto de la segunda página, se le saltaron de nuevo las lágrimas:

A mi querida Hannah, que tanto cree en mí.

Esta es mi primera novela.

¿Una novela? ¿Simon había escrito una novela? ¿Por qué no se lo había dicho? ¿Por qué Simon siempre decía que todavía no era el momento y ahora, de repente, ella se encontraba con ese grueso manuscrito en las manos?

Sus ojos se posaron en el pie de página y, a la derecha, vio que junto a la nota de «© Simon Klamm» había una fecha. ¡Cuatro años! El libro tenía casi cuatro años; por lo tanto, lo empezaría poco después de conocerla, y debió de escribirlo de un tirón; contaba con varios centenares de páginas.

Hannah no se explicaba que no le hubiera dicho una sola palabra. ¿Quizá no le parecía bueno y se avergonzaba de él? ¿Quería encontrar una editorial que lo publicara y después le daría una sorpresa?

Sin entender el motivo por el que había guardado ese secreto tan bien y durante tanto tiempo, Hannah pasó a la siguiente página y empezó a leer:

Si a una pareja le preguntamos cómo se conocieron, las historias que nos cuentan suelen ser poco espectaculares. Se sentaron juntos en el autobús.

Cogieron al mismo tiempo la última pizza de salami de la sección de congelados. Trabajaron tres años en la misma oficina antes de que saltara la chispa entre ellos o chocaron en una fiesta y uno derramó el vino de su copa encima del otro.

Y si queremos saber qué fue lo que les atrajo del otro, normalmente oímos respuestas como estas: «tenía unas manos preciosas», «estaba deslumbrante con su vestido veraniego» o «poco a poco descubrimos que teníamos muchas cosas en común».

Con Hannah y conmigo no fue distinto. Nos conocimos un día que fui a buscar a mi ahijado a la guardería donde ella trabajaba. Una historia nada espectacular. Al menos, para los demás. Para mí, en cambio, en el instante en que la vi se abrieron las puertas a un nuevo universo. Y no fueron sus rizos pelirrojos ni sus maravillosos ojos verdes o su preciosa cara lo que cambió mi vida a partir de ese momento. No, no fue nada de eso. Fue su sonrisa.

Una sonrisa que es imposible describir. Si tuviera que intentarlo, lo haría de esta manera: imaginaos a una persona que irradia tanto amor, tanta calidez y tanta alegría que da la impresión de que quiere abrazar el mundo entero, y lo consigue. Ahí lo tenéis. Así es la sonrisa de Hannah.

Hannah leía y leía y leía, devoraba rápidamente una página tras otra. No podía entenderlo, era incapaz de comprender que Simon le hubiera ocultado el libro. Y mientras reía o lloraba, mientras se sorprendía por los giros que presentaba la trama, que al principio se basaba en su historia, pero a las pocas páginas se distanciaba de la realidad y se trasladaba a un mundo de fantasía; mientras se enfurecía porque la calificaba de impertinente y egocéntrica y se emocionaba con la narración, ligeramente distorsionada, de la despedida de su madre; mientras la embargaban todas esas emociones, un sentimiento se impuso a todas ellas: orgullo. Estaba orgullosa de Simon, de lo que había creado. Se sentía orgullosa de que hubiera cumplido su sueño de ser escritor, aunque no hubiera publicado la novela. Y, al mismo tiempo, se sentía infinitamente triste por no haberlo sabido hasta después de su muerte.

Cuando leyó la última frase, eran más de las cinco de la tarde. Estaba sentada en el suelo del piso vacío de Simon; entretanto, los operarios de la empresa de transporte habían hecho su trabajo. Tres hombres jóvenes se lo habían llevado todo, mientras le dirigían miradas de perplejidad al verla sentada en un rincón con dos cajas de cartón llenas y totalmente absorta en la lectura del manuscrito. A Hannah no le importó lo que pensaran de ella. La novela la había cautivado.

Le pareció buena. Muy buena. Y no porque la hubiera escrito Simon ni porque en cierto modo tratara de ellos, sino porque... Sí, era buena.

Así pues, leyó la última frase, indignada y también riendo entre lágrimas. Porque la última frase era: «¡Sí, quiero!». ¡El maldito suicida terminaba el libro pidiéndole que se casara con él! Y si se lo pedía en la ficción era como si se lo hubiera pedido en la realidad.

Ensimismada, dejó el manuscrito a un lado y caviló sobre lo que debía hacer con él. ¿Meterlo en una de las cajas, guardarlo en el sótano y recordar de vez en cuando con un suspiro que Simon había escrito una hermosa historia? ¿Quemarlo en un ritual? ¿O enviarlo a una editorial? ¿Tenía derecho a hacerlo? ¿Tanto legal como moralmente? Al parecer, Simon no había querido publicarlo, puesto que lo había dejado en un cajón y no le había mencionado nunca su existencia.

No tenía ni idea de qué era lo correcto.

Sin embargo, ahora mismo resolvería otro asunto. En cierto modo, acababa de recibir la petición de matrimonio que quería y no era justo que siguiera manteniendo la reserva de los anillos.

Cogió el móvil, buscó en Google el número de teléfono de la joyería de la Eppendorfer Landstrasse y lo marcó.

–Aquí Bernadette Carlsen, ¿dígame? –contestaron después de que sonara dos veces.

–Hola, señora Carlsen. Soy Hannah Marx.

–¡Ah, hola! –exclamó contenta la joyera–. ¿Ya lo sabe?

–¿A qué se refiere?

–¡Ha funcionado! –exclamó, riendo–. ¡Me alegro mucho por usted!

–No entiendo nada. ¿Qué quiere decir?

–¡Qué va a ser! –replicó la joyera, que parecía divertirse–. ¡Su novio ha venido esta mañana y ha comprado los anillos! Cuando se los he enseñado, no ha dudado ni un segundo en quedárselos. Y también le he dado el sobre.

–¿Qué? –Hannah se mareó–. ¡No puede ser!

–Sí, a mí también me ha extrañado al principio, porque usted me dijo que vendría el once de mayo. Pero él me ha comentado que sentía mucha curiosidad y no podía esperar más tiempo.

–¡Es imposible! ¿De verdad? –gritó Hannah, más fuerte de lo que habría querido.

–Eh... –se oyó tímidamente al otro lado del teléfono–. ¿He metido la pata? ¿No tendría que haberle dado los anillos ni la carta? ¿Tendría que haberle dado largas hasta el once de mayo? Lo siento, no se me ha ocurrido que...

–No puede ser –la interrumpió Hannah– porque mi novio está muerto.

Bernadette Carlsen guardó silencio.

–Murió, ¿me ha oído? –prosiguió Hannah, ahora un poco más tranquila–. Por eso es imposible que haya comprado los anillos.

–Entonces, no entiendo nada.

–Yo tampoco –dijo Hannah–. Solo la llamaba para decirle que no hacía falta que los reservara más tiempo.

–Sí, pero... –se interrumpió–. ¿Quién era el hombre que ha venido a la tienda?

–¡A mí también me gustaría saberlo! ¿Le ha preguntado cómo se llamaba?

–No, por supuesto que no. He pensado que era su novio. Traía la agenda y hasta me ha enseñado la anotación. Con eso me ha parecido que estaba todo claro.

–¿Qué aspecto tenía?

–Mmm, diría que muy atractivo. Alto, pelo negro con algunas canas, de treinta y muchos o cuarenta y pocos años. Y unos ojos increíblemente azules, era imposible no fijarse en ellos.

–De acuerdo –dijo Hannah–. Eso encaja.

–¿Con qué?

–No importa –replicó Hannah.

–Entonces, ¿no es tan grave que le haya vendido los anillos?

–No, en absoluto.

–Me tranquiliza. –Hannah la oyó respirar hondo–. Y lamento muchísimo lo de su novio, no sé qué decir.

–Tranquila –contestó Hannah–, poco se puede decir en estos casos.

–Ya. –Se notaba que la situación le resultaba embarazosa–. Pues, entonces...

–No se preocupe, por favor. En serio.

–De acuerdo. Espero que... Bueno, que supere esta época difícil.

–Gracias.

Se despidieron y colgaron. Hannah se quedó sentada en el suelo, con la mirada perdida. ¿Qué estaba ocurriendo? No solo acababa de descubrir que Simon había escrito un libro hacía tiempo y se lo había ocultado; no, también había un hombre que tenía la Filofax y seguía las instrucciones que ella había anotado.

Y la descripción de Bernadette Carlsen encajaba. Coincidía con lo que le había contado Sarasvati de su «cliente». Y, sobre todo, encajaba con el hombre que había visto el viernes en el café Lütt, en un lugar y a una hora que se especificaban en la agenda, y que la había mirado de un modo que la había turbado. Tenía que ser él, de eso estaba segura.

No podía ser una casualidad, era imposible. ¡Tramaba algo! Y aunque eso no le devolviera a Simon, ¡utilizaría todos los medios posibles para averiguar quién era!

Aquel hombre estaba viviendo el «año perfecto» de Simon. Y ella no tenía ni idea de quién era. Solo sabía una cosa. O, mejor dicho, dos. En primer lugar, que no solo se había quedado la agenda, sino también los anillos de compromiso que tenían que ser para ella y Simon. A saber para qué los querría. Y, en segundo lugar, que el 11 de mayo se presentaría en Da Riccardo a las ocho.

¡Se le iba a caer el pelo!

57

Jonathan

19 de marzo, lunes, 18.23 horas

Sí, Jonathan N. Grief tenía remordimientos de conciencia. Porque había mentido. Y ese no era su estilo, nunca lo había sido. Sin embargo, no le había quedado otra. De ese modo se justificaba a sí mismo por haber dicho una mentirijilla para salir del paso cuando se hizo pasar por quien no era en la joyería. Y por haber afirmado descaradamente que era el dueño de la agenda y, por lo tanto, el legítimo destinatario de lo que habían reservado para él. Se había visto obligado a decirlo, ¿no? Al fin y al cabo, se trataba de..., de... ¿De qué?

Ni siquiera sabía con seguridad si todo aquello estaba relacionado con la mujer de la cafetería. Habría quedado muy raro que le preguntara a la joyera: «Estos anillos de compromiso los han reservado para mí, pero ¿podría decirme quién los reservó? ¿Una mujer pelirroja? Y ya que estamos: ¿podría darme su nombre exacto y su número de teléfono? ¡Me gustaría llamar a mi futura prometida!».

Jonathan, sentado en su butaca de lectura, se preguntaba si perseguir una quimera era propio de alguien en su sano juicio. Ahora tenía dos anillos que no le pertenecían, aunque los había pagado con su dinero. Cuando la joyera le dijo que costaban exactamente quinientos euros, comprendió la finalidad de los billetes que había en la agenda. Con todo, lo asaltaron los escrúpulos. Comprar unos anillos de otra persona tenía un pase. Pero pagarlos con su dinero... Eso pasaba de castaño oscuro.

También le daba reparo abrir el sobre que la joyera le había entregado con los anillos. Desde por la mañana, no paraba de ir de un lado a otro de su casa, inquieto como un animal enjaulado; subía al despacho, se sentaba en la butaca y cogía el sobre, pero no lo abría. Y resultaba un poco extraño, porque ya había ido muy lejos y el hecho de abrirlo no cambiaría nada. Sin embargo, el secreto postal era el secreto postal, y el sobre estaba bien cerrado y no solo con la solapa metida dentro. De pequeño, una vez leyó en uno de sus tebeos favoritos que se podía abrir un sobre sin dejar huellas con el vapor que desprendía el agua hirviendo. ¿Funcionaba realmente ese truco?

Meneó la cabeza para decirse a sí mismo que no. Volvía a parecer un niño de doce años; si continuaba así, pronto sería carne de psiquiatra. «Un psiquiatra infantil», pensó Jonathan, permitiéndose una pequeña broma.

Cuando iba a rasgar el sobre con un «¡Qué más da!», sonó el teléfono que tenía en el escritorio. Maldiciendo, se levantó de la butaca. Ahora que se había decidido, ¡iban y lo molestaban!

–¿Sí? –ladró al aparato.

–Soy Markus Bode, ¡buenas tardes!

–¿Qué hay?

El director ejecutivo no contestó de inmediato, sino que titubeó un par de segundos antes de preguntarle:

–Perdone, ¿molesto?

–No –respondió Jonathan, en un tono de voz que seguramente sugería un rotundo «sí»–. ¿Qué puedo hacer por usted? –añadió para compensarlo.

–Solo quería preguntarle cuándo vendrá a la editorial. Pronto cerraremos el ejercicio contable y he pensado que...

–Pronto –lo cortó Jonathan.

–¿Cómo dice?

–Usted mismo lo ha dicho: «Pronto». Por lo tanto, no ahora.

–Pero, señor Grief, yo...

–Lo siento, señor Bode, ahora no tengo tiempo.

–De acuerdo –dijo Bode en un tono inseguro–. Llámeme cuando...

–Lo haré. ¡Buenas tardes! –Jonathan colgó.

Suspiró. El corazón le latía con fuerza. Debería coger el teléfono de nuevo para llamar al director y pedirle disculpas por su inadmisible conducta. Era de locos. Él, Jonathan N. Grief, estaba loco de remate. Pero notaba una enorme tensión interior, casi insoportable, ya ni se conocía a sí mismo. ¿Qué le ocurría, que pasaba con él esas últimas semanas?

Para no correr el riesgo de verse obligado a llamar a un psiquiatra en vez de a Markus Bode y pedirle amablemente que le diera una cita pronto porque su caso era urgente, agarró el sobre y lo abrió.

La misma letra que en las entradas de la Filofax:

Has comprado los anillos. ¡Me alegro muchísimo! Esta noche, en Da Riccardo, sabrás cuánto. He reservado «nuestra» mesa a las ocho.

¡Te quiero!

H.

¡«H.»! Otra vez una hache. Hache, hache, hache. ¡Ahhhhhhhhh! Pero, al menos, había otro nombre: Da Riccardo. Un sitio concreto. Y una hora concreta. ¡Ja, ja! No obstante, «esta noche» no era esta noche. ¡Faltaban seis semanas para el 11 de mayo!

Jonathan tendría que llamar al psiquiatra; no resistiría tanto tiempo.

Sin embargo, antes de dejarse llevar por la desesperación, se le ocurrió una idea mejor: llamaría a Da Riccardo. Una «mesa reservada» era una mesa reservada y las reservas solían hacerse con un nombre, ¿no?

Al cabo de cinco minutos, Jonathan volvía a estar muy contento. Se había sentado delante del ordenador, había buscado el nombre del restaurante italiano en internet y había llamado. Un señor muy amable y gratamente indiscreto (¿Una señal?

¡Una señal!) le informó con acento italiano de que solo tenía una reserva para el 11 de mayo. Una mesa para dos personas. A nombre de «Marks», tal como le deletreó amablemente el afable señor. Así pues, «H. Marks».

Jonathan lo buscó en Google: H. Marks, en Hamburgo. No podía ser muy difícil encontrar información. La hache tal vez sería la inicial de... ¿Helga? No, la mujer que había visto en la cafetería, y que ojalá, ojalá, ojalá, fuera la misma, era demasiado joven para llamarse así. Aunque había padres que a saber en qué pensaban cuando decidían el nombre de sus hijos, incluso en el elegante barrio de Harvestehude. De todos modos, descartó el nombre de Helga. También el de Hannelore. Y Hedwig. ¿Qué otros nombres de mujer empezaban por hache?

Clicó la página de un diccionario de nombres propios. ¿Hadburga? ¿Hadelind? ¿Hadwine? ¡Espantosos!

Un cuarto de hora después, se había decidido por la siguiente selección: Hanna o Hannah, Heike, Helene, Henrike y, por último, Hilke, que era muy típico en el norte de Alemania.

De vuelta a Google, esta vez a buscar imágenes.

Al cabo de cinco horas, Jonathan no solo no estaba descontento, sino desesperado. Le daba de la impresión de que había clicado diez mil fotos y ochenta mil páginas. Pero la mujer que buscaba, y que ahora sabía que se apellidaba Marks, no se ocultaba tras el nombre de Hannah o Hanna, Heike, Helene, Henrike, Helga, Hedwig, Hannelore, Hadburga, Hadelinde ni Hadwine. Al final, incluso había buscado nombres de Absurdistán y había ampliado la búsqueda a Helewidis, Heilgarg y unas cuantas atrocidades más. Eso o, simplemente, era imposible encontrarla en la red. Al menos, para él y con ese sistema.

Agotado, apoyó la cabeza en la mesa, al lado del ordenador. Al cabo de un segundo dormía profundamente.

58

Hannah

19 de marzo, lunes, 23.07 horas

—¿Crees que hemos tenido una buena idea? –Hannah le dirigió una mirada interrogativa a Lisa, que estaba sentada a su lado en el asiento delantero del Twingo.

–Noooo –contestó su amiga riendo.

–¿Qué? ¿Y por qué no lo decías antes?

–Era broma –replicó arrepentida Lisa–. Lo siento.

–No me digas que lo sientes, ¡dime si la idea era buena!

–Sí, ¡era buena! ¡Es buena! Además, ya es tarde para echarse atrás. Está en el buzón y no podemos recuperarlo.

–¡Mierda! –maldijo Hannah–. Tendríamos que haberlo pensado un poco más. ¡Hemos sido demasiado impulsivas!

–No es verdad. Y tú siempre dices que hay que guiarse por el instinto, y es lo que has hecho.

–Cierto.

–Además, ¿qué es lo peor que puede pasar?

–¿Que Simon se revuelva en la tumba?

–¡Por mí...! Es increíble que te lo ocultara.

–Mmm, sí.

–Exacto, sí. Y ahora, arranca de una vez. Quiero irme a la cama.

Hannah puso en marcha el motor, sacó el Twingo de la amplia entrada de la mansión y se dirigió hacia la Falkensteiner Ufer. Lisa tenía razón, no había que darle más vueltas al asunto. Lo había hecho, y punto.

Al salir del piso de Simon unas horas antes, Hanna fue a ver a su amiga. Le contó la historia de los anillos y le enseñó el manuscrito secreto. Lisa también se quedó perpleja y coincidió con ella en que el 11 de mayo tenía que presentarse a su cita en Da Riccardo para preguntarle al hombre que se había quedado la agenda y los anillos si estaba chiflado.

Después maquinaron lo que había que hacer con el manuscrito. Buscaron las editoriales con más renombre de Hamburgo y fueron a La Pandilla, donde Lisa fotocopió las trescientas veintitrés páginas mientras Hannah redactaba una nota breve y razonablemente conmovedora.

Siguiendo las instrucciones de Lisa, en el gran sobre en el que pusieron las fotocopias escribió: «A la atención del director / Confidencial».

–Para darle la importancia necesaria –consideró Lisa.

Ya no había vuelta de hoja. *La sonrisa de Hannah,* la novela de Simon, estaba en el buzón de Griefson & Books desde hacía cinco minutos.

Hannah giró por la Falkensteiner Ufer y aceleró, antes de que las dudas la empujaran a volver atrás y reventar el buzón de la editorial.

59

Jonathan

30 de abril, lunes, 09.03 horas

En cierto modo, Jonathan lo había conseguido. Había dejado atrás el mes de abril sin volverse loco de remate. Y lo había logrado con la ayuda de la Filofax, aunque no había escrito un discurso para su funeral, sino simplemente una escueta nota en la agenda: «Jonathan N. Grief fue un buen hombre, descanse en paz». Y también lo había conseguido gracias a las conversaciones con Leopold, que en las últimas semanas había demostrado ser un verdadero amigo. Con sus palabras de aliento, algunas de ellas robadas, como «La idea de esperar algo lo hace más emocionante», que tuvo que reconocer que eran de Andy Warhol, el «mendigo», como Jonathan seguía llamándole en broma, había ejercido sobre él una influencia terapéutica mucho mayor de la que habrían sido capaces de ejercer todos los *coach* del mundo. Jonathan casi se había convertido en un maestro de la serenidad.

Si no fuera porque Markus Bode seguía insistiendo en hablar con él y Jonathan seguía sin decidir lo que tenía que hacer.

Si no fuera porque intentaba ganar tiempo, aunque no supiera para qué, y le había comunicado a Bode que necesitaba esperar hasta tener los resultados del segundo trimestre. No quería tomar una decisión precipitada de la que después tuviera que arrepentirse. Más o menos.

A esas alturas, Jonathan se veía como un tonto incapaz de gritar: «¡Ocúpese usted! Mi anciano padre no se entera de nada y come tarta con su "mujer", y yo soy un ignorante en temas comerciales. ¡Apáñeselas solo!».

Ridículo. Y totalmente incomprensible. ¿Qué lo cohibía de esa manera? ¿Qué le hacía ser tan temeroso, tan apocado, tan..., tan..., tan indeciso? Al fin y al cabo, era un hombre inteligente y adulto, ¿no?

Mientras desayunaba café y cruasán en el comedor, como casi todas las mañanas, Jonathan reflexionaba sobre cuál era realmente su problema. No lo sabía. Solo sabía que tenía algo dentro, una herida, un déficit, un...

Si Leopold estuviese allí, interrumpiría sus pensamientos comentándole que cavilaba demasiado. Pero no estaba. Había tenido suerte y trabajaba de cocinero en una cafetería de Hamburgo desde hacía dos semanas. En esos momentos, probablemente estaría preparando los mejores huevos revueltos de la ciudad.

Jonathan suspiró y abrió la Filofax por la página correspondiente. ¡Pues qué bien! Casi parecía que la persona que había escrito la agenda lo espiara, puesto que la entrada del día se ajustaba perfectamente a su situación. Y también encajaba con Leopold, que en esos momentos freía huevos:

> *¡Haz un inventario interno!*
>
> *¿Conoces el programa de Alcohólicos Anónimos? ¿No? Lástima, porque los doce pasos que lo componen, y que ayudan a combatir la adicción, también sirven para que cualquier persona viva feliz. El punto más importante consiste en hacer sin miedo un inventario interno. Funciona como sigue: siéntate y piensa en los errores que has cometido en la vida. A quién has herido, a quién has perjudicado, en qué momento no fuiste sincero, también contigo mismo. ¿Qué tienes pendiente de solucionar con otras personas? Aunque te cueste, ¡hazlo con honestidad! Luego, enmienda los errores que todavía se puedan arreglar. Resuelve las incertidumbres. Y, a partir de ahora, transita por la vida siendo sincero y honesto contigo mismo y con los demás.*

¿Qué te reportará? Paz interior. Y, sobre todo, libertad. Serás libre frente a todos los miedos.

Jonathan releyó la entrada una y otra vez. Y una vez más. Pero por muchas veces que la leyera, el mensaje no dejaba de ser obvio y claro. Lo mirara como lo mirase, ahí estaba, puesto en negro sobre blanco: una invitación clara a actuar.

Desde su conversación con Leo en el Isebekkanal, Jonathan sospechaba que en su vida había una cosa que quizá, tal vez, probablemente, tenía que aclarar o arreglar. Pero, hasta entonces, su cabezonería se había negado firmemente a dejar atrás el enfado. Porque, aunque ahora supiera que su personal sentido de la justicia estaba un poco equivocado, reconocerlo..., reconocerlo de verdad ante él mismo y ante otra persona... era..., era... Era necesario. Y era lo correcto.

Echó atrás la silla con determinación, se levantó y subió al despacho para llamar por teléfono. Descolgó el auricular. Entonces cayó en la cuenta de que no tenía el número del fijo de la otra persona. Cogió el móvil, buscó el contacto en la agenda y pulsó la tecla de «llamada».

–¿Jonathan? –dijo con asombro una voz femenina.

Jonathan carraspeó.

–Sí, hola, Tina.

–¡Qué sorpresa!

–Sí, ya...

–¿A qué se debe tu llamada?

–Quería disculparme.

–¿Disculparte? –La voz adquirió un tono todavía más marcado por el asombro–. ¿Por qué?

–Porque he sido injusto contigo.

–¿Ah, sí?

–Sí.

–Pues no lo he notado. ¿Ha pasado algo?

–Sí –contestó Jonathan, que enseguida rectificó–. Es decir, no. No ha pasado nada.

–¿Entonces? –Tina rio.

–Me he dado cuenta de una cosa.

–¡Qué interesante!

–Me he dado cuenta –prosiguió Jonathan– de que la rabia que os he tenido todos estos años a ti y Thomas era totalmente absurda.

Silencio. Luego, todavía más asombrada, Tina preguntó:

–¿De verdad?

–Sí. No me dejaste por mi mejor amigo. Te fuiste porque yo nunca te quise como debía.

Silencio de nuevo. Finalmente, Tina lo corrigió:

–Me fui porque tú y yo no nunca nos quisimos de verdad.

–¿Tú y yo? –repitió Jonathan, sorprendido.

–Sí, Jonathan. Nos engañamos a nosotros mismos, intentamos ser la pareja perfecta porque quedaba bien de puertas afuera. Y lo conseguimos, pero nos faltaba el amor verdadero. Eso era lo que yo buscaba... Y cuando lo comprendí, tuve que irme.

–¿De verdad?

–De verdad.

–¿Y por qué no me lo dijiste?

–Lo intenté, pero eras inaccesible.

–¿Sí?

–Sí, Jonathan. –Tina se rio de nuevo, esta vez con cierta tristeza–. Pero me alegro muchísimo de que llames y digas lo que me has dicho. –Suspiró–. Es posible que no seas un caso perdido.

–¿Qué insinúas?

–Nada, Jonathan. Te lo digo sin segundas intenciones.

–Entiendo –replicó él, aunque no entendía nada.

–Y dime, ¿cómo te va la vida? –preguntó Tina.

–Muy bien –afirmó él–. Bueno, mi padre sigue con demencia senil, pero eso es más una bendición que una maldición. La editorial va como siempre y además... –se interrumpió. No, eso no podía afirmarlo.

–Además, ¿qué?

–Además, he encontrado a una mujer fantástica. –Bueno, no era del todo mentira. La había encontrado. A la pelirroja.

En cierto modo. Y, con un poco de suerte, pronto volvería a encontrarse con ella.

–¡Qué bien! –exclamó Tina–. Espero que esta vez sea tu media naranja.

–Sí, yo también lo espero.

–Oye, tengo que colgar. Tabea está llorando. Me alegro mucho de que me hayas llamado. ¡Cuídate!

–Tú también –replicó Jonathan, que luego añadió–: ¡Y perdona que nunca te haya dado las gracias por tus postales de Año Nuevo!

Tina ya había colgado. Jonathan se sentía bien. Prestó atención a su interior. Sí, se sentía realmente bien. Quizá incluso podría calificarse de «paz interior». Y no había sido tan difícil ni le había hecho daño. De locos. ¡Era verdaderamente de locos!

Alegre, descolgó de nuevo el teléfono. Esta vez, para llamar a Renate Krug, su secretaria, y pedirle que concertara una reunión con Markus Bode. Ya era hora de sentarse con el director para intercambiar unas cuantas palabras sinceras. Si le resultaba tan fácil como hablar con Tina, ¿qué problema podría haber?

–¡Qué bien que me llame! –exclamó Renate Krug en cuanto contestó–. Ahora mismo iba a llamarle yo. Markus Bode ha venido hace un par de minutos y ha...

–¡Perfecto! –la interrumpió Jonathan, de buen humor. Sí, ¡el destino!–. Quería concertar una reunión con él.

–... presentado la dimisión –completó la frase su secretaria.

–¿Cómo dice?

–Ha dimitido, señor Grief. Markus Bode acaba de venir a mi despacho y ha presentado su dimisión por escrito.

60

Hannah

11 de mayo, viernes, 19.53 horas

Nerviosa. Furiosa. Confusa. Triste. Intrigada. Temerosa.

Así se sentía Hannah cuando se sentó, diez minutos antes de la hora, a la mesa reservada a nombre de «Marks» en Da Riccardo.

Había llegado la hora de la verdad. Ahora sabría quién era el hombre que se paseaba por Hamburgo con la agenda de Simon desde hacía medio año. Esperaba que se presentase, porque ya no podía aguantar más para saber quién era.

Lisa y ella habían hablado muchas veces del tema. ¿Cómo podía ser que alguien encontrara una agenda y, en vez de entregarla en la Oficina de Objetos Perdidos o a la Policía o donde fuera, empezara a vivir su vida siguiendo las anotaciones apuntadas en ella? ¡Incluida la compra de unos anillos de compromiso! No se les ocurrió ninguna razón lógica, excepto que no podía tratarse de una persona normal, sino de un chiflado.

Y, por eso, al principio Lisa insistió en acompañar a Hannah a Da Riccardo, no quería que su amiga fuera la víctima potencial de un asesino en serie. Sin embargo, después de unas cuantas discusiones, Hannah consiguió convencerla de que las probabilidades de que la asesinara eran ínfimas, puesto que el restaurante estaría muy concurrido en viernes y, por lo tanto, habría muchos testigos. No obstante, tuvo que prometerle que le enviaría un mensaje de texto cada hora.

–Si no lo haces, ¡llamaré a la Policía! –la amenazó su amiga–. ¡O iré a buscarte yo misma!

Lisa también había leído la novela de Simon. Y le había cautivado tanto como a Hannah. O sea que ella no era la única que opinaba que era buena.

Sin embargo, no había tenido noticias de Griefson & Books, y eso la decepcionaba un poco. Ciertamente, no tenía ni idea de cómo funcionaba el mundo editorial, pero esperaba que le hubieran contestado en un plazo de seis semanas. En el fondo, incluso esperaba una llamada eufórica para ofrecerle un contrato.

No por el dinero, eso no. De hecho, ni siquiera sabía si tenía algún derecho, aunque tampoco lo quería. Era porque creía que la novela de Simon merecía ser publicada, incluso después de su muerte.

Como tantas otras veces, Hannah pensó en la historia que había escrito su novio. ¡Una historia de amor preciosa! De nuevo sintió ganas de llorar. Una historia maravillosa que, por desgracia, no se había hecho realidad.

Cuando se disponía a alargar la mano hacia el bolso para sacar un pañuelo, la cortina del reservado se abrió.

Hannah levantó la vista.

Ahí estaba. Delante de ella. El hombre de los ojos azules y el pelo negro con algunas canas. Era él, el hombre que la había mirado fijamente y de un modo extraño en la cafetería; recordaba muy bien su cara.

Ahora también la miraba fijamente, aunque un poco inseguro. La mirada le temblaba.

–Hola –dijo con voz queda–. Soy Jonathan Grief. ¿Es usted la señora Marks?

Hannah retiró la silla de la mesa, se levantó y se le acercó.

–Hannah –dijo.

61

Jonathan

11 de mayo, viernes, 19.55 horas

A Jonathan le temblaban las piernas cuando, a las ocho menos cinco, bajó del coche delante del restaurante italiano Da Riccardo. El corazón también le temblaba dentro el pecho. No podía describirlo de otra manera y tampoco se explicaba cómo lograría superar los próximos cinco minutos en ese estado. Todavía menos la velada entera, que era lo que él deseaba, si al cabo de unos instantes se encontraba de verdad con la mujer de la cafetería. Aún no sabía con certeza si la pelirroja era realmente «H. Marks» ni si habría ido al restaurante, en caso de serlo.

Por eso estaba más nervioso que nunca. Con todo, no se planteó emprender la retirada; hacía mucho que ansiaba fervientemente que llegara ese momento.

Los días anteriores no tuvo ocasión de pensar demasiado en el 11 de mayo, el día decisivo. Tras la marcha imprevista de Markus Bode, las últimas dos semanas se caracterizaron por un trabajo intensivo. Jonathan iba todos los días a la editorial. En primer lugar, para tranquilizar al equipo con su presencia y, en segundo lugar, para familiarizarse con el trabajo que había llevado a cabo el director. Al menos, en parte.

Cuando Renate Krug le dijo que el director dimitía, se dirigió a toda velocidad a la editorial y entró precipitadamente en el despacho de Markus Bode. Intentó convencerlo de que se quedara, le ofreció más dinero, un nuevo coche de empresa, nombrarlo responsable único de la editorial y, si hacía falta, un masaje diario en su despacho... Todo en vano.

–Se acabó –contestó el director–. Y no solo porque durante años me haya sentido como un pelele, controlado como por la alargada mano de tu padre y sin poder decidir nada...

–Pero –lo interrumpió Jonathan– ¿a qué te refieres con lo de «pelele»? ¿Y por qué dices que como yo?

Bode continuó recogiendo sus cosas tranquilamente del escritorio y, sin inmutarse, replicó:

–Mi mujer y yo nos hemos dado cuenta de que las cosas no podían seguir así.

–¿Cómo? –preguntó Jonathan, sorprendido–. ¿Tu mujer y tú? Creía que...

–Nos hemos reconciliado.

–¿De verdad? ¿Cómo ha sido? –Jonathan confiaba en haber pronunciado las palabras en tono alegre y no aterrorizado.

Se alegraba por él, al menos en principio. Siempre era bueno que una pareja se reconciliara... Pero, si ese era el motivo de la dimisión, a Jonathan le provocaba más terror que alegría.

–Bueno –contestó el director o, mejor dicho, exdirector–, cosas que pasan. Ya sabes, las crisis se presentan como una oportunidad. Ayer tuvimos una larga conversación y mi mujer me dijo que aún me quería, pero que no creía que tuviéramos futuro como familia porque todos estos años solo me he dedicado en cuerpo y alma al trabajo. –Se echó a reír–. Y, como he dicho, a un trabajo que... Bah, dejémoslo.

–¿Y eso qué significa?

–Voy a tomarme un descanso. Y daremos la vuelta al mundo con nuestros hijos.

–¿Un viaje alrededor del mundo? ¿Con los niños?

–Es el momento ideal. Dentro de dos años, el mayor empezará primaria y no podremos.

–Pero ¡no hace falta que dimitas hoy mismo!

–Sí –replicó Bode–. Y no pienso volver a trabajar aquí cuando regresemos. Buscaré un empleo menos estresante.

–¡Oh, vamos! ¡Tampoco es para tanto!

–Ay, Grief –dijo Markus Bode, y le dio una palmada en el hombro–. Si me sustituyes, pronto entenderás de lo que te hablo. –Le guiñó un ojo–. De todos modos, cuando vuelva del viaje, podemos recuperar los partidos de tenis. Es una gozada ganarte.

–Eh... –Jonathan se quedó sin habla–. Pero... Pero... ¿Cuándo te marchas? De la editorial, quiero decir.

–Ahora mismo.

–¿Ahora mismo? ¿Cómo...?

–He trabajado aquí quince años, por lo que debería avisar con seis meses de antelación. Pero, entre días de vacaciones pendientes y horas extras, la empresa me debe más de medio año. Creo que estamos en paz.

–Bode, yo...

–Que te vaya bien, Grief –dijo, y cargó con sus cosas al hombro–. ¡Saldrás adelante! Por cierto –añadió, señalando unos legajos encima de su mesa–, ahí hay unos cuantos originales fantásticos. Si tienes tiempo, échales una ojeada –dijo, y desapareció de la vista de Jonathan.

Y eso fue lo que ocurrió con Bode y su marcha repentina. Sin embargo, ahora que había llegado el momento decisivo, un momento casi dictado por el destino, Jonathan no quería pensar en ese tema. Bueno, si era sincero consigo mismo, también había intentado no pensar demasiado en el asunto durante los últimos días. En la editorial había dado la orden de «seguir como hasta entonces» y, por lo demás, rezaba para que las cosas se arreglaran solas. De la manera que fuera.

–Eso no pasará –le vaticinó Leo cuando le contó sus miserias.

–¡Tú preocúpate de que no se te peguen los huevos revueltos, mendigo! –le contestó Jonathan.

Mientras lo recordaba, entró en Da Riccardo que, al otro lado de la sólida puerta, resultó ser un pequeño restaurante italiano decorado con muy buen gusto. Todas las mesas estaban ocupadas. Nervioso, Jonathan buscó a la pelirroja con la mirada, pero no consiguió descubrirla. En ninguna de las mesas había una sola persona sentada. Al darse cuenta, notó que lo embestía una ola gélida de decepción.

–*Buonasera* –lo saludó un camarero que se le acercó sonriendo–. ¿Tiene mesa reservada?

–Sí –contestó Jonathan, desanimado–. A nombre de Marks.

–Sígame, por favor. –Inclinó amablemente la cabeza y se puso en marcha.

Jonathan lo siguió a través del restaurante, el corazón volvía a latirle con mucha fuerza. ¿Estaba allí la mujer? ¿Había ido?

El camarero se detuvo delante de una cortina y la corrió, al tiempo que decía:

–Por favor.

Allí estaba. Delante de él. La mujer de ojos verdes y rizos pelirrojos. Era ella, la mujer de la cafetería; recordaba muy bien su cara.

Lo miraba inexpresiva.

–Hola –dijo con voz queda–. Soy Jonathan Grief. ¿Es usted la señora Marks?

La mujer retiró la silla de la mesa, se levantó y se le acercó.

–Hannah –dijo.

Respiró hondo... y le dio una sonora bofetada.

62

Hannah

11 de mayo, viernes, 21.20 horas

Esa noche, Hannah tampoco disfrutó de la excelente comida que supuestamente servían en Da Riccardo. Después del gélido saludo, el chef en persona les sirvió una copa de Gavi y no volvió a aparecer. Y seguramente ya no lo haría... Era muy probable que creyera que Hannah estaba loca y solo iba a su restaurante para desesperar en el reservado a los hombres con los que quedaba.

Después de explicarle a Jonathan el motivo de la bofetada, que no era otro que haberle arrebatado su regalo a un muerto, él pareció sinceramente afligido.

–¡No lo sabía! –dijo–. ¡Lo siento mucho! Al principio intenté dar con el dueño de la agenda, pero, con el tiempo, cada vez me fascinaba más lo que había escrito. Y, bueno, la visita a la tarotista... Empecé a creer que el destino me había hecho un gran obsequio. Por desgracia, seguramente me cegué y perdí un poco el juicio, y también compré los anillos. Me excedí y pido disculpas. Pero, como he dicho, consideré que eran cosas del destino.

A partir de ese momento, Hannah se sintió desarmada. ¿Qué podía objetar si ella creía lo mismo?

Ahora lo escuchaba con atención. Le explicó que había encontrado la bolsa con la agenda colgada en el manillar de su bicicleta. También que la letra le había recordado la de su madre, que lo abandonó de niño. Y le contó su encuentro en el Alster con un «Harry Potter» algo confuso y añadió que ahora comprendía quién era aquel hombre.

Hablaron largo y tendido. De vez en cuando, Hannah le enviaba un mensaje de texto a Lisa para decirle que todo iba bien y no hacía falta que llamara a la Policía ni que acudiera ella en su ayuda. Además, era la verdad, todo iba bien, excepto que cada dos por tres se echaba a llorar a lágrima viva. Una vez, Jonathan incluso le cogió la mano para consolarla, aunque ella la retiró en cuanto se calmó un poco.

Aclararon la confusión con su apellido, que era «Marx» y no «Marks». Si Jonathan hubiera buscado «H. Marx» en internet, se habría topado rápidamente con una fotografía suya en la página de La Pandilla. Hannah le habló de la enfermedad de Simon y de sus miedos, y también de su desesperación desde que perdió el trabajo. Jonathan mencionó que, cuando leyó la noticia de su desaparición en el *Hamburger Nachrichten,* el nombre de Simon Klamm le sonó, seguramente porque solía leer el periódico todos los días. Y que, otra vez el destino, su ejemplar estaba roto y no pudo ver la foto. De lo contrario, lo habría identificado como el hombre del Alster y habría llamado a la Policía.

Charlaron durante horas. Hannah tenía la intención de ir a Da Riccardo para echarle una bronca de aúpa al infame ladrón de los anillos y la agenda. Sin embargo, mientras conversaban, no tardó mucho en reconocer que Jonathan Grief le caía bien. Le gustaba su forma de comportarse, un poco anticuada y torpe. Como diría su madre, tenía encanto, aunque un tanto peculiar.

–Hemos hablado mucho –dijo Hannah cuando ya pasaba de la medianoche– y todavía no sé a qué te dedicas. Bueno, aparte de a vivir guiado por la agenda de otra persona. ¿En qué trabajas?

–Soy editor –contestó Jonathan.

–¿De qué?

–De libros.

–¡No! –exclamó sorprendida Hannah.

–S..., sí –replicó Jonathan, alargando la palabra y un poco inseguro.

—¿Jonathan Grief? —preguntó ella—. ¿Tiene algo que ver con Griefson & Books?

Jonathan sonrió.

—Sí, es mi editorial.

—¡No puede ser! —Hannah dio un manotazo sobre la mesa, impropio de una dama y con tanta fuerza que los vasos tintinearon.

—Me temo que no entiendo...

—Simon escribió una novela —le explicó Hannah—. Encontré el manuscrito después de su muerte. —Carraspeó y, al recordarlo, tuvo que hacer un esfuerzo para concentrarse—. Se titula *La sonrisa de Hannah.* Hace unas semanas, lo dejé en el buzón de tu editorial.

—Oh —dijo Jonathan, que empezó a balbucear—: Yo... Bueno... Hasta ahora... Es decir, el catálogo no... —Decidió empezar de nuevo—. ¿Has dicho *La sonrisa de Hannah?*

—Sí —asintió ella.

—De Simon...

—Klamm.

—No estoy seguro, pero creo que no me suena. —La miró casi disculpándose.

—Lo llevé directamente a la editorial. Y en el sobre puse: «A la atención del director».

—¡Ah, vaya! —Jonathan parecía aliviado—. El director ha dimitido, por eso... Bueno, seguramente está en manos de los lectores. Lo investigaré en cuanto vaya a la editorial.

—¿De verdad? —Hannah le sonrió—. Sería fantástico que le echaras un vistazo.

—¡Con mucho gusto!

—Gracias.

Se oyó un carraspeo y abrieron la cortina. Entró Riccardo y les preguntó amablemente si querían pedir algo más y les advirtió de que pronto cerrarían porque era casi la una...

—No, gracias —dijo Hannah—. Ya nos vamos.

Miró a Jonathan para confirmarlo y le pareció descubrir un leve gesto de decepción en su semblante. Pero quizá solo eran imaginaciones suyas.

Quince minutos más tarde salían a la calle. Se quedaron plantados, uno delante del otro, sin saber cómo despedirse.

–¿Me permites que te lleve a casa? –preguntó Jonathan, señalando un Saab aparcado al otro lado de la calle–. Es muy tarde.

–Me harías un gran favor.

Fueron hacia el coche, Jonathan le abrió la puerta galantemente y Hannah se sentó. Luego, él se puso al volante.

–¿Adónde te llevo?

Hannah dudó un momento.

–¿Podrías enseñarme el sitio donde viste a Simon en el Alster? –preguntó.

Jonathan puso en marcha el motor.

–Por supuesto.

63

Jonathan

12 de mayo, sábado, 08.30 horas

El manuscrito. ¿Dónde estaba el maldito manuscrito? Inquieto, Jonathan exploró los legajos que Markus Bode había dejado en su mesa y que todavía no se había dignado a mirar. Simplemente, no había tenido tiempo. Ni ganas.

Pero ahora, después de la velada con Hannah... Después de la velada con esa mujer maravillosa tenía que encontrar el maldito original. Porque a ella le importaba. Y por eso también le importaba a él. Consecuentemente, el sábado fue a la editorial a primera hora de la mañana. Consideró oportuno que ninguno de los empleados lo viera en su actual estado de confusión.

Jonathan no había pegado ojo en toda la noche, repasando una y otra vez la velada, que había sido magnífica. Y, evidentemente, también muy triste. Hannah acababa de perder al hombre de su vida. Y eso no solo era terrible, sino que complicaba el asunto. Jonathan pensaba decirle que se enamoró perdidamente de ella en cuanto la vio en el café Lütt. Sí, había imaginado la escena con todos los detalles y a todo color, pero rectificó mentalmente cuando Hannah Marx le explicó al principio de la conversación que la muerte de su novio y la rabia que le daba que él se hubiera aprovechado de la agenda eran el motivo de la bofetada. Y la declaración de amor espontánea dejó de parecerle una buena idea. Hannah no podía estar receptiva. Al menos, si tenía corazón. Y Jonathan estaba seguro de que lo tenía. Después de la velada, no solo se sentía atraído por su físico, sino por toda ella, por su carácter cariñoso y su sonrisa irresistible. Era una mujer increíblemente positiva, a pesar de que acababa de sufrir un duro golpe del destino. Jonathan se quitaba el sombrero ante su valentía.

Pensó en el momento en que llegaron al Alster en plena noche y él le enseñó el sitio en el que había mantenido con Simon la breve charla sobre los cisnes como símbolo de la trascendencia. Hannah rompió a llorar otra vez y él la abrazó y la estrechó contra su pecho. No podía hacer otra cosa. Ella sollozaba y se apretaba a él como una niña pequeña. Jonathan la tenía tan cerca que notó los latidos de su corazón. Entonces cerró los ojos y se imaginó que aquella mujer no estaba en sus brazos porque lloraba a otro hombre, sino porque quería estar con él, con Jonathan N. Grief. Demasiado bonito para ser verdad, pero quizá algún día... Al fin y al cabo, gracias a ella le habían pasado cosas increíbles que él jamás habría considerado posibles.

¿Dónde estaba el puñetero manuscrito? *La sonrisa de Hannah.* Le había dicho que lo había dejado en el buzón de la editorial, dirigido personalmente al director. ¿Estaría en su mesa? Antes de irse, Bode le comentó que allí encontraría unos cuantos originales magníficos. ¿Y si no estaba entre los originales magníficos porque no era bueno? ¿Lo habría tirado Bode a la papelera?

No, en la editorial no solían proceder de esa manera. Siempre archivaban los originales que los escritores les enviaban por su cuenta, incluso si no les interesaban. Aunque, en este caso, «archivar» significaba que una secretaria los metía en cajas grandes que se almacenaban en algún lugar del sótano. Jonathan se vio recorriendo hileras interminables de cajas amarillas, bajo la luz trémula de un único fluorescente...

¡Ahí! ¡Ahí estaba! Excitado, Jonathan cogió un legajo en el que, en la primera página, se leía en mayúsculas: «*La sonrisa de Hannah,* de Simon Klamm».

Lleno de impaciencia, se sentó en la mesa de Markus Bode, pasó la página de la portada y empezó a leer. Sin embargo, no fue muy lejos. Al acabar el primer párrafo, interrumpió la lectura.

Se sentía un poco mal. Simon Klamm. Sí, el nombre realmente le sonaba. Y, por desgracia, no solo porque trabajara en el *Hamburger Nachrichten*. No. Al empezar a leer *La sonrisa de Hannah*, un recuerdo incómodo se abrió paso en su memoria. Un recuerdo muy incómodo.

Se levantó bruscamente. Con tanto ímpetu que la pesada silla giratoria se volcó con estrépito. Jonathan hizo caso omiso y corrió hacia su despacho.

Mientras esperaba que el ordenador se iniciara, tamborileó nerviosamente con los dedos encima de la mesa. Esperaba equivocarse. ¡Ojalá se equivocase! ¡Ojalá, ojalá, ojalá!

No se equivocaba. La búsqueda de «Klamm» en los documentos había dado un resultado. Una carta de rechazo que él mismo escribió hacía cuatro años y que él mismo metió en un sobre con el manuscrito para devolvérselo al remitente.

Jonathan no solo se sentía mal. Al releer la carta que había tecleado con sus propios dedos, se sintió morir:

> Estimado señor Klamm:
>
> Ayer empecé a leer el original de su primera novela con un entusiasmo que enseguida fue a mayores. En estos momentos puedo decirle que, a medida que pasaba las páginas, la lectura me producía cada vez más placer. Incluso me la llevé a casa al salir del trabajo porque no podía dejar de leer. Es ocurrente, divertida y tan amena que el rato pasa volando. Tiene usted un gran don para describir a los personajes de manera que el lector llega a creer que se encuentra ante ellos.
>
> Solo puedo decirle una cosa: ¡siga así! ¡Me alegra muchísimo haber descubierto un nuevo talento! Estoy impaciente por leer el resto del manuscrito y espero conocerle pronto personalmente.
>
> No aparecen autores como usted todos los días.
>
> Bien.
>
> Punto.

Punto y aparte.
Salto de línea.

Bromeaba. Estimado señor Klamm: Para no alargarme, se lo resumiré brevemente: en toda mi carrera, nunca había tenido sobre la mesa un manuscrito tan malo (aunque la palabra «manuscrito» no es muy acertada en este caso, puesto que sería mejor llamarlo «concatenación de palabras superfluas»). Recomendarle que siga escribiendo sería un pecado. En estos casos, siempre digo lo mismo: «Zapatero a tus zapatos». No sé a qué se dedica profesionalmente, pero estoy seguro de que no es escritor. Por eso le recomiendo (he estado a punto de pedírselo «por favor») que mueva el documento original a la papelera del ordenador y (ahora sí se lo pido por favor) no se olvide de vaciarla.

No espero respuesta a esta carta, no me gustaría tener que leerla.

Atentamente,
Jonathan N. Grief

Escalofríos. Jonathan sintió escalofríos. Uno detrás de otro. ¿Había escrito aquello realmente? ¿Y lo había enviado?

Sí, lo había hecho. No lograba explicarse en qué estado mental debía de encontrarse para escribir una carta tan ofensiva. Sin embargo, si era sincero consigo mismo, tenía que admitir que, ahora que la había leído, lo recordaba perfectamente.

Cuatro años antes, la lectura de *La sonrisa de Hannah* tampoco duró mucho. Al cabo de dos o tres páginas, Jonathan concluyó que era «tremendamente cursi». Una obra que no le hacía falta al mundo y todavía menos el mundo literario. Acto seguido, redactó la carta y la envió.

¿Por qué? ¿Por qué lo hizo? Se lo preguntaba sincera y honestamente, como prescribía el «inventario interno». ¿Por qué lo hizo?

No lo sabía. Jonathan N. Grief no tenía ni idea de qué mosca le había picado. Solo sabía una cosa: si existía una posibilidad, por pequeña que fuera, de pasar más tiempo con Hannah y quizá incluso de conquistarla, ella no tenía que enterarse nunca. ¡Jamás!

64

Jonathan

20 de mayo, domingo

—Dime, ¿no te parece un poco tonto?

–¿Qué tiene de tonto pasear descalzos por un prado lleno de flores? ¡A mí me gusta! –replicó Hannah.

–No, eso no es hacer el tonto, por supuesto. Pero no creo que sea necesario anotarlo en una agenda como si fuera una cita. ¡Puedes hacerlo cuando quieras!

–¿Eso crees? –Hannah le dirigió una mirada desafiante–. ¿Cuándo fue la última vez que lo hiciste?

–Mmm... –Jonathan se sintió pillado.

–¿Lo ves? –replicó ella, con cara de satisfacción–. Por eso lo anoté en la agenda, porque esas cosas no se hacen nunca.

–Está bien –murmuró Jonathan, un poco avergonzado, y continuó paseando descalzo sobre la hierba al lado de Hannah.

No era su intención quejarse. ¡Al contrario! Estaba contento de que ella hubiera querido volver a verlo. Y le gustó mucho su propuesta de regirse por la agenda cuando quedaran.

Pero descalzo se sentía... desnudo. Indefenso. Poco masculino.

–¡Eres más lento que una tortuga! –exclamó Hannah, riendo, mientras él daba un rodeo para sortear cautelosamente una mata de ortigas–. El primero que llegue a la heladería paga –añadió, y salió corriendo.

–¿Paga el que gana? ¿Qué lógica es esa? –gritó Jonathan.

–¡La mía! –farfulló ella, tronchándose de risa.

Ah, ¡cómo le gustaba aquella mujer! Mucho. Muchísimo.

Hannah

4 de junio, lunes

–Lo siento, pero no puedo más. Otro bocado y reviento –dijo Jonathan, que puso cara de asco y apartó el plato, en el que aún quedaba media ración de tarta de nueces al estilo de Lübeck.

–Nada de reventar –replicó ella–. Solo se trata de comer hasta que no puedas más.

–A eso he llegado en el penúltimo bocado.

–Podrías haberlo dicho.

–No quería decepcionarte.

–Pero es tu cumpleaños, no el mío.

–¿Cómo te enteraste? –le preguntó Jonathan.

Dos días antes, Hannah lo sorprendió diciéndole que el lunes por la tarde lo invitaba a café y tarta en el café Lütt. La agenda no preveía esa actividad para el 4 de junio y Jonathan objetó que entre semana no podía salir de la editorial en horas de trabajo, pero ella insistió: eso era lo que ella prescribía para los cumpleaños, ¡y punto!

–Llamé a tu oficina y lo pregunté –contestó ella.

Jonathan se atragantó con el sorbo de té que acababa de tomar.

–¿Llamaste a la oficina? –repitió, resoplando.

–Sí, claro. ¿Por qué no? –Hannah esbozó una amplia sonrisa–. Tu amable secretaria fue muy servicial.

–Vaya, vaya. –Jonathan también sonrió y puso una cara de pillo encantadora–. Mi querida señora Krug... Ya hablaré yo con ella sobre la protección de datos.

–No te preocupes, solo me dijo el día, no mencionó el año.

–¿Qué insinúas? –preguntó Jonathan, molesto.

–Nada. –Hannah soltó una risita. Le divertía picarlo y discutir con él. Era como jugar una partida de ping-pong, ping y pong, pong y ping–. Y ya que hablamos de la editorial, ¿has encontrado el manuscrito de Simon?

Jonathan la miró, compungido.

–Por desgracia, todavía no. Ni idea de dónde pudo dejarlo Markus Bode antes de irse.

–Eso no es problema, puedo hacerte una copia.

–Mañana volveré a buscarlo, ¿de acuerdo? Y si tampoco lo encuentro, me das una copia.

Jonathan

15 de julio, domingo

–A mí el sol no me molesta, ¿sabes? –dijo Jonathan, jadeando–. Genes italianos, ya me entiendes.

–Pues tienes la espalda roja –replicó Hannah, que estaba sentada detrás de él–. ¿Estás seguro de que no quieres que te ponga crema?

–No, no hace falta.

Jonathan notaba que no solo tenía roja la espalda, sino también la cara. Y no por culpa del sol, que los achicharraba desde hacía una hora, mientras navegaban en un bote de remos por los canales del Alster. Y tampoco por el esfuerzo de remar ni por la circunstancia de que, al cabo de diez minutos de actividad con aquel calor, empezó a sudar tanto que tuvo que quitarse la camiseta y se percató con agrado de que Hannah se fijaba en su torso, solo unos instantes, pero con interés. No, los colores le salieron a la cara al imaginarse que Hannah le tocaba la piel para ponerle crema cuidadosamente, y entonces... Sí, entonces, ¡Jonathan N. Grief no podría garantizar nada!

–¿Ya tienes el informe de lectura de la novela? –preguntó Hannah, interrumpiendo ese momento casi erótico.

Jonathan se estremeció por el sentimiento de culpa.

–Todavía no.

¡Mierda! Otra vez preguntaba por el manuscrito de Simon. Para salir del apuro, Jonathan le había asegurado que lo había encontrado y lo había enviado al departamento correspondiente porque «los lectores de la editorial lo valorarán mejor que yo».

Y se había metido en un berenjenal. Hannah le preguntaba cada poco tiempo por el asunto. Y él lo entendía, claro. Comprendía que quisiera saber si la novela era buena. ¡Ojalá hubiera sido sincero de entrada! Tenía que haberle dicho que había leído un fragmento hacía tiempo y que, en su opinión, no estaba mal como ejercicio de escritura en una esfera privada...Y que no todo el mundo tenía talento para escribir obras dignas de ser publicadas. Pero no había querido desilusionarla.

Bueno, si realmente era sincero, lo que no quería era que su opinión negativa le cerrase el camino. El rechazo habría afectado su postura frente a él, habría sido una carga. Naturalmente, aún temía que ella se enterara de algún modo de la repugnante carta que había escrito. Aunque él, por su parte, había eliminado el documento inmediatamente de su ordenador en mayo y se había asegurado de que fuera irrecuperable.

Jonathan se sentía mal con ese tema. Algo había de verdad en lo de actuar con sinceridad y honestidad cuando se trataba de alcanzar la paz interior.

Se había propuesto decirle a Hannah lo antes posible que, por desgracia, los lectores de la editorial habían desestimado la publicación de la novela. Aunque la desilusionara, tenía que hacerlo. Pero no hoy, ni ahora. No ese espléndido día de verano con ella...

Hannah

25 de agosto, sábado

–Sinceramente, me da la impresión de que estoy haciendo el tonto –cuchicheó Lisa–. ¡No soy una carabina!

–¡No hables tan alto! –masculló Hannah–. ¡Vas a despertarlo!

–¿A él? –Lisa señaló a Jonathan, que roncaba–. ¡Si parece que esté en coma!

Hannah se rio.

–Pues es un coma muy ruidoso.

–¿Cómo era aquello? –replicó Lisa–. ¡Ah, sí! «Los hombres roncan para mantener alejadas a las fieras de noche.»

–Entonces está bien que ronque. ¡Quién sabe qué fieras podrían atacarnos!

–¿En la playa de Sankt Peter-Ording? –preguntó Lisa en voz baja–. Deja que lo piense... ¿Los malvados cangrejos del mar del Norte?

Hannah se echó a reír otra vez. Luego suspiró, se arropó dentro del saco de dormir y contempló las estrellas.

–Ahora en serio, no me dirás que no es fantástico dormir al raso en una noche como esta. Y con el murmullo del mar como música de fondo.

–Sí –afirmó Lisa–, es fantástico. Pero todavía lo sería más si yo no hubiera venido y estuvierais solos.

–¡No puedo pasar una noche a solas con Jonathan!

–En primer lugar, estamos en la playa y dentro de un saco de dormir... Y, en segundo lugar, ¿desde cuándo eres tan puritana?

–¡No soy puritana!

–Pues lo parece.

–Todavía no sé si me gusta.

–Te gusta mucho, créeme. Te conozco desde hace unos cuantos añitos.

Hannah se quedó callada un instante porque no sabía qué contestar. Finalmente, susurró:

–Sí, me gusta mucho. Pero también estoy confusa. No hace ni medio año que murió Simon.

–¿Y qué? –dijo Lisa–. Dentro de diez años, cuando tú y Jonathan tengáis tres hijos, nadie os preguntará si observasteis las reglas de la decencia y, tras la muerte de tu primer amor, esperasteis al menos doce meses antes de enrollaros.

–¡Oh, vamos! –Hannah cogió un puñado de arena y se lo lanzó a su amiga.

–¡Eh! –se quejó Lisa–. ¡No vale tirar arena!

–¡Ni decir según qué palabras!

Jonathan

22 de septiembre, sábado, 22.30 horas

–No me puedo creer que nunca hayas ido de juerga al Kiez –dijo Hannah, meneando la cabeza con incredulidad mientras se abrían paso entre la multitud que invadía la calle Reeperbahn–. ¡Es imposible, si eres de Hamburgo!

–No es imposible en mi caso. –Jonathan se sentía avergonzado, como si lo hubieran descubierto con las manos en la masa. Él también lo había pensado muchas veces, pero no quiso engañar a Hannah cuando la agenda les señaló que tenían que pasar la noche en el Kiez, con desayuno en la lonja incluido, y le confesó que nunca había salido de fiesta por Reeperbahn–. Nunca he tenido ocasión –añadió.

–¿Y qué hacías cuando eras un adolescente rebelde? –preguntó Hannah.

–Otras cosas.

–¿Cómo qué? ¿Practicar la vela? ¿Jugar al golf?

–Sí, jugar al golf, por ejemplo.

–¿Y nunca te has paseado por el Kiez totalmente borracho, has vomitado en un rincón y has perdido los papeles?

Jonathan notó que lo embargaba una sensación de disgusto, se detuvo y le dirigió una mirada severa.

–¡No, ya te lo he dicho! ¿Quieres parar de una vez? No hace falta que me hagas sentir más lerdo todavía.

Hannah se quedó consternada.

–Lo siento –dijo–. No era mi intención que te sintieras como un lerdo.

—Pues es lo que hay —replicó él, de mal humor—. Me siento como un colegial idiota que no ha vivido nada.

—¡Pues vamos, colegial! —Hannah lo cogió de la mano, y a Jonathan le dio la impresión de que recibía una descarga eléctrica—. Hoy recuperaremos el tiempo perdido para que nunca más vuelvas a sentirte así —dijo y, riendo, tiró de él hacia la Hans-Albers-Platz.

Al cabo de cuatro horas, Jonathan constató que, a pesar de su inexperiencia, tenía madera para moverse como un experto por el Kiez. Brincó con Hannah sobre la barra del bar La Paloma y coreó a gritos las canciones más famosas de Roland Kaiser & Co con otras cien personas achispadas.

Una hora después, bailaban en el Silbersack. Aunque «bailar» quizá no era el término adecuado porque, teniendo en cuenta la falta de espacio, más bien intentaban moverse como dos sardinas en lata al mismo ritmo que las demás sardinas.

Al cabo de otra hora, Jonathan hacía ver que tocaba la guitarra al son de «With or Without You», de U2, en el Molly Malone, mientras Hannah gritaba como una *groupie*.

Finalmente, poco antes de las cinco y media, llegaron a la lonja. Sin bocadillo de gambas, pero cogidos del brazo, contemplaron el ajetreo de los juerguistas, entre los que ellos, en cierto modo, también se contaban.

Y, exactamente a las cinco y treinta y cuatro minutos, Jonathan se inclinó hacia Hannah, le dio un beso en los labios y le susurró al oído:

—Te quiero.

Hannah

23 de septiembre, domingo, 16.55 horas

Lo había hecho. Jonathan la había besado. Y ella le había devuelto el beso. Solo un instante, pero había ocurrido.

Hannah estaba sentada en el suelo de su casa desde hacía horas, al lado de las dos cajas con las cosas de Simon. Había bajado al sótano a buscarlas en un ataque de nostalgia. Se sentía confusa. Turbada. Triste. Feliz. Tenía ganas de llorar y ganas de reír, todo al mismo tiempo.

Fue maravilloso que Jonathan la besara y su declaración de amor hizo que le temblaran las piernas.

Sin embargo, al cabo de dos segundos la vencieron los escrúpulos y se separó de él. Le dijo que todavía no estaba preparada, que aún era pronto y que quería irse a casa. Cogió un taxi y lo dejó plantado en medio de la multitud que se apretujaba en la lonja. No sabía si Jonathan había entendido lo que acababa de decirle balbuceando. Pero no podía hacer otra cosa, tenía la cabeza hecha un lío y la necesidad imperiosa de irse volando.

Y ahora no se sentía menos confusa que al llegar a casa poco después de las cinco y media de la madrugada. Al contrario, todavía indagaba en sus sentimientos. Sin resultados.

Jonathan le había dicho que la quería. ¿Lo quería ella? No. Es decir, no podía afirmarlo. El amor era un sentimiento importante, fuerte. Un sentimiento que tenía que crecer, que estaba relacionado con la confianza, y eso no surgía en unas pocas semanas. Sin embargo, era incuestionable que sentía algo por él. Le gustaba. Y mucho. Le imponía su seriedad, su empeño. Su inesperado sentido del humor, a veces descarado y a veces compasivo. Y aunque eso no tuviera mucha importancia, también se había fijado en cómo lo miraban las mujeres. Y tenía que reconocer que físicamente le gustaba. Y quizá, tal vez, esos sentimientos podrían llegar a convertirse en amor.

Pero solo si ella lo permitía. Si se involucraba. ¿Era capaz de hacerlo? ¿Era lo que quería? ¿Podía? ¿Ahora, tan pronto?

Abrió una de las cajas. Arriba del todo estaba la foto de Simon con ella. Hannah la había guardado porque no soportaba verla. Ahora la miró largamente. Contempló al que había sido el hombre de su vida, y a ella misma.

–¿Qué voy a hacer? –preguntó en voz baja, mientras acariciaba con los dedos la imagen de Simon–. ¿Puedes decírmelo tú?

Naturalmente, la foto no dijo nada.

Hannah pensó en la agenda que había escrito para él. Con la que intentaba aconsejarle lo que debía hacer para superar la enfermedad y el año. Después de torturarse con sus propios reproches, de fustigarse tras la muerte de Simon por haber sido tan positiva, finalmente hizo las paces con el «fatídico» regalo a su novio muerto.

Porque era absurdo creer que se había quitado la vida solo por eso. Y porque lo que había escrito en la agenda era en lo que ella creía y lo que ella defendía: la vida era demasiado valiosa para despilfarrar un solo día, un solo segundo. Y para hundirse en la pena y la preocupación. La vida había que vivirla, tanto daba cuánto durara. Al fin y al cabo, nadie sabía cuándo le llegaría la hora. No importaba si estabas sano o enfermo. Por eso, lo único que contaba era el ahora, el hoy. El ayer tanto daba, no existía, y no se podía influir en el mañana.

Aunque Simon no utilizara el regalo, se lo había legado a Jonathan. A propósito, por cosas del destino o por lo que fuera, Simon decidió colgar la bolsa con la Filofax en el manillar de la bicicleta de Jonathan. Y esa noche Jonathan le había asegurado que la agenda había ejercido sobre él los efectos que ella quiso provocar al escribirla: se había sumergido en la vida, en el «aquí y ahora». No hacía falta que le hiciera esa confesión, producto de la cerveza, puesto que Hannah tenía ojos en la cara: la alegría, la ingenuidad que Jonathan irradiaba en cuanto hablaban de la Filofax valían más que mil palabras.

¿Acaso lo que había ocurrido desde el día de Año Nuevo tenía que ocurrir exactamente así? ¿Tenía que suceder exactamente de esa manera? ¿No cabía otra posibilidad y, por lo tanto, haría bien dándole una oportunidad a Jonathan y dándosela también a sí misma? ¿Debía seguir su propio consejo y desentenderse del ayer?

Suspirando, sacó de la caja un archivador con trabajos de Simon. Ojeó los artículos como si pudiera encontrar en ellos una respuesta a todas sus preguntas, como si entre las líneas hubiera un mensaje secreto para ella. Pasó una página y otra, exploró la obra completa de Simon y recordó haber leído algunos de esos escritos y lo mucho que su novio se emocionaba a veces con su trabajo.

Lo único que le había ocultado era su obra más importante, *La sonrisa de Hannah*.

¿Había llegado el momento de soltar amarras? ¿De desprenderse de las cajas? ¿De tirar los archivadores en el contenedor de papel y prescindir de las pocas cosas que conservaba de Simon? ¿De liberarse y empezar una nueva vida? Hannah llegó a las últimas hojas que había en el archivador. Simon había colocado al final sus notas de la Selectividad y de la carrera. También certificados de prácticas, tanto obligatorias como remuneradas. Todo bien puesto y ordenado en portafolios de plástico transparente. Toda una vida. Por desgracia, muy breve.

Hannah se quedó petrificada al llegar a la última hoja. Era una carta de una editorial.

«Estimado señor Klamm: Le agradecemos que nos haya enviado su novela *La sonrisa de Hannah*. Desgraciadamente, la obra no encaja en nuestro catálogo y lamentamos tener que decirle...»

Simon lo había intentado. Había enviado el original a una editorial y lo habían rechazado. Una negativa no era nunca agradable, pero seguramente tampoco era inusual. Ella misma, a pesar de conocer al editor, seguía sin saber nada de Griefson & Books y ya no contaba con una respuesta entusiasta. Había pasado demasiado tiempo. Las buenas noticias siempre llegaban rápidamente.

Volvió la hoja y encontró otra negativa de otra editorial. Y otra. Y una más. Y otra al final del archivador. ¿Fue ese el motivo por el que Simon no le habló nunca de su novela? ¿Le daba vergüenza? Después de tantas negativas, ¿perdió el valor para seguir enviando el original o para escribir otra novela? Probablemente. Sin embargo, ¿qué eran cuatro o cinco negativas? Nada, eso no significaba nada, puesto que había muchas más editoriales.

Cuando se disponía a cerrar el clasificador, se fijó en un folio que antes le había pasado por alto. Estaba doblado, por eso no lo había visto. Hannah le dio la vuelta para alisarlo.

Al ver el encabezado de la carta frunció el ceño.

¿Griefson & Books?

Jonathan

24 de septiembre, lunes, 09.54 horas

–¡Apártese de mi camino o no respondo!

Jonathan se estremeció al oír la voz que le gritaba airadamente a Renate Krug. ¡Era Hannah!

–Te llamo luego –dijo para cortar la conversación que mantenía por teléfono con un agente, y colgó.

En ese preciso instante, la puerta de su despacho se abrió de par en par y Hannah entró precipitadamente, muy enfadada o, mejor dicho, furiosa y colérica. Seguida de cerca por la señora Krug, que, sobrepasada por la situación, balbuceó:

–Lo siento, señor Grief, esta mujer...

–Está bien, señora Krug –la tranquilizó Jonathan–. No pasa nada, conozco a la señora Marx. Déjenos a solas, por favor.

Renate Krug se quedó un momento en la puerta, perpleja y sin saber si hacía bien retirándose o si sería mejor llamar a la Policía. No era de extrañar, puesto que en los ojos de Hannah se reflejaba una mirada asesina que también asustaba a Jonathan. Y que no entendía. Sí, la había besado y quizá se había propasado al hacerlo, pero ¡aquella forma de irrumpir era un poco exagerada!

–Hannah –dijo por consiguiente con voz tranquila, y se levantó tan pronto como la secretaria salió del despacho–. ¿Qué pasa?

–¡Tú! –le espetó airada en vez de contestar a su pregunta.

–¿Yo? –preguntó desconcertado Jonathan.

Intentó acercarse a ella, pero Hannah volvió a gritarle tan fuerte que se quedó paralizado como una estatua de sal.

–¡Eres un cerdo! ¡Un monstruo! ¡Un cobarde! ¡Una mala persona! –gritó tan alto que el vidrio traslúcido de la puerta tembló.

–Hannah –repitió él–. Lo siento, pero no entiendo...

–¿No?

Hannah se le acercó en dos zancadas, le dirigió una mirada despectiva y estampó ruidosamente una hoja de papel sobre la mesa.

Jonathan le echó un vistazo. Empezó a temblar. Le habría gustado decir algo. Pero sabía que no había nada que decir. Se derrumbó por dentro. Había ocurrido. Hannah había encontrado su terrible carta.

–Eres lo peor –dijo Hannah en voz baja, pero muy clara–. No solo me has mentido. Seguro que todo este tiempo también te has reído de mí y de mi novio muerto y de sus ambiciones de ser escritor...

–¡Hannah! –la interrumpió.

–¡Cierra el pico! –lo increpó ella–. Destrozaste una vida. Le arrebataste todas las esperanzas a un hombre porque te vino en gana. ¡Lo pisoteaste y lo destruiste solo porque sí!

–Yo...

–¡He dicho que cierres el pico! –gritó. Luego, bajando la voz, añadió–: No quiero volver a verte en la vida. ¡Nunca! Para que te quede claro: en cuanto salga de tu despacho, no quiero volver a saber nada de ti.

Jonathan tragó saliva con dificultad, pero mantuvo la boca cerrada. ¿Qué podía decir? ¿Que sabía que se había comportado de un modo terrible, horroroso e inadmisible? ¿Y también imperdonable?

–Pero, si me lo permites, antes te daré un último consejo para que tengas una mínima posibilidad de no acabar ardiendo en el infierno: haz inventario de tu vida. ¡Y hazlo bien! No conozco a nadie que lo necesite más que tú.

Antes de que Jonathan pudiera reaccionar, Hannah había salido de su despacho tras abrir la puerta con tanta furia que el borde chocó con la pared y la desconchó ligeramente. Al cabo de un instante, se oyó otro estruendo que indicaba que también había salido de la oficina de Renate Krug.

La secretaria se asomó de inmediato a la puerta.

—¿Está bien, señor Grief?

Jonathan no contestó, simplemente se dejó caer en la silla. No, no estaba bien, nada estaba bien.

Hannah

24 de septiembre, lunes, 10.17 horas

Mientras conducía de vuelta a casa, Hannah lloraba y lloraba y lloraba. Y de vez en cuando golpeaba con furia el volante. Y rechazaba, una tras otra, las quince llamadas que recibió entre Blakenese y Lokstedt.

No volvería a hablar con él. Se lo juró y perjuró. Nunca más. Para ella, Jonathan Grief estaba muerto.

65

Jonathan

2 de octubre, martes, 11.08 horas

Jonathan aterrizó poco después de las ocho en el aeropuerto Amerigo Vespucci de Florencia. Estaba nervioso. Muy nervioso. Mucho. Muchísimo.

En realidad, estaba tan nervioso que al entrar en la terminal de llegadas pensó si no sería mejor sentarse en un banco con su equipaje de mano y no moverse de allí hasta que saliera el vuelo de regreso a Hamburgo que tenía reservado a última hora de la tarde.

¿Qué esperaba encontrar? Probablemente, a una madre que no lo reconocería. A una Sofía que lo ignoraba desde hacía décadas y que, después de ofrecerle una taza de café caliente, le desearía un buen viaje de vuelta y lo mejor para el futuro. Eso si tenía suerte. Si no la tenía, no encontraría a nadie y se iría de allí frustrado. ¿Por qué demonios lo hacía?

Mientras se acercaba con desgana al mostrador de alquiler de vehículos en el que había reservado un coche, recordó la respuesta a la pregunta que se hacía en silencio: Hannah.

Esa empresa era lo único que lo mantenía unido a ella. La agenda con las tareas que ella había elegido eran el último resto miserable de lo que una vez fue y ya no era. De lo que podría haber sido. Y Hannah tenía razón. No solo era un cobarde que, al hacer un nuevo y terrible inventario de su horrible vida, se vio obligado a reconocer que había cometido un error fatal al engañarla respecto a su carta de rechazo a Simon. También porque en su vida había realmente algo muy importante que debía aclarar si quería encontrar cierta paz interior: Jonathan N. Grief tenía que saber por qué su madre nunca volvió a dar señales de vida.

¿Solo por una postal idiota? ¿Escrita por un adolescente furioso al que las hormonas o lo que fuera le habían nublado el cerebro? ¿Era eso motivo suficiente para que una madre abandonara a su único hijo?

De todos modos, Jonathan no podía asegurar que él fuera su único hijo. Treinta años era mucho tiempo, quizá tenía siete medio hermanos y siete medio hermanas en Florencia. Todo el mundo sabía que los italianos eran un pueblo muy prolífico.

La idea le produjo escalofríos y, a la vez, mucha alegría, pero ya se había acostumbrado a la esquizofrenia mental que lo caracterizaba últimamente. ¿Formaría parte de un clan italiano? ¿De una gran familia, con un capo de capos que dirigía los destinos de la sociedad florentina? Se le disparó la imaginación y no pudo evitar una sonrisa mientras rellenaba el formulario que le habían entregado en la oficina de alquiler de vehículos.

El joven que trabajaba detrás del mostrador arqueó las cejas y le dirigió una mirada interrogativa. Jonathan le habría contestado alegremente: «¿Sabe quién soy?». Pero, por desgracia, sus conocimientos de italiano no daban para tanto. Además, no sabía quién era él para el joven empleado: simplemente Jonathan N. Grief, un hombre de Hamburgo, o el descendiente ilegítimo de Sofia la Grande, esposa del terrible Alfonso di Firenze y por lo tanto... No, aunque lo fuera, para ofrecer semejante explicación necesitaba más clases de italiano que las cuarenta horas escasas que ofrecía la aplicación para móviles. Así pues, cuando el empleado le entregó las llaves del coche y le indicó dónde estaba aparcado, se limitó a decir *Mille grazie*.

Diez minutos después se sentaba al volante del Lancia que le habían asignado. Jonathan respiró aliviado. Hasta entonces, todo había ido como una seda. Estaba en Italia, tenía un coche con sistema de navegación y una dirección en Florencia a la que pensaba dirigirse de inmediato.

No obstante, averiguar esa dirección no resultó tan fácil como creía. Renate Krug se negó a dársela cuando se la pidió. Y tampoco quiso reservarle el vuelo a Florencia. La secretaria le dijo que, en su opinión, lo que se proponía no tenía ningún sentido y que, después de tantos años, su madre seguramente ya no vivía allí.

Jonathan se quedó perplejo. Aunque no ponía reparos ni mostraba dejadez en el trabajo, Renate Krug no lo trataba tan formalmente como antes desde la «excursión familiar».

Intentó explicarle que ese viaje era muy importante para él por motivos personales y que por eso volvía a pedirle la última dirección de su madre. Le aseguró que, si fracasaba en su misión, no se hundiría en un abismo emocional. Además, tenía más de cuarenta años y estaba en condiciones de tomar sus propias decisiones y de asumir las consecuencias. Incluso le reveló que la joven Hannah Marx, a la que ella misma conoció el día que fue a verlo a la editorial, era en cierto modo la responsable de que él quisiera atar ese cabo suelto en su biografía. Evidentemente, no le aclaró los motivos exactos de su memorable aparición, puesto que prefería llevarse con él a la tumba el asunto de la carta de rechazo antes que confesarlo. Finalmente, al ver que sus palabras caían en saco roto y que Renate Krug seguía en sus trece y todavía insistía en que no le convenía hacer ese viaje, a Jonathan N. Grief no le quedó más remedio que recordarle que él era el jefe y que ella no era su madre, por lo que valoraba sus opiniones personales, pero no estaba dispuesto a considerarlas a la hora de tomar sus decisiones.

Después de la bronca, una Renate Krug con cara de vinagre le anotó la dirección y también le reservó los billetes de avión, no sin antes señalarle que lo único que iba a encontrar era una barraca vacía y unos cuantos cipreses secos.

Jonathan pronto sabría si su secretaria tenía razón. Según el sistema de navegación, desde el aeropuerto solo se tardaba media hora en llegar a la última dirección conocida de su madre, a la Via di Montececeri, 20, en Fiesole.

Cuando buscó las señas en Google desde su despacho en la editorial, no supo si echarse a reír o a llorar. «Monte Ceceri» se conocía como «monte de los cisnes», y fue el lugar en que Leonardo da Vinci realizó sus primeras pruebas de vuelo en el siglo XVI.

Jonathan no le dio importancia a la información sobre Leonardo, pero... ¡los cisnes! Estuvo tentado de descolgar el teléfono para llamar a Hannah y contarle lo que acababa de descubrir, esa curiosa casualidad: «Cisnes, Alster, Simon, *capito?*». Evidentemente, lo dejó correr, puesto que sabía que Hannah no le contestaría. Y solo oiría un clonc, cuando le colgara el teléfono sin decir nada, seguido por el típico pitido de la línea telefónica.

Hannah lo había declarado *persona non grata* para siempre, y unos cuantos cisnes no cambiarían las cosas. Quizá incluso las empeorarían. Recordarle el momento en que Simon fue visto por última vez con vida... No hacía falta mucha imaginación para figurarse que su respuesta no sería una reconciliación lacrimosa, sino más bien un ataque de histeria en mayúsculas.

Aun así, Jonathan hacía lo correcto. Aunque supiera que Hannah no lo perdonaría nunca y que su corazón seguiría roto hasta que exhalara su último suspiro, tenía que recorrer el camino hasta el final. Sí, el patetismo era otra de sus características más recientes, junto con la esquizofrenia. Si no lo recorría, la única opción que le quedaba era regresar a su antigua vida. Y eso era algo que Jonathan N. Grief no quería de ninguna manera.

Puso en marcha el motor y tomó la ruta que le señalaba el navegador. Los nervios le impidieron disfrutar de la belleza del paisaje que se extendía a su alrededor, plagado de pinos y cipreses que no estaban secos, y de olivos y viñas.

Para controlar el nerviosismo, Jonathan practicó las frases con que pensaba saludar a su madre. Si llegaba el momento, como esperaba: «*Ciao, mamma!* Soy yo, tu hijo Jonathan. ¿Dónde te has metido todo este tiempo?». De todos modos, no estaba seguro de si debía confrontarla de entrada a la cuestión de su ausencia durante tantos años. Pero ¿tenía sentido irse por las ramas? Su vuelo de regreso salía a última hora de la tarde y después de treinta años no podía perder el tiempo con fórmulas de cortesía.

–*Ciao, mamma* –repitió, como si recitara un mantra–. *Ciao, ciao, mamma!* –Y una vez más–: *Mamma!*

Apagó de un manotazo el aire acondicionado porque le lloraban los ojos, al mismo tiempo que sujetaba el volante con las manos empapadas de sudor.

Al cabo de veinte minutos entró en la localidad de Fiesole y se abrió paso a través de unos callejones estrechos y sinuosos. Sabía que había estado allí de niño, pero los recuerdos de aquel precioso pueblo se encontraban sepultados en algún rincón de su mente, igual que sus ansias de cantar y jugar al tenis. Las calles estaban flanqueadas por casas de color ocre, con postigos verdes y tejados rojos, y al leer sus sonoros nombres, como Via Giuseppe Verdi, Via Santa Chiara o Piazza Mino da Fiesole, Jonathan intuyó por qué su madre echaba tanto de menos la alegría cuando vivía en el Norte. Solo había que pensar en los nombres de ciertas calles de Hamburgo, como la Pepermölenbek o la Brandstwiete. En comparación, esos nombres sonaban más secos que una rebanada de pan duro.

¡Y qué vistas! En cuanto llegó a la Via di Montececeri, paró un momento en el margen de la calle, junto a un muro de piedra, para contemplar el valle que se extendía a sus pies y para retrasar un poco el momento de la verdad. Ante aquellas vistas tuvo que admitir que, por mucho que una finca en el Innocentiapark fuera el no va más a los ojos de un agente inmobiliario alemán, él solo veía cuatro árboles y un par de contenedores de papel desde la ventana de su casa. El monte de los cisnes hacía honor a su nombre y el paisaje levantaba el ánimo. No era de extrañar que Leonardo da Vinci estuviera convencido de que, si se podía volar, aquel era el mejor lugar para hacerlo.

Jonathan giró a la derecha del muro, paró el motor y se quitó el cinturón de seguridad. Respiró hondo unas cuantas veces antes de abrir la puerta y bajarse del Lancia. Buscaría el número 20 a pie.

No le costó encontrar la casa. El revoque de color ocre de la fachada no daba impresión de ruina ni de abandono. En las macetas que había debajo de los postigos de madera verdes había... a saber qué plantas de preciosas flores. Las ventanas tenían rejas de hierro forjado y, a través de una que solo estaba entornada, le llegaron las notas de una cancioncilla italiana.

Jonathan N. Grief hizo de tripas corazón y se apostó en la puerta de entrada. Volvió a respirar hondo. Finalmente, llamó al timbre.

Al cabo de unos segundos, la música enmudeció. Se oyeron pasos. El pomo de la puerta giró. Un instante después, Jonathan tenía delante a una mujer rolliza de unos setenta años. Llevaba un delantal estampado y lo saludó en tono interrogativo:

–*Sì?*

A Jonathan se le paró el corazón.

No era su madre. Lo supo en el acto.

–Nicolò!

La mujer se acercó a él de una zancada, le dio un abrazo y le cubrió la cara de besos.

No, no era su madre. Pero, por lo visto, lo conocía.

66

Jonathan

2 de octubre, martes, 12.23 horas

Francesca. Su tía se llamaba Francesca. Jonathan no tenía ni idea de por qué recordaba los nombres de «Nina» o «Gina», puesto que no tenían nada que ver con «Francesca». Sin embargo, eso tanto daba. Lo que contaba era que ahora estaba con su tía en una cocina rústica de la Toscana, delante de un plato de pasta que todavía humeaba. Si un escritor hubiera contado una visita a una familia italiana de una forma tan tópica, Jonathan habría tachado sin miramientos toda la escena. Sin embargo, en la vida real era tal cual.

Después de saludarlo efusivamente, cubriéndolo de besos y con una letanía de palabras incomprensibles, Francesca tiró de él para que entrara en casa y le sirvió algo de comer. De modo que ahora estaban los dos sentados de frente, mirándose, mientras Jonathan se tragaba aplicadamente una ración inmensa de pasta. No tenía hambre, pero sus conocimientos rudimentarios de italiano habían huido de él y, por el momento, era muy práctico tener la boca llena.

Cuando se acabó el plato, Francesca se levantó de un salto para servirle más, pero Jonathan consiguió evitarlo gesticulando y balbuceando:

–*No, basta, grazie!*

–*Allora* –replicó ella.

Se sentó de nuevo y guardó silencio. Y lo miró expectante.

–Eh... –dijo Jonathan. Tenía muchas preguntas que hacerle. Si su madre todavía vivía allí. Y si estaba en casa, aunque lo dudaba porque su tía ya habría ido a buscarla. Pero era inútil, unas cuantas clases de italiano no lo habían convertido en Umberto Eco–. *Parli tedesco?* –Apurado, le preguntó si hablaba alemán.

Francesca se encogió de hombros.

–*Inglese?*

De nuevo se encogió de hombros.

Iba a preguntarle por el francés o el español, pero cayó en la cuenta de que él no hablaba esos idiomas.

¿Qué podía hacer? ¿Latín? Al fin y al cabo, se parecía mucho al italiano. Pero ¿hasta dónde llegaría la conversación con un «*veni, vidi, vinci*»?

–Nicolò –dijo entonces su tía–. *Sono molti anni che non ci vediamo.*

Jonathan asintió, aunque no tenía ni idea de lo que le había dicho.

–*Come stai?*

¡Ja! Eso lo entendió, ¡quería saber cómo estaba!

–*Stà abbastanza bene, grazie* –contestó.

Eso no se correspondía con la verdad, pero era la única respuesta que ofrecían a esa pregunta en la aplicación del curso de italiano. Las respuestas más complejas, como «Bueno, vamos tirando, mi empresa se hunde, mi padre sufre demencia senil y cree que su secretaria es tu hermana, el director de la editorial ha dimitido y he perdido para siempre a la mujer de la que estaba perdidamente enamorado», probablemente se aprendían después.

Mierda. Si seguían así, no llegarían a ningún sitio. Era inútil.

–*Mamma?* –dijo, en tono interrogativo.

La tía arqueó las cejas y se llevó una mano a la boca. Parecía conmocionada. ¿Creía que la confundía con su madre?

–*Dove è Sofia?* –Jonathan intentó ser más concreto.

–*Che Dio la protegga!* –exclamó–. *Non ne hai idea?*

–Eh..., *scusi?*

–*Tua madre è morta. Da molto.*

–*Scusi?* –repitió Jonathan.

—*Aspetta un momento.*

Francesca se levantó y salió de la cocina. Jonathan se quedó desconcertado, ¿adónde iba?

Poco después, su tía volvió con una foto en la mano y la dejó encima de la mesa.

Al verla, a Jonathan se le saltaron las lágrimas.

Era una fotografía de un nicho con una lápida de mármol blanco.

«Sofía Monticello. 18-07-1952 – 22-08-1988.»

67

Jonathan

2 de octubre, martes, 21.34 horas

Cuando el avión aterrizó a las nueve y media de la noche en el aeropuerto de Hamburgo, Jonathan estaba tan furioso que tuvo que contenerse para no ir a esas horas intempestivas a la residencia de Sonnenhof a arrancar a golpes de la butaca de orejas a su anciano padre.

¡Qué mentira! ¡Qué trola más grande le había contado durante toda su vida! Todos esos años, Wolfgang Grief le había ocultado la verdad. Solo con pensarlo, lo embargaba tal furia que estaba dispuesto a obviar que no fuera una hora razonable y a hacerle inmediatamente una visita a su padre para cantarle las cuarenta. Le daba igual si la doctora Knesebeck tenía un infarto o llamaba a seguridad.

En el fondo, lo único que le impedía hacer tabla rasa de inmediato era la salud mental de su padre.

No, no le preocupaba que no sobreviviera al ataque de rabia de su hijo. Solo quería cantarle las cuarenta cuando tuviese la cabeza un poco clara para asegurarse de que entendía lo que le decía. Y las posibilidades eran menos limitadas de día que por la noche.

Por otro lado, en esos momentos estaba tan furioso que un acto de violencia por su parte en la residencia de ancianos probablemente colaría como «crimen pasional». En cambio, si dormía toda la noche, tenía muchos números para que lo acusaran de actuar con alevosía.

Jonathan apretó los puños y esperó con impaciencia a que se apagara la señal de mantener el cinturón de seguridad abrochado y que el avión alcanzara la posición de parada definitiva. Tenía que salir de allí, ¡le faltaba el aire! Si volvía a repasar lo que había ocurrido aquel día, se pondría a gritar.

Cuando Francesca y él vieron que todo intento de comunicarse más allá de «¿Quieres comer algo más?» o «Hace un día espléndido» fracasaría por culpa de la barrera idiomática que los separaba, Jonathan metió a su tía en el vehículo de alquiler y la llevó al Instituto Alemán de Florencia, donde encontraron a un empleado con ganas de ayudar. A medida que traducía lo que Francesca contaba, el hombre se ponía cada vez más colorado.

La historia era tan banal como de mal gusto. ¿Su madre añoraba muchísimo Italia? ¡Ja! La verdad era un poco distinta. Su padre, el honorable Wolfgang Grief, tuvo una aventura, eso fue lo que ocurrió. Y cuando Sofia, italiana de pura cepa, se enteró, no quiso seguir casada con un marido adúltero.

La tía le aseguró a Jonathan que su madre quería llevárselo con ella a Fiesole, pero pensó que su hijo viviría mejor en Alemania. Instituto, universidad y, finalmente, la herencia familiar y la esperada toma de posesión de la editorial: Sofia no quiso privarlo de todo eso. Y no podía sospechar que las cosas se desarrollaran como lo hicieron. El día que recibió la furibunda postal de Jonathan, reservó inmediatamente un vuelo a Hamburgo para explicarle que no se había ido sin más. Hasta ese momento, Sofia creía que no podía lastrar a su hijo con sus problemas matrimoniales. Sin embargo, en cuanto comprendió que Jonathan se sentía abandonado, no vio otra salida que contarle la verdad.

De camino al aeropuerto, Sofia conducía muy deprisa por culpa del nerviosismo y se salió de la carretera en una curva.

Murió en el acto.

–No sufrió –le aseguró la tía entre lágrimas. Incluso el amable intérprete se conmovió, tradujo sus palabras sollozando y tuvo que echar mano de un pañuelo para sonarse.

No sufrió. Jonathan no podía afirmar que a él le pasara lo mismo. Al contrario, en esos momentos sentía infinidad de cosas. Por ejemplo, una pena enorme y atroz. Todos esos años pensando en su madre con el corazón oprimido, sintiendo una furia impotente porque tenía la firme convicción de que no le importaba nada a su madre. O no le importaba tanto como la *dolce vita* en Italia.

¡Qué equivocado estaba! Una vez más, ¡qué injusto había sido con otra persona! Y, por último, ¿en qué se había convertido? En un mutilado emocional, en un solitario orgulloso y envarado, en un sabelotodo engreído, en un criticón insoportable. Y también en un cobarde que no conseguía imponerse a su padre demente ni defender sus propios puntos de vista. Por ejemplo, que él no tenía nada en contra de la literatura de entretenimiento, que había adoptado, incluso había interiorizado esa estúpida postura sin siquiera planteársela. Y que él, si de una vez por todas era sincero consigo mismo, en realidad admiraba a los autores que conseguían conmover profundamente a los lectores. Tanto daba si firmaban como J. K. Rowling o Sebastian Fitzek... o Simon Klamm.

Mientras esperaba en el aeropuerto de Florencia, Jonathan había empezado a leer *La sonrisa de Hannah* en su iPad. Renate Krug le había escaneado las galeradas. Y por mucho que le doliera leer lo que aquel hombre, casi un desconocido, escribía sobre Hannah, aunque en teoría fuese ficticio, finalmente entendió por qué hasta entonces no soportaba esa clase de libros. Porque podían hacerle daño. Y mucho.

No pretendía justificar su carta de rechazo a Simon Klamm. Eso había sido y seguiría siendo un error imperdonable en mayúsculas, pero ahora reconocía por qué lo había hecho. La novela no era mala, al contrario. No obstante, en aquella época acababa de separarse de Tina y lo embargaban una pena y una rabia injustificables. Era incapaz de saltar por encima de sus propias sombras y de dar rienda suelta a los sentimientos. Por eso no soportaba leer ciertos textos y por eso, después de leer tan solo unas pocas páginas, había rechazado la novela calificándola de «tremendamente cursi».

¿En qué clase de hombre se había convertido Jonathan N. Grief? Naturalmente, sería exagerado afirmar que incluso su matrimonio con Tina había sido un resultado de su incapacidad emocional. Y que se había decidido por una mujer que en cierto modo encajaba con él, pero a la que no amaba de verdad. Una mujer para la que, como ella misma decía, él era inaccesible. No obstante, Jonathan no quería seguir ahora por ese camino. Al fin y al cabo, todo eso no era más que psicología barata.

Aunque, por otro lado, ¿qué tenía de malo? Después de todo, en la cocina de su tía y con ella en el Instituto Alemán había averiguado unas cuantas cosas sobre sí mismo que, vistas en retrospectiva, cobraban bastante sentido. Y sin necesidad de especialistas.

Jonathan avanzó a paso rápido por el pasillo largo que conducía a la recogida de equipajes. Apenas se había tranquilizado y el hecho de ver a la gente que esperaba delante de las puertas correderas de la terminal de llegadas no contribuyó a mejorar su estado de ánimo. Si le hubieran concedido un deseo, habría pedido que Hannah lo estuviera esperando y lo recibiera con un saludo de bienvenida.

Sin embargo, se iría solo en taxi a su solitaria casa del Innocentiapark. Nadie había ido a buscarlo. No le importaba a nadie. Bueno, quizá Leo era una excepción. Pero todavía no había recuperado el permiso de conducir.

–Hola, señor Grief.

Sorprendido, Jonathan se detuvo bruscamente y se dio la vuelta. Era Renate Krug, que le dirigía una sonrisa insegura.

–¿Qué hace usted aquí?

–He venido a buscarlo, pero ha salido tan deprisa que casi se me escapa.

–Lo siento, no contaba con que viniera.

–Tampoco tenía motivo para ello. –La secretaria seguía pareciendo insegura.

–Bueno, pues ¡muchas gracias! –dijo Jonathan, que se esforzó por no poner una cara tan sombría. Seguramente en vano.

–Ya lo sabe, ¿no?

–¿A qué se refiere?

–A que su madre está muerta.

–¿Usted lo sabía? –le preguntó Jonathan, perplejo.

Renate Krug asintió y bajó la mirada.

–Sí –contestó en voz baja.

–Pero... ¿cómo? ¿Por qué? –balbuceó.

La secretaria volvió a mirarlo.

–Jonathan –lo llamó por su nombre de pila, y con una voz firme y decidida–. Temía que lo hubiera averiguado todo. O casi todo. Y por eso he venido. Para contarle el resto.

–¿Qué resto?

–Fui yo. Yo fui la mujer por la que su madre abandonó a su padre.

Jonathan N. Grief pensaba mientras se dirigía a casa en taxi. Renate Krug se ofreció a llevarlo, pero él rechazó el ofrecimiento. Quería estar solo para poder pensar con calma. Para reflexionar sobre lo que su secretaria le había confesado en un bar de la terminal de llegadas del aeropuerto. Delante de un café que ninguno de los dos probó.

Ella y su padre tuvieron un lío hacía muchos años. Nada serio, nada importante, solo una aventura tonta, pero suficiente para que Sofia Monticello se sintiera herida y abandonara a su marido. Y entre todos decidieron no contárselo al «niño» porque era lo «mejor» para él. Ni siquiera cuando su madre murió, porque si creía que su estúpida postal había provocado en cierto modo el accidente, cargaría toda su vida con un sentimiento de culpa innecesario. Eso fue lo que le explicó Renate Krug. También le pidió disculpas por su conducta, le aseguró, como si eso importara a esas alturas, que entre su padre y ella no había nada desde hacía años y que era consciente de que habían cometido un error imperdonable y de cuánto daño le habían hecho.

También le pidió que no le dijera nada a su padre, porque no lo resistiría. Y le aseguró que, en el fondo de su corazón, Wolfgang Grief sabía que cargaba con una gran culpa. Y también que se había arrepentido centenares de veces, aunque nunca había podido demostrárselo a su hijo. Igual que a Jonathan, a él tampoco le habían enseñado a manejarse con los sentimientos. Sí, la causa fue esa incapacidad, no la maldad. Jonathan no supo si creerla. Si podía creerla. Si quería creerla. Pero ¿acaso importaba?

Ahora reflexionaba sentado en el taxi. Pensaba en lo que iba a hacer. Un montón de cosas. Pero una después de otra. Había pasado mucho tiempo y todo aquello venía de lejos. Quería meditarlo y ponerse a ello con calma.

Al llegar a casa, Jonathan N. Grief cogió tranquilamente el teléfono y llamó a Leopold.

–¿Jonathan? –contestó adormecido su amigo–. ¿Qué quieres? Son más de la doce, ¡y mañana tengo que madrugar!

–Escúchame bien, mendigo –dijo Jonathan–. Mañana mismo te despides de la cafetería.

–¿Que haga qué?

–¡Despedirte!

–¿Y por qué iba a hacerlo?

–Porque a partir de ahora eres el nuevo director ejecutivo de Griefson & Books.

–¿Jonathan?

–¿Sí?

–¿Has bebido?

–Al contrario, nunca he tenido la cabeza más clara.

–¿Y cómo se supone que va a ir la cosa?

–Ya lo veremos. Tú no te preocupes. Yo me encargo de que el trabajo no sea muy estresante. Y de que siempre tengas agua mineral con rodajitas de limón en el despacho.

–¡Estás loco! No puedo.

–Las ventas funcionan igual en todas partes. Si uno vende huevos revueltos, también puede vender libros.

Jonathan colgó sin darle a Leopold ninguna posibilidad de replicar. Espléndido. Un tema solucionado. El miércoles era festivo, el Día de la Reunificación Alemana, pero el jueves por la mañana iría a comprar una agenda en cuanto abrieran las tiendas.

Una Filofax preciosa con tapas de cuero. Para el próximo año.

68

Hannah

24 de diciembre, lunes, 12.28 horas

—Navidad, Navidad, dulce Navidad...

Hannah echó disimuladamente un vistazo a su reloj de muñeca. Lisa y ella cantaban un villancico detrás de otro con los pupilos del día, que estaban en La Pandilla desde las diez de la mañana porque sus padres todavía tenían que comprar regalos y montar el árbol.

Los niños se lo pasaban en grande, pero Hannah sufría una verdadera tortura. Solo con pensar en esa estúpida festividad de «amor y de paz», le entraban náuseas.

La primera vez sin Simon desde hacía cinco años, aunque él nunca hubiera sido un gran fan de esas fiestas. Los dos se hacían regalos, pero Simon opinaba que la Navidad era un invento comercial de los vendedores minoristas y calificaba la debilidad de Hannah por consumir vino especiado y *bratwurst* en los mercados navideños de Hamburgo, como el de Santa Pauli, de «salida de tono incomprensible, teniendo en cuenta el buen gusto que la caracterizaba». Una faena para los que «ya sufrían bastante estrés en esas fechas».

Ese año, con ayuda de la agenda, Hannah pretendía obligarlo a acompañarla por primera vez a uno de esos mercados después de Navidad, puesto que algunos seguían abiertos hasta Nochevieja. Su intención era que aprendiera a valorar el ambiente especial y romántico que imperaba en la iluminación tenue y la música contemplativa.

A pesar de todo, en esos momentos Hannah no se llevaba muy bien con la música navideña. Un solo villancico más saliendo de las gargantas chillonas de los pequeños y se volvería loca.

No obstante, ya casi era la una y resistiría la última media hora. Después cerrarían el local y, por fortuna, se acabaría la diversión. Al menos hasta el 31 de diciembre. El día de Nochevieja abrían La Pandilla para acoger a los hijos de los padres que todavía tenían que «comprar cohetes y los ingredientes para la *fondue*» porque ese año la Nochevieja también los pillaba «por sorpresa». El 1 de enero cerraban y después, a partir del día 2 de enero, funcionarían a toda máquina. Sí, La Pandilla iba viento en popa, no podía afirmarse otra cosa.

Lo que también iba viento en popa eran las lágrimas de Hannah. No se dio cuenta hasta que Lisa le pasó una mano suavemente por la mejilla, pero lloraba desde que había empezado a sonar el último villancico.

Era obvio que seguía siendo una llorona. El que casi había sido su prometido estaba muerto..., y también sufría de penas de amor profundas. Bueno, no tan «profundas», puesto que no conocía demasiado a Jonathan. Y se avergonzaba de pensar en «penas de amor» cuando ni siquiera había pasado un año desde la muerte de Simon. No, lo que tenía era más bien una sensación muy concentrada y dolorosa de melancolía. De sentirse abandonada. Traicionada por un hombre al que durante un breve tiempo consideró especial, un hombre que el destino le había enviado.

¡Maldito destino! ¡El servicio postal era más fiable!

–¿Lo superarás? –le preguntó Lisa, poco antes de las dos de la tarde, después de echar a los últimos niños en brazos de sus felices padres y empezar a ordenar la sala–. Me refiero a las Navidades.

–Sí, claro –contestó Hannah, que se pasó la manga por la nariz al tiempo que se sorbía los mocos–. Voy a tumbarme debajo del árbol de Navidad en casa de mis padres y no pienso levantarme hasta Fin de Año.

–Un buen plan –replicó Lisa sonriendo.

–¿Y tú?

La amiga se encogió de hombros.

–Seguramente haré lo mismo. Pero podemos quedar algún día durante las fiestas.

–Me parece bien –dijo Hannah–. ¡Mientras no sea para ir a un mercado navideño!

Lisa levantó las manos en un gesto de rechazo.

–¡De ninguna manera! Sé cuánto los odias. Vino especiado y *bratwurst,* ¡grrrrrrr!

Las dos se echaron a reír.

Al cabo de diez minutos habían acabado de limpiar y se pusieron el abrigo para emprender el camino hacia la casa de sus respectivos padres. Lisa abrió la puerta y cogió un paquete que estaba fuera.

–Mira –dijo, poniéndoselo a Hannah en las narices–. Es para ti.

Alguien había escrito «Hannah» en el paquete.

–Vaya, ya ha empezado la Navidad –intentó bromear Hannah, al tiempo que notaba que le subían los colores a la cara, puesto que había reconocido la letra. Era de Jonathan.

–¿Piensas lo que yo pienso? –preguntó Lisa.

–Sí –confirmó Hannah.

–¡Pues ábrelo! –la apremió Lisa.

–¿Tú crees?

–Pues claro, ¡menuda pregunta!

–De acuerdo.

Volvieron a entrar, cerraron la puerta y se sentaron en la pequeña cocina. A Hannah le temblaban las manos cuando cortó con unas tijeras el grueso envoltorio de papel.

Ante sus ojos aparecieron un sobre y un paquetito envuelto en papel de regalo navideño.

–¡Primero el regalo! –exigió Lisa con impaciencia.

–No –replicó Hannah–. El paquete es mío y primero quiero abrir el sobre.

Tiró de la solapa, que solo estaba metida dentro del sobre. Sacó un papel de carta doblado y empezó a leer.

Estimada señora Marx:

He leído con mucho entusiasmo la novela La sonrisa de Hannah*, de su novio Simon Klamm, por desgracia ya fallecido. Sería un placer para mí poder publicarla en Griefson & Books, por lo que me gustaría hacerle una oferta. ¿Le interesaría hablar conmigo al respecto? Creo que* La sonrisa de Hannah *es un libro excelente y que el legado de su prometido hará feliz a mucha gente.*

Atentamente,

Jonathan N. Grief

P. D. Querida Hannah: Tenías razón, fui un cobarde. Y un cerdo. Me gustaría disculparme por lo que hice, pero me temo que no hay disculpa que valga. Sin embargo, creo que al menos puedo darte una explicación. Si quieres.

Jonathan

P. D. Aunque no quieras oír mis explicaciones ni volver a hablar conmigo, la oferta para publicar La sonrisa de Hannah *va en serio.*

–¡Mierda! –gimoteó Hannah.

–¡Huy, sí! –exclamó Lisa–. ¡Y ahora abre el regalo! –insistió–. ¡Date prisa!

Hannah asintió. Rompió el envoltorio de papel y quedó a la vista una Filofax. Una agenda con tapas de cuero de color azul oscuro y con costuras blancas.

–¡No me puedo creer! –exclamó Lisa.

–Ni yo.

Hannah la abrió.

Era una agenda para el año siguiente. Con anotaciones escritas a mano para cada día del año, desde el 1 de enero hasta el 31 de diciembre. Con la letra de Jonathan. Y una sola frase que se repetía en todas las fechas:

11 Perdonar a Jonathan.
12 Perdonar a Jonathan.
13 Perdonar a Jonathan.
14 Perdonar a Jonathan.
15 Perdonar a Jonathan...

Hannah observaba perpleja las páginas. Perpleja y sin habla. Respiró hondo varias veces. Y luego, muy lentamente, cerró la agenda.

–Vamos, tenemos que ir a casa de nuestros padres.

–¡No puedes ir a ver a tus padres como si nada!

–¿Por qué no?

–Hannah, ¡por favor! Jonathan te ha enviado un regalo fascinante.

–Cierto –admitió Hannah–. Pero es imperdonable lo que hizo.

Lisa le dirigió una mirada desafiante.

–¿Quién lo dice?

–Yo. Y no, no puedo perdonarlo.

–¿De verdad?

Hannah lo pensó un momento. Luego meneó la cabeza lentamente y con tristeza.

–No. Hizo mucho daño. Y... –se interrumpió–. Lo que le hizo a Simon con su carta fue horrible. Lo hirió a propósito y con muy mala baba.

–De acuerdo –admitió Lisa–, pero estoy segura de que no era consciente de lo que provocaría. Al menos, no puedo imaginármelo.

–Aun así, todos tenemos que vivir con las consecuencias de nuestros actos. Intencionados o no.

Lisa suspiró.

–Quizá tengas razón. –Se encogió de hombros–. Pero, aunque actuara con mala baba, el regalo de Jonathan es una monada.

–Es una monada, pero no arregla el mal que hizo.

–¿Pensarás en la oferta de publicar el libro?

–Tal vez. Aún no lo sé.

Se despidieron delante de la Pandilla con un largo abrazo. Lisa se marchó hacia la parada de metro y Hannah fue a buscar el coche. Abrió la puerta, se sentó al volante y arrancó.

Al cabo de diez minutos aparcaba de nuevo el Twingo, aunque no delante de la casa de sus padres. Se dirigió al portal de un edificio, buscó el timbre pertinente en la placa del portero automático y llamó.

Estuvo a punto de lanzar un grito de alivio cuando oyó el zumbido de la puerta al abrirse. Subió corriendo las escaleras y llegó arriba jadeando.

–¡Cuánto me alegro de que esté en casa! –exclamó–. Soy Hannah Marx. ¿Tiene tiempo para mí? Ya sé que es Navidad, pero es muy urgente y...

–¡Pues claro! ¡Pase! –Sarasvati le sonrió y abrió de par en par la puerta para que Hannah entrara.

69

Jonathan

27 de diciembre, jueves, 17.28 horas

Sonó el móvil, pero Jonathan no se tomó la molestia de levantarse de la butaca, acercarse al escritorio y mirar quién llamaba. Sabía que no era Hannah porque había configurado su número para que sonara con un tono específico. Las demás llamadas no le interesaban, estaba muy ocupado.

En esos momentos se sumergía en el final de un manuscrito que le gustaría incluir en el catálogo del próximo otoño. *Mi corazón frío,* la primera novela de una autora joven con talento, lo había cautivado.

Con semejante título, medio año antes ni siquiera habría tocado la novela y aún menos la habría leído. Sin embargo, ahora se le caía la baba con los personajes y la trama que había creado la escritora. ¡Qué libro! ¡Qué historia! Una historia muy... muy... ¡emocionante como la vida misma!

Sí, a esas alturas Jonathan sabía que la vida escribía las historias más sorprendentes. Solo tenía que pensar en sí mismo. Y en Hannah. Por desgracia, no se había puesto en contacto con él desde que le envió el regalo de Navidad, y seguramente no lo haría. Y eso le rompía el corazón, aunque no por la imposibilidad de adquirir los derechos de *La sonrisa de Hannah.* No, se lo rompía porque seguramente no la vería nunca más.

Suspiró y se sumergió de nuevo en la lectura de *Mi corazón frío*. Poco después, cuando la historia llegó al gran final en una escena en que la protagonista se daba cuenta de la infame traición de su amado, Jonathan volvió a divagar.

En esta ocasión, no pensó en Hannah, sino en su padre. Jonathan hizo lo que Renate Krug le había pedido y no le contó a Wolfgang Grief lo que había descubierto en Italia. Decidió dejarlo correr, le bastaba con saberlo él. Y con que eso le ayudara a explicarse sus déficits emocionales y a erradicarlos. No le serviría de mucho con Hannah, pero quizá le sería útil en la vida. O, al menos, en la editorial. La cantidad de pedidos de ejemplares de las novedades de primavera y de verano, que había confeccionado con ayuda de Leopold, parecía satisfactoria.

En cuanto a su padre, Jonathan no le guardaba rencor. Más bien le daba pena. Wolfgang Grief tenía que vivir consigo mismo y, en sus momentos de lucidez, se daba cuenta de que cada vez se hundía más en la demencia senil. Renate Krug se ocupaba de él de un modo conmovedor. Jonathan la envió anticipadamente a la jubilación y ahora podía ir todos los días a la residencia de Sonnenhof a interpretar el papel de «Sofia».

Otra vez sonó el móvil. Jonathan dejó de mala gana el original que acababa de leer y se levantó. ¿Quién sería el pesado que insistía en llamarlo durante las fiestas? ¡Como no fuera importante...!

–Hola, Jonathan. Soy Lisa, la amiga de Hannah –oyó decir en un susurro.

¡Oh, era importante!

–Mm, ¿sí? –contestó, con el corazón en un puño.

–Estamos en la Marie-Jonas-Platz, en Eppendorf –dijo Lisa, en voz tan baja que Jonathan apenas la entendió.

–¿Y?

–¡En el mercado navideño!

–No te entiendo.

–¡Mira en la agenda, idiota!

Por un momento, Jonathan no supo qué hacer. Luego, cogió con las dos manos la Filofax azul que estaba encima del escritorio. Y la abrió por la página del 27 de diciembre.

La mejor época para comerse un bratwurst *en un mercado navideño es después de Navidad. El estrés de las fiestas ha acabado y por fin hay tiempo para disfrutar del recogimiento. Por eso hoy toca ir a las cinco a la Marie-Jonas-Platz, en Eppendorf. Si te niegas, ¡te encadenaré a un tiovivo infantil y te obligaré a dar vueltas hasta que admitas que los mercados navideños son fantásticos!*

–¿Quieres que vaya? –preguntó Jonathan, y le tembló la voz.

–Vaya, no eres tan tonto como dice Hannah. ¡Pues claro, bobo!

–Hannah no quiere verme, le...

–¡Tonterías! –masculló Lisa–. El otro día fue a casa de Sarasvati por ti y le pidió que le tirara las cartas. Por desgracia, la buena mujer solo le dijo que «lo que tenga que ser será». ¡Y ahora tengo que ocuparme yo de que lo vuestro sea!

–¿Crees que es lo que Hannah quiere?

Al otro lado de la línea se oyó una queja no muy femenina.

–Ayer le robé el móvil a Hannah para buscar tu número. Y hoy, contra su voluntad, la he traído a rastras al mercado para que el destino pueda cumplirse de una vez y yo no tenga que seguir oyendo sus terribles lamentos. O sea que ¡mueve tu culo de editor y ven de una vez! Y pronto, si no es mucho pedir.

–De acuerdo, ¡voy ahora mismo!

Jonathan colgó.

Y echó a correr. Tal como iba. Bajó las escaleras corriendo y tropezando, abrió la puerta de la entrada y, vestido con tejanos, una camiseta y zapatillas de estar por casa, salió a la calle en pleno mes de diciembre, cuando ya había oscurecido.

En esos momentos, a Jonathan N. Grief le daba igual el frío.

70
Epílogo

Hannah

31 de diciembre, lunes, 18.28 horas

—¡Muy bonito! –dijo Lisa mientras ponía la última silla infantil con las patas hacia arriba encima de una mesita para que ella y Hannah pudieran barrer y eliminar los últimos rastros de la devastación que reinaba en La Pandilla. Ese día habían organizado una fiesta de Nochevieja con batalla de confeti y serpentinas incluida–. ¡Solo faltan cinco horas y media para que empiece el nuevo año!

–¿Y qué? –preguntó Hannah mientras tiraba en una bolsa de la basura los restos y migas del bufé de tartas.

–¿«Y qué»? –repitió Lisa, que le dedicó una mirada cargada de reproches.

–Lo siento, pero no entiendo qué quieres decir.

–¡Claro que no lo entiendes! –Lisa torció el gesto y apretó sus labios carnosos para poner morros–. Tú vas a cenar con Jonathan y celebrarás el fin de Año con él, ¡y yo estoy sola!

–¿Por qué no te apuntas?

–¿A tu cita amorosa? –Lisa la miró con cara de espanto–. ¡Ni hablar!

–No es una cita amorosa–la corrigió Hannah–. Todavía no hemos llegado tan lejos. Al menos, yo no. Me gusta Jonathan, eso es todo. Ya veremos cómo acaba.

–Si comparto mesa con vosotros, tengo una vaga idea de cómo acabará –replicó Lisa, sonriendo con ironía–. Y ya te digo yo que no será un final romántico.

–¡No seas tonta! A mí me parece bien que vengas con nosotros. Y seguro que a Jonathan también.

–En lo que respecta a Jonathan, no me lo creo. Aunque actuaría como un perfecto caballero, por supuesto. Y a mí tampoco me parece bien. Además, no me importa pasar sola esta noche. El jaleo de Nochevieja es un horror, normalmente me voy a dormir antes de las doce.

–Entonces, no entiendo cuál es el problema.

–¡El año se acaba!

–Cierto. Y empieza otro. Como siempre.

–Pero ¡no he conocido a nadie! –le espetó Lisa.

Hannah por fin ató cabos.

–Mierda, ¡lo había olvidado! Te refieres a que Sarasvati predijo que este año conocerías a un hombre.

–Exacto. –Otra vez se puso de morros.

–¡Ay, pobre! –Hannah dejó la bolsa de basura, se acercó a su amiga y le dio un abrazo–. Seguro que lo conocerás el año que viene –dijo, mientras le acariciaba la espalda.

–No lo entiendo –masculló Lisa, que apoyaba la cabeza en el hombro de Hannah–. Sarasvati no se equivoca nunca.

–Quizá tuvo un mal día.

–Muy graciosa.

–O... –Hannah pensó un momento–. O hablaba de otro tipo de año.

–¿Qué? –Lisa levantó la cabeza y la miró boquiabierta.

–Es una posibilidad. Por ejemplo, el año del calendario chino. O indio. ¿Gregoriano, tal vez? Da igual, seguro que en algún calendario el día de Año Nuevo cae a finales de enero o en febrero. O algo por el estilo.

Lisa resopló.

–Genial. ¿Eso significa que me enamoraré de un chino?

–O de un gregoriano. Eso es lo de menos.

–Eres muy amable por intentar animarme. –Lisa suspiró–. Pero creo que, en el futuro, en vez de gastarme el dinero en sesiones de tarot, lo invertiré en una página de contactos de internet.

–¡Ni hablar! ¡Piensa en todos los barrigudos hijos de papá que rondan por esos sitios! Además, eres muy pesimista, el año aún no ha terminado.

–Exacto. Seguro que de camino a casa me tropiezo con el hombre de mi vida.

–Podría ser.

Lisa y Hannah se dieron la vuelta al oír unos golpecitos. En la calle, delante de la puerta de vidrio había un hombre con la cabeza y la cara tapadas con prendas de abrigo, que gesticulaba pidiendo que lo dejaran entrar.

–¡Está cerrado! –gritó Lisa.

El hombre juntó las manos enguantadas en señal de súplica y también hizo ademán de arrodillarse.

–Será un padre que se ha olvidado algo –supuso Hannah, que se dirigió a la puerta para abrirle.

–¡O alguien que quiere atracarnos! –le gritó Lisa.

–Sí, claro. Se habrá fijado en los dulces de chocolate mordisqueados –replicó Hannah, y abrió la puerta.

–¡Muchas gracias! –exclamó jadeando el hombre, que entró y enseguida se quitó el gorro y la bufanda.

Entonces vieron a un hombre desesperado, con orejas ligeramente de soplillo y media melena hasta la barbilla. Un peinado que probablemente se debía a sus orejas. Además de la expresión trágica que se reflejaba en su cara, sus ojos marrones miraban como los de un perrito salchicha que quiere saltar sobre el sofá de su dueña, pero no sabe si le está permitido. Una monada.

–¿En qué podemos ayudarle? –preguntó Hannah.

El hombre no la miró, solo tenía ojos para Lisa. Y no dijo nada. Como si le hubieran grapado la boca.

–¿Oiga? –Hannah lo miró, perpleja. ¿Les pedía entrar y luego no decía nada?–. ¿Qué quiere?

–¿Cómo dice? –El hombre volvió la cabeza hacia ella–. Perdón, yo... Bueno, yo...

–Sí, usted dirá. –Hannah le dirigió una mirada burlona de reojo a Lisa y comprobó que su amiga estaba igual de paralizada que aquel tipo extraño.

–Mm, bueno, yo... quería preguntar si... Dígame, ¿abren la primera semana de enero? Y también quería preguntar si habría una plaza libre para una niña de cuatro años.

–Tiene suerte –dijo Hannah–. Solo cerramos mañana. A partir del día 2 volvemos a abrir y podemos admitir a otra niña.

–¡Gracias a Dios! –El hombre suspiró. Volvía a mirar a Lisa–. ¡Me han salvado la vida!

–¿Tan grave era? –preguntó Hannah.

El caballero con mirada de perrito asintió.

–Sí, la semana que viene tengo que terminar un proyecto importante. Mi madre iba a ocuparse de mi hija hasta que vuelvan a abrir la guardería el seis de enero. Pero hoy ha resbalado en el hielo y ha sufrido una mala caída. Está en el hospital con la pierna rota por dos sitios.

–¡Qué lástima! –intervino por fin Lisa, aunque no lo dijo en un tono muy compasivo.

–¡Y que lo diga! –replicó el hombre, que le dirigió una gran sonrisa, como si su madre no estuviera en la planta de traumatología del hospital, sino tostándose al sol en las Antillas holandesas con un hombre al que la lotería había hecho millonario.

–Me alegro de que podamos ayudarle –dijo Lisa, poniendo morritos con mucha dulzura.

–Sí, no se imagina qué alivio. –Luego, bajando la mirada y la voz, añadió–: Estoy criando yo solo a mi hija, ¿sabe?

Ajá. Hannah tuvo que controlarse para no soltar una sonora carcajada ante aquellas palabras, que sonaron a máxima dictada a golpe de mazo.

–Voy un momento a la oficina y le traigo un formulario –dijo, y los dejó solos.

–¿Cómo se llama la niña? –oyó preguntar a Lisa.

–Luzie –contestó él.

–¡Un nombre muy bonito! Se lo pondría a mi hija..., si la tuviera.

–¿De verdad?

Hannah se tapó la boca con la mano porque se le escapaba la risa. ¡Qué locura!

Mientras buscaba el formulario correspondiente a las nuevas inscripciones, corrigió sus pensamientos. No, no era una locura. Era muy bonito.

Tanto como el hecho de que ella celebraría la Nochevieja con Jonathan. Si era sincera consigo misma, tenía que reconocer que le hacía mucha ilusión. Y se alegraba de que Lisa hubiera rechazado su ofrecimiento. Hannah se despidió en silencio de Simon. Le envió un breve saludo a su nube o donde fuera que se encontrara: «No te enfades conmigo, amor mío. Pero me imagino enamorada el año que viene. Después de todo, eso era lo que tú querías para mí. Y ya sabes lo que siempre digo: ¡los deseos se convierten en realidad!».